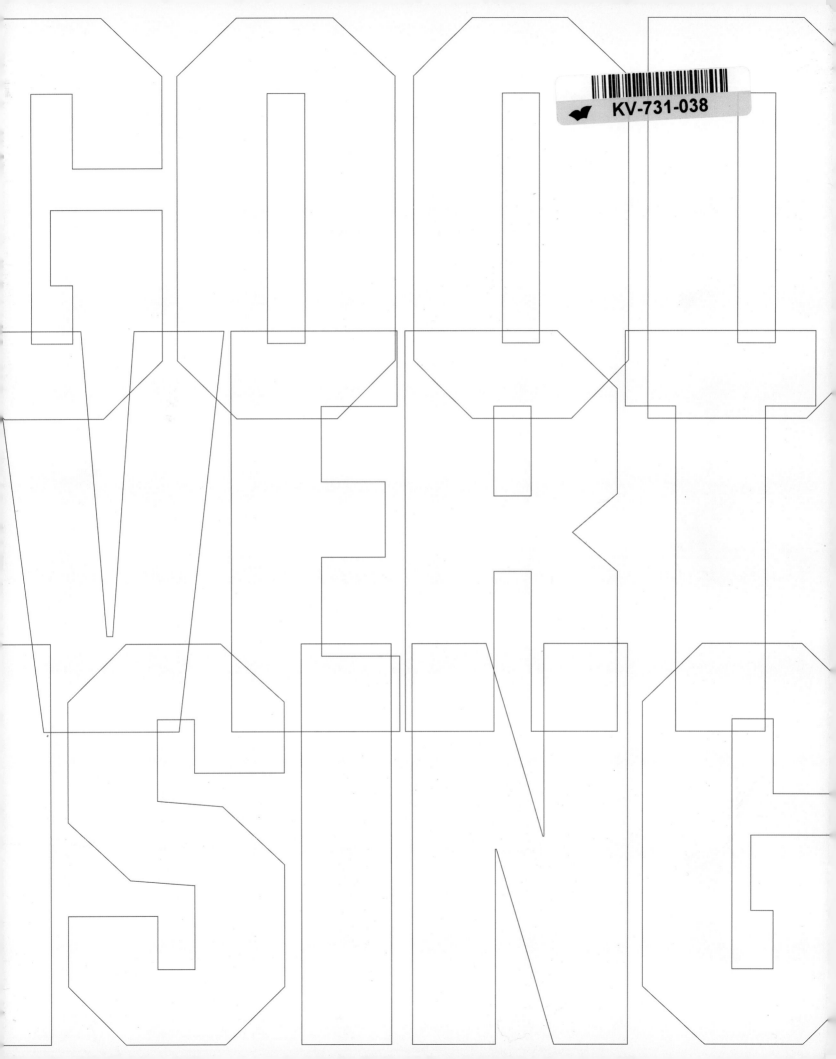

GOODVERTISING
LA PUBLICITÉ CRÉATIVE RESPONSABLE

THOMAS KOLSTER

ADAPTATION FRANÇAISE ET PRÉFACE DE GILDAS BONNEL, SIDIÈSE

ALISIO

AU SUJET DE L'AUTEUR

Thomas Kolster est expert international en communication responsable
et constructive. Directeur de l'agence Goodvertising, il aide des entreprises,
des associations à but non lucratif et des agences à comprendre cette nouvelle
réalité et à s'y adapter. L'année dernière, Thomas Kolster a fondé WhereGoodGrows.
com, la toute première plateforme de partage de « bonnes » initiatives en matière
de communication. Il a animé de très nombreuses conférences lors d'événements
organisés par South by Southwest, Design & Art Direction, Social Media Week
et Sustainable Brands. Collaborateur du *Guardian* et d'autres publications,
il fait régulièrement partie du jury de plusieurs prix internationaux. Enfin,
le *Huffington Post* lui a décerné le titre de « *Inspirationnal Leader* ».
N'hésitez pas à le contacter pour l'inviter à animer une conférence,
lui demander conseil, lui confier une mission ou simplement lui dire bonjour.

thomaskolster.com
@thomaskolster

Published by arrangement with Thames and Hudson Ltd, London
Goodvertising © 2012 Thames & Hudson Ltd, London
Copyright © Thomas Kloster
Designed by Patrick Morissey

Première édition française publiée en 2015 par les Éditions Leduc.s, Paris
Édition française © 2015, Éditions Leduc.s
ISBN : 979-10-92928-11-2

Traduction : Christophe Billon
Mise en page : Émilie Guillemin

SOMMAIRE

PRÉFACE

Pourquoi ce livre en français ?

Depuis plus de dix ans, Sidièse travaille sur des sujets de communication toujours plus complexes. Les crises économiques, financières, sanitaires et climatiques ont profondément érodé la confiance des citoyens dans la structure même de notre société. Les défis que nous devons collectivement relever nécessitent des changements (parfois radicaux) de comportements de l'ensemble des acteurs sociaux et économiques. Comment, dans ce contexte, embarquer les publics, éclairer leurs choix et participer à toutes ces mutations en cours ?

Depuis cinq ans, Sidièse collabore avec des agences européennes indépendantes au sein d'un réseau que nous avons développé de façon très informelle. Sans véritable ambition *business*, nous avions envie de partager avec des professionnels de la communication engagés comme nous sur les enjeux de la responsabilité sociale et environnementale des marques et des entreprises. Lorsque vous travaillez sur les enjeux de transformation actuels (énergie, mobilité, nutrition, recyclage, par exemple), vous ne pouvez qu'aspirer à comprendre ce qui se passe ailleurs : pourquoi les allemands recyclent davantage que nous ? Les anglais confondent-ils vraiment bio et équitable ?

Ce réseau, nous l'avons, par pure effronterie, baptisé d'une injonction rampante qui fait des ravages sur nos sujets : « Ne souriez pas ! ». Une interdiction qui, pour nous, pétrifie et effraie plus qu'elle ne motive. Elle donne le signal qu'il faut redoubler de malice, de créativité. Parce que l'ennui est le pire ennemi, parce qu'on ne fait rien de bien en traînant des pieds, parce qu'on a tous besoin de sourire face à l'énormité de la tâche, parce qu'on ira bien plus vite et dans une bien meilleure direction, si nous gardons le sourire en majeur. « *Do Not Smile* », donc comme un « haut les mains » de pacotille, une farce de gamin, un pied de nez qui conjure la sinistrose.

C'est grâce à Do Not Smile, ce réseau d'agences européennes, que j'ai eu le plaisir de rencontrer Thomas Kolster, l'auteur de ce livre. Exactement le genre de rencontre que ce réseau nous offre en cadeau. Thomas, Néerlandais d'origine et Danois d'adoption, est un expert de la communication responsable internationalement reconnu. Il a créé sa propre agence : « Goodvertising agency ». Mes premiers échanges avec lui m'ont fait réaliser à quel point nous étions, en France, sous une chape moralisatrice et suspicieuse dans notre rapport à la communication en général et à la publicité en particulier. Commentant ensemble le défilé Chanel (octobre 2012) dans le Grand Palais que Karl Lagerfeld venait de décorer d'éoliennes et de panneaux solaires, nos points de vue divergeaient totalement. Alors que je m'offusquais de la gadgétisation « bling bling » du sujet, Thomas le Danois, donc par nature super écologiste à mes yeux, applaudissait l'initiative de la marque qui, en l'intégrant dans son univers, faisait de l'enjeu environnemental un sujet tendance et contemporain.

En France, nous sommes volontiers cartésiens et soupçonneux. On plisse le front : chaque message est sans doute le bras armé de quelqu'un ? Nous fronçons les sourcils : la publicité a forcément intérêt à manipuler. On se pince le nez : elle sert « le système », les « patrons », les « politiques ». Nous fonctionnons ainsi… pour l'instant. Mais quand le collectif, les grandes causes, l'innovation, l'intérêt commun ont besoin de communication, on fait comment ? Chez Sidièse, nous avons eu envie d'aller plus loin. De confronter, avec nos partenaires européens (Italiens, Anglais, Allemands, Danois, Belges, Turques et Français), nos sensibilités et nos expériences.

Ce livre donne à revoir et à re-aimer la communication. Alors que beaucoup répètent en ce moment, « c'est de la com' » pour signifier que c'est du vent, du vide, du rien, cette sélection de campagnes engagées et engageantes permet de revisiter (je l'espère en tous cas) notre jugement. C'est pourquoi, nous avons décidé de faire traduire cet ouvrage – avec l'aide de l'ADEME –, afin de mieux sensibiliser le public français des professionnels, mais aussi de tous ceux qui s'intéressent à la communication. Et comme le livre de Thomas était essentiellement basé sur des campagnes et experts internationaux, nous avons voulu y apporter, avec son accord, notre « *french touch* », une dose d'expérience nationale, avec l'interview de quatre experts français et la description de quelques campagnes hexagonales exemplaires.

Le paysage français de la communication responsable

Pour jeter un coup d'œil dans le rétroviseur et voir d'où l'on vient : en 2007, nous nous sommes rassemblés à quelques-uns, professionnels de la communication et du développement durable, dans un collectif – Adwiser – qui visait à interpeller le secteur de la publicité sur sa responsabilité sociale et environnementale. Nous mettions en lumière, dès le premier rapport de 2007, l'impact extrêmement puissant des campagnes de communication sur l'imaginaire collectif et les représentations sociales. Nous étions, à l'heure du Grenelle de l'Environnement, dans un débat de société passionné (comme la France sait les générer et les nourrir) qui dénonçait notamment le secteur de la communication pour son manque de responsabilité dans une société d'hyperconsommation menant nos sociétés au chaos.

En 2011, par conséquent, Adwiser publiait sa plateforme «COMMUNIQUER POUR UNE CONSOMMATION SOUTENABLE : 28 PROPOSITIONS JOYEUSES ET DURABLES POUR LE MONDE D'APRÈS». Dans ce texte (*cf.* encadré), nous revendiquions une alternative puissante et créative : «Le couplage entre hyperconsommation et communication n'est pas une fatalité, la communication n'est pas condamnée à vie au rôle de coupable. Les basculements ne se feront pas sans l'aide de la communication, vecteur puissant de transformation culturelle».

PLATEFORME ADWISER « COMMUNIQUER POUR UNE CONSOMMATION SOUTENABLE »

Notre monde se déglingue, s'asphyxie, s'épuise, croissance y compris. Nous sommes inquiets, pour nous, pour nos enfants, pour demain matin, pour après-demain et pourtant l'essentiel du business continue «*as usual*»…

Nous, communicants, pouvons contribuer au changement.

1. Changement climatique, épuisement de la biodiversité, déclin des ressources pétrolières, terres rares… les limites écologiques du monde sont une certitude.
2. Le modèle d'une consommation infinie de biens matériels est intenable dans un monde fini.
3. Au-delà d'un certain seuil, dépassé depuis longtemps dans nos sociétés, le surplus de consommation n'entraîne plus de surplus de bonheur (paradoxe d'Easterlin).
Notre modèle de consommation doit être MASSIVEMENT réorienté vers des pratiques plus légères pour la planète et plus épanouissantes pour les personnes.
4. Le couplage entre hyperconsommation et communication n'est pas une fatalité, la communication n'est pas condamnée à vie au rôle de coupable.
5. Les basculements ne se feront pas sans l'aide de la communication, vecteur puissant de transformation culturelle.
6. Il ne nous reste pas beaucoup de temps et nous ne pouvons pas nous contenter de changements à la marge. Il faut s'engager MAINTENANT.
7. Pour cela, la communication doit faire sa révolution culturelle, modifier tout ce qui oriente mécaniquement son système vers la promotion de l'hyperconsommation.
8. Elle doit prendre des risques, se faire un peu peur, renoncer à des lignes Maginot corporatistes, des habitudes confortables, des modèles d'affaires rassurants mais…
9. Il y a tellement à gagner en innovation ! Et nous faisons le pari que ce virage se fera en gardant l'essentiel : le plaisir, le talent et la créativité au cœur de nos métiers.

Misant sur la créativité, c'est MALICIEUSEMENT qu'il faut se lancer.

Depuis lors, le débat s'est apaisé et les parties prenantes les plus virulentes ont dépassé les joutes sectaires entre un secteur de la communication forcément consumériste et vendu au grand capitalisme et des écologistes évidemment archaïques, décroissants et anarchistes. Enfin presque apaisé… La société civile a évolué et les relations se sont organisées entre les marques, les entreprises et leurs parties prenantes. Les entreprises ont toujours plus intégré l'enjeu majeur que représentent ces relations avec les acteurs les plus attentifs aux impacts sociaux et environnementaux.

Aujourd'hui, la question est de faire évoluer nos métiers. Prenons en compte les attentes d'une société qui ne se satisfait plus de vérités plaquées, de messages prêts à gober. Michel Serres, dans son best seller formidable, *Petite Poucette*, décrit si bien notre monde qui ne se fie plus à un seul point central (le trône, l'autel, la chaire du professeur, l'écran de télévision…) comme référence de légitimité, de connaissance et de pouvoir. C'est une époque dans laquelle chacun souhaite être un acteur qui commente, participe, agit, promeut, partage et attend de nos campagnes de communication des propositions innovantes, créatives et utiles. Ces changements induisent de nouveaux acteurs (technologiques en premier lieu), de nouveaux liens (avec les Data en partage…), des nouvelles méthodologies dans nos journées de travail… tout un territoire de création et de responsabilité !

C'est au cœur de ces transformations que germe une nouvelle culture de nos métiers.

Et surtout, n'oubliez pas une chose : Ne souriez pas. Jamais. Surtout pas. Ce serait bien trop positif. Vous risqueriez de passer de l'*advertising* au *goodvertising*. Et là, malheureux, tout peut arriver…

Gildas Bonnel
www.sidiese.com
@gildasbonnel

ACT RESPONSABLE

Membre fondateur du collectif Adwiser, l'association internationale ACT Responsible collecte et rassemble depuis 2011 des publicités de grandes causes et d'intérêt public des quatre coins du monde. Elle les met en valeur dans des expositions et des actions de sensibilisation à destination principalement de la communauté publicitaire mondiale, avec deux objectifs :

• inspirer et stimuler la création de campagnes d'intérêt commun afin qu'elles soient toujours plus pertinentes, à même de provoquer les changements escomptés dans la société ;

• promouvoir le développement durable auprès des agences de communication et de tous les prestataires publicitaires, et les inciter à des pratiques plus responsables.

Pour en voir plus : www.act-responsible.org

POURQUOI PUBLIER CE LIVRE AVEC L'ADEME ?

Créée en 1992 à l'initiative des pouvoirs publics pour conduire la politique nationale de développement durable, l'Agence de l'Environnement et de la Maîtrise de l'Energie (ADEME) dispose d'une large capacité d'intervention aux plans local, national et international. Elle met ses capacités d'expertise et de conseil à disposition des entreprises, des collectivités territoriales, des administrations et du grand public pour aider les particuliers comme les professionnels à progresser dans leurs démarches de développement durable.

Très tôt, l'institution a considéré la place de la communication et de la publicité comme un levier puissant de changement individuel et collectif. Elle a outillé le secteur de la communication en publiant des ouvrages (le *Guide de l'éco-communication* dès 2005), en développant des cycles de formation pour les professionnels de la communication et des médias et en soutenant les initiatives régionales les plus volontaires (APACOM par exemple). Je ne peux pas oublier, pour ma part, que c'est un brief de l'Ademe qui a transformé durablement l'histoire de mon agence, son positionnement et ma trajectoire professionnelle. Enfin, pour l'anecdote, c'est aux côtés de Valérie Martin, Chef du service communication et information des publics de l'Ademe, que j'ai eu le plaisir de débattre pour la première fois avec Thomas Kostler lors d'une table ronde organisée par Mathieu Jahnich (Sircome).

5 TENDANCES VERS DE NOUVEAUX MODES DE VIE

- Depuis 2004, l'attente n°1 des Français est d'abord des produits bons pour la santé (stable à 39%), les preuves de sécurité et de transparence sur les produits sont aussi des éléments clés.

- Les Français attendent des informations sur la composition du produit (64%), sur l'origine des matières premières et sur le lieu de fabrication.

- Le bénéfice personnel prime sur la préservation de la planète (28%).

- Les Français les plus engagés (30% environ) font attention à ne pas acheter de marques produites par des entreprises dont ils réprouvent le comportement et agissent par leurs achats au service de leurs convictions.

- Plus d'un tiers déclarent que les entreprises devraient proposer des produits moins sophistiqués, plus simples.

GARANTIR · **RÉSISTER** · **RÉINVENTER** · **RÉCONCILIER** · **PARTICIPER**

5 TENDANCES VERS DE NOUVEAUX MODES DE VIE

- Les Français consomment malin, ne gaspillent plus (49%), dénichent les bonnes affaires (42%). Ils achètent en direct et donnent une 2ᵉ vie au produit (24%).

- Plus d'un tiers des Français considèrent que l'usage d'un produit est plus important que le posséder et le digital est au cœur de ces profondes mutations.

- Pour les Français, consommer responsable, c'est d'abord consommer autrement (produits éco-labellisés, certifiés éthiques, locaux et moins polluants) à 47% : 12 points de progression en 5 ans.

- Une consommation plus éclairée voit le jour, avec 35% des Français qui déclarent ne plus consommer de produits ou services superflus et pour 18% (chiffre en baisse) c'est d'abord réduire sa consom-mation.

MÉTHODOLOGIE DE L'ENQUÊTE

Enquête GreenFlex-Ethicity menée par Kantar Media TGI auprès d'un panel représentatif de la société française de 3700 individus âgés de 15 à 74 ans. Enquête terrain du 17 février au 9 mars 2014 par voie postale, sur la base de l'échantillon TGI de Kantar Media du dernier quadrimestre 2013. Même méthodologie depuis 2004.

- Les Français croient d'abord en eux pour agir (avant les états et entreprises) et 82% pensent qu'ils peuvent agir par leurs choix de consommation.

- Le "do it yourself" est en forte progression (de 25% en 2011 à 70% en 2014 !).

- La société de "co" se développe et l'action dans la société civile augmente (18% consacrent du temps à des associations).

MESSAGE DEPUIS 2025 : L'ÉPITAPHE DE LA PUBLICITÉ

Vous pouvez vous féliciter. La révolution entamée en 2015 a été menée à bien aujourd'hui, en 2025. Et elle est réellement impressionnante ! Imaginez les horreurs vécues par les «consommateurs» pendant les heures sombres de 2015. Et au passage, il est incroyable que l'on ait pu employer ce terme désobligeant pour désigner les gens. Cela peut prêter à rire aujourd'hui, mais, en 2015, la publicité venait interrompre en permanence la vie des citoyens. C'était une sorte de peine de prison commerciale quotidienne, à raison de plus de 12 minutes par heure de programme télévisé. À l'époque, nous n'étions pas vigilants car cela paraissait normal. Mais au final, c'était 20 jours de perdus par an à cause de la publicité que les gens auraient pu consacrer à leur famille et à leurs amis, à soigner leur forme physique ou à améliorer leurs conditions de vie.

À l'époque, les spécialistes du marketing considéraient la publicité comme le miroir de la société malgré son impact évident et son omniprésence. La publicité promouvait un idéal de beauté biaisé, ciblait continuellement l'insécurité et l'égoïsme des gens et favorisait une course à l'armement matérielle, de sorte que vous étiez considéré à la traîne si vous ne possédiez pas le gadget dernier cri. À l'époque, on promouvait des services et produits même s'il était prouvé qu'ils nuisaient à la santé. On aurait été en droit de penser que des enseignements avaient été tirés des agissements des grands cigarettiers pendant des décennies, mais l'histoire a tendance à bégayer.

Une blague circulait à l'époque dans le secteur de la mode :

Personne A : tu savais que si tu portes ces sous-vêtements, tu n'as pas besoin d'utiliser de contraceptif ?
Personne B : pourquoi? Ça parait incroyable !
Personne A : eh bien… parce que tous les produits chimiques qu'ils renferment se chargent de faire le boulot !

On retrouvait dans tous les secteurs d'activité des histoires traduisant l'inconscience ambiante. Par exemple, les céréales servies aux enfants au petit déjeuner contenaient autant de sucre qu'une barre chocolatée et on disait que c'était le produit sain et nutritif idéal pour démarrer la journée. Et pendant que certaines personnes mangeaient mal et en grande quantité, d'autres mouraient de faim dans certaines régions du globe.

Un rapport historique publié par le cabinet PwC (PricewaterhouseCoopers) en 2014 a passé en revue les difficultés que nous rencontrions à l'époque en dégageant quatre grandes tendances mondiales : «Changement climatique et rareté des ressources», «Changements démographiques», «Urbanisation massive». Le tout, combiné à des milliards de nouveaux consommateurs désireux de dépenser leur argent alors que le pouvoir d'achat des citoyens augmente sensiblement au sein des économies émergentes. Malgré tout, dans une partie du monde, on prenait encore des douches à l'eau parfaitement potable, alors que cette dernière demeurait inaccessible à plus d'un milliard d'individus. C'était pour le moins une période pleine de paradoxes !

L'un des arguments majeurs en faveur de la publicité venait de ce secteur d'activité : pour chaque euro dépensé en publicité, la valeur ajoutée est de 6 euros. Vu depuis 2025, ce calcul est au mieux plein d'ignorance, car il n'est basé que sur quelques critères positifs et ne tient pas compte des effets négatifs tels que les dommages causés à la santé, à la société et à l'environnement. Un excellent comédien de l'époque, Jerry Seinfeld, décrivait parfaitement les particularités de la publicité : «hé, peut-être que celui-ci (de produit) n'est pas dégueulasse». Nous sommes une espèce pleine d'espoir – stupide, mais pleine d'espoir.

Votre marque atteindra-t-elle l'âge de 75 ans ?

Dans les années 1920, l'âge moyen d'une entreprise était de 75 ans. En 2014, une entreprise atteignait à peine l'âge de l'adolescence et disparaissait souvent avant ses 15 ans. Les marques sciaient la branche sur laquelle elles étaient assises et ne pouvaient donc que courir à la catastrophe. On aurait pu penser que les marques tireraient des leçons de l'entrée brutale dans l'ère du numérique qui a balayé tous ceux qui n'avaient pas montré un sens de l'anticipation, mais la plupart n'ont rien fait pour effectuer une transition durable. Le grand scientifique Albert Einstein a très bien décrit cela avec sa définition de la folie : «toujours se comporter de la même manière et s'attendre à un résultat différent. »

Comment avons-nous opéré cette transformation radicale impérative ?

Certaines marques étaient mécontentes du *statu quo*. Elles se sont donc données pour mission d'améliorer leurs relations avec les gens et de procéder plus intelligemment. Elles ont souhaité résoudre les problèmes au lieu de laisser la situation s'aggraver. Et n'est-ce pas là l'essence même du capitalisme ? Une compétition pour l'amélioration des biens et services qui nous propulse sans cesse vers le haut et non un concours de beauté basé sur des changements progressifs ou des particularités novatrices.

Il s'est avéré impossible de réussir en se focalisant uniquement sur la marque et les bénéfices. Le *goodvertising* (ou publicité responsable) a permis de placer l'homme et la planète dans l'équation. Les marques ont commencé à jouer un rôle plus important en se penchant sur ce qu'elles pouvaient faire pour remédier aux mauvaises pratiques, aux impacts nuisibles et pour réhabiliter les structures sociales. Elles ont réfléchi aux façons d'apporter de la valeur ajoutée pour leur bien, mais aussi celui de leurs clients, du marché, de la communauté, de leur pays et même de la planète !

Les marques ont pris en compte les facteurs environnementaux, sanitaires, sociaux, ainsi que d'autres éléments permettant d'améliorer le monde dans lequel nous vivons. Elles ont décidé, non pas de se contenter d'en parler, mais d'agir concrètement, de proposer une solution au lieu de simplement soulever un problème. Ces nouveaux récits (et plans d'action) ont fait l'effet d'un séisme, même au sein de marques bien implantées. Chipotle, entreprise de restauration rapide, a relevé le défi en racontant une histoire singulière d'alimentation intègre. Ils se sont rebellés contre les pratiques de l'alimentation industrielle utilisées par les chaînes de restauration rapide et ont proposé des aliments sains et adaptés produits dans le respect des animaux, des humains et de la planète. Ils ont modifié le récit des anciens géants du secteur afin de proposer quelque chose de novateur et positif. A-t-elle tout d'une marque plus responsable et respectueuse à vos yeux ?

Contribuer à ce que 2025 réponde à nos attentes

Nous ne sommes malheureusement pas encore en 2025. Nous sommes encore englués en 2015, et le secteur de la publicité répète les mêmes erreurs depuis des années. Une question s'impose : incitez-vous vos clients à adopter une vie saine, durable et source de plaisir ou gardez-vous la tête dans le sable avec une marque qui n'ose pas braver la tempête ? Et, bien entendu, la question la plus importante demeure : à quoi souhaitez-vous ressembler dans le futur ?

Bien que 2025 soit à nos yeux une chimère, nous pouvons faire en sorte de la rendre réelle dès aujourd'hui. Vu l'accueil réservé à la version anglaise de cet ouvrage, je suis très enthousiaste à l'idée de partager la version française avec vous. Elle présente les tous derniers et meilleurs travaux en matière de *goodvertising* au moment de mettre sous presse. Je vous conseille vivement de consulter le site goodvertising.info (en anglais), afin d'y découvrir de nouvelles initiatives passionnantes lancées aux quatre coins du monde. Pendant que vous y êtes, encouragez les autres en partageant des extraits numériques du livre et en rejoignant nos *Chains of Good* (Chaînes du Bien).

Vous souhaitez vous impliquer encore plus ? Suivez-nous sur Twitter (@dogoodvertising) ou facebook.com/goodvertising. Et si vous repérez des pratiques de publicité responsable, partagez-les avec nous en ligne sur #goodvertising.

En route vers 2025 !

Thomas Kolster
Auteur de *Goodvertising*

LE MANIFESTE GOODVERTISING

SOYEZ HONNÊTE ET SINCÈRE
PERSONNE N'AIME LES MENTEURS

DONNEZ DU SENS À VOTRE ACTION
NE CRÉEZ PAS LE DÉSIR, RÉPONDEZ À DES BESOINS

INSPIREZ L'AUTRE
PERMETTEZ-LUI DE VIVRE UNE VIE MEILLEURE ET PLEINE DE SENS

SOYEZ NOVATEUR
NE FAITES PAS SEMBLANT, AMÉLIOREZ LES CHOSES

SOYEZ POSITIF
BONIFIEZ LA VIE DES GENS, NE CIBLEZ PAS L'INSÉCURITÉ

INTRODUCTION

Je n'aime pratiquement aucune publicité. En fait, je déteste 99 % d'entre elles. Même si leur but est de me vendre quelque chose, pourquoi tant d'arrogance ? Pourquoi un tel manque de respect ? Pourquoi me faire perdre mon temps en me forçant à regarder une publicité rien que pour débusquer le contenu qui m'importe réellement ? Quoi qu'il en soit, si seulement 1 % des publicités sortent vraiment du lot, c'est grâce à elles que les marques éveillent mon intérêt de consommateur. C'est alors de la bonne publicité, de la publicité socialement utile, car son principe de base est l'intérêt commun : la marque entame avec moi un dialogue sur un thème qui me tient à cœur. Et les marques véritablement sincères dans cette démarche peuvent même aller au-delà et changer concrètement ma vie.

Dans une telle approche, je suis persuadé que la publicité pourrait sauver le monde… et survivre ! Voilà, c'est dit, et vous rigolez peut-être en lisant cela. Pourtant, je ne suis ni idéaliste ni écolo et je suis bien conscient, qu'ironie de l'histoire, c'est la publicité qui nous a enfoncés jusqu'au cou dans les crises climatiques et humanitaires que nous connaissons aujourd'hui. Mais justement, cela me donne d'autant plus confiance dans sa capacité à nous sortir de ce mauvais pas. Car personne ne connaît mieux les consommateurs, les marques et le marché que nous autres, les acteurs de la publicité. Il nous incombe donc de relever ce défi.

De l'hypocrisie à l'action…

Qualifier de responsable l'industrie de la publicité peut paraître hypocrite. Du moins, ça l'a été. En 2010, quand Pepsi a cessé d'utiliser des célébrités telles que Britney Spears et mis un terme à une présence longue de 23 ans au Super Bowl, cela a marqué la fin de la publicité telle que nous la connaissons. Pepsi a alors choisi de financer à hauteur de 20 millions de dollars un projet communautaire, « Pepsi Refresh », d'abord aux États-Unis, puis dans le monde entier. Ce changement d'orientation a non seulement montré que le secteur de la publicité souhaitait être plus responsable, mais également que le marché de la grande consommation devait lui emboîter le pas. Bonin Bough, directeur monde en charge des médias sociaux et du numérique chez Pepsi, explique l'ampleur prise par le phénomène : « Plus de gens ont voté pour des projets liés à "Pepsi Refresh" que pour l'élection du dernier président américain ». Nous sommes au tout début de l'une des transformations les plus radicales du monde de l'entreprise, et la publicité n'y coupera pas. C'est une évolution que personne ne peut se permettre d'ignorer, car elle demande non seulement de nouvelles connaissances, mais également une nouvelle approche.

Si la médiocrité n'est plus dissimulable, l'excellence l'emportera

Les marques ne peuvent plus se cacher. Des communautés, connectées sur Internet, révèlent et jugent les actions et faux pas des marques, comme jamais auparavant. Consultez les sites Web tels que WikiLeaks ou allez sur les réseaux sociaux, vous verrez comme ils sont capables d'ébranler des gouvernements, des marques de renommée mondiale et ont même contribué à renverser des régimes au Moyen-Orient. Vous et moi faisons partie de ce mouvement lorsque nous mettons en ligne un avis sur le taux de sucre contenu dans les céréales que mangent nos enfants ou lorsque nous postons sur Facebook un commentaire concernant le service client épouvantable d'une entreprise. Ce Tweet ou commentaire peut motiver les personnes partageant votre point de vue à s'exprimer également et déboucher ainsi sur l'exercice d'une pression considérable sur la marque… ce qui peut transformer un marché en très peu de temps. Comme le souligne Naomi Klein dans son livre *No Logo : la tyrannie des marques*, le branding est, à plus d'un titre, le talon d'Achille du monde de l'entreprise. Un exemple ? En 2012, McDonald's s'est servi de Twitter pour promouvoir les produits frais, proposés en collaboration avec leurs éleveurs, à l'aide des hashtags #MeetTheFarmers et #McDStories. L'un de leurs Tweets affirmait, « Quand vous créez un produit avec fierté, les gens le ressentent au goût ». Quelques heures seulement après le lancement de cette campagne, les gens ont tiré à boulets rouges sur la marque. L'un des pires commentaires a été l'œuvre de @Muzzafuzza : « Cela fait des années que je ne suis pas allé chez McDonald's, je préférerais manger ma merde. » Comme le montre cet exemple, votre histoire ne vous appartient plus : les gens la racontent à votre place. Vous avez donc intérêt à ce qu'elle soit positive. Car une enquête de consommation, menée en ligne par Nielsen au niveau mondial en 2009, montre que les consommateurs croient autant l'opinion donnée sur la toile par un inconnu que le site Web d'une marque.

Toute l'histoire du produit… et dans les moindres détails !

Le consommateur ne veut plus savoir si sa nouvelle télé le fait paraître branché, mais souhaite – et parfois exige –, de connaître les dessous de l'histoire de son écran. Où a-t-il été fabriqué ? Quelle est son empreinte carbone ? Comment sont traités les ouvriers de sa chaîne de fabrication ? De quels matériaux est-il composé ? Parmi ces matériaux, certains sont-ils toxiques ? D'où viennent les matières premières utilisées pour sa fabrication et quel est leur mode d'extraction – viennent-ils du fond d'une mine ? Que se passera-t-il quand vous vous débarrasserez de votre télé ? Quels seront les dommages pour la planète et ses habitants ?

Lorsque les dessous de l'histoire des produits se retrouvent au centre de la relation avec les consommateurs, cela impose aux marques une nouvelle posture, avec autre chose à raconter que l'histoire habituellement véhiculée par les fabricants via une publicité. Et si vous ne comprenez pas ces évolutions, vous serez rattrapé par les dessous de l'histoire de votre produit. Que ce soit intentionnel ou non, quand l'histoire véhiculée ne correspond pas à la réalité des conditions de fabrication de votre produit, on appelle cela de l'écoblanchiment.

Le législateur et le consommateur exigent de plus en plus des entreprises qu'elles prennent en compte leur impact environnemental. Les entreprises sont donc de plus en plus nombreuses à revoir leur vision économique et à commencer à intégrer leurs coûts environnementaux et humains dans leur comptabilité. Parmi les multinationales, Puma est celle qui est allée le plus loin en termes de mesure de son impact sur l'environnement. En 2010, cette société, aidée par le cabinet de conseil PwC, a calculé que le coût de son impact environnemental, en termes d'émission de gaz à effet de serre, d'eau, d'utilisation des sols, de pollution de l'air et de production de déchets, s'élevait à 145 millions d'euros. Ce coût peut être comparé au résultat net de 202 millions d'euros dégagé par Puma cette année-là. Comme le dit Jochen Zeitz, P.-D.G. de Puma, « les répercussions sur l'activité économique d'une entreprise, de son incapacité à tenir compte de la nature dans ses décisions sont désormais très claires, car les écoservices sont vitaux au fonctionnement de la plupart des entreprises. Mais l'intégration, à l'avenir, du véritable coût de ces services pourrait avoir un impact non négligeable sur leurs résultats financiers ».

Autre exemple, le mécanisme mondial d'échange de droits d'émission, qui permet de chiffrer la pollution par les gaz à effet de serre. Les entreprises se voient octroyer des quotas fixes d'émission de gaz à effet de serre. Si l'émission d'une entreprise est inférieure au quota dont elle dispose (elle pollue donc moins que prévu), celle-ci peut vendre le reliquat à une société plus polluante. C'est un excellent moyen d'inciter les entreprises à mieux se comporter et à contrôler les émissions de gaz à effet de serre.

« Grrr », Honda, Wieden + Kennedy, Londres
(voir pages 126-127)

Tropicana, qui appartient au groupe PepsiCo, communique sur ses efforts en la matière auprès de ses consommateurs. Cette entreprise a doté les produits de sa gamme de jus de fruit d'une étiquette sur l'empreinte carbone et est parvenue ainsi à transformer l'émission de gaz à effet de serre (qui représente un coût pour les entreprises) en outil, permettant de communiquer avec les clients et même de booster les ventes ou de proposer un prix plus élevé. Ce genre d'information est très souvent noyé dans un rapport, mais communiquée de la sorte, elle devient une mine d'or potentielle pour une marque telle que Tropicana.

Indéniablement, dès que les entreprises devront s'acquitter du véritable coût de leur prélèvement sur la nature et les écosystèmes – qu'elles soient forcées par des consommateurs écoresponsables, par le législateur ou par une inévitable hausse du prix des ressources – un changement radical interviendra, et les grands gagnants seront ceux qui auront pris une longueur d'avance.

Le fait que notre mode de vie actuel ne soit pas en adéquation avec le bien-être de la planète ne devrait pas vous surprendre. Notre système capitaliste repose sur le principe d'une croissance infinie, essentielle pour l'obtention d'un niveau de vie élevé. Le paradoxe, c'est que notre croissance dépend de ressources naturelles telles que les combustibles fossiles, elles-mêmes limitées. La conclusion est simple : il est impossible de bénéficier d'une croissance infinie basée sur des ressources limitées. Le vieux proverbe d'un Amérindien Cree est très clairvoyant à ce sujet : « Ce n'est que lorsque le dernier arbre sera abattu, la dernière rivière empoisonnée, le dernier poisson pêché que nous nous apercevrons que l'argent ne se mange pas. » Nous avons déjà besoin de plus de ressources que nous n'en disposons, à hauteur d'environ une planète et demie, pour maintenir notre mode de vie actuel. Si les près de 7 milliards d'êtres humains que compte la population mondiale devaient adopter le mode de vie des Européens, il nous faudrait trois planètes, et cinq s'ils aspiraient à vivre comme les Américains. Et pourquoi n'auraient-ils pas le droit de rêver du même niveau de vie ?

«Selinah», The Topsy Foundation, Ogilvy,
Johannesburg (voir pages 148-149)

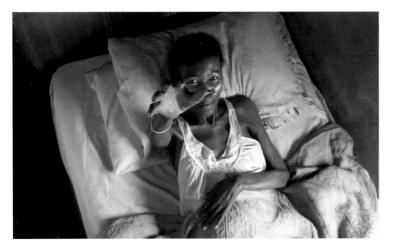

«Retour à la case départ», Chipotle Mexican Grill,
CAA and Chipotle (voir pages 26-27)

Pourquoi les consommateurs devraient-ils aimer votre marque ?

Les consommateurs ne font plus confiance aux marques. Havas Media a mené une étude intitulée « Brand Sustainable Futures » auprès de 30 000 consommateurs répartis sur quatre continents et neuf marchés, sur le thème de la « durabilité » des marques. Les deux tiers des consommateurs ont révélé que la survie de la majorité des marques ne leur importait pas du tout. À mes yeux, cette révélation est saisissante et montre qu'il reste beaucoup de travail pour restaurer la confiance des consommateurs. Je pense que ce fossé s'est creusé parce que les marques n'ont pas semblé se soucier des consommateurs ou de ce qui était essentiel à leurs yeux. Dans ces conditions, pourquoi les consommateurs devraient-ils se soucier des marques ?

Pourtant, les consommateurs souhaitent que les marques jouent un plus grand rôle dans leur vie. En fait, la même étude montre qu'environ 80 % des consommateurs attendent non seulement des entreprises qu'elles prennent soin des actionnaires, mais également qu'elles contribuent, de manière significative, à la résolution des problèmes rencontrés par la société – de la mise à disposition d'emplois de qualité à l'octroi de dons, en passant par une démarche allant au-delà du simple respect des normes environnementales afin de minimiser la pollution et les autres effets négatifs. Alfonso Rodés Vilà, P.-D.G. de Havas Media, ajoute : « Brand Sustainable Futures met l'accent sur le fait que la durabilité n'est plus une question de responsabilité, mais de survie. Les entreprises doivent intégrer la durabilité au cœur de leur activité et commencer à entamer un dialogue fluide, permettant d'échanger des points de vue avec les consommateurs et les autres réseaux clés de la société afin que leur marque poursuive un but qui ait du sens. »

Malheureusement, les travaux menés par le Natural Marketing Institute en 2011 ont montré que les marques avaient encore beaucoup de chemin à parcourir. 41 % des consommateurs américains déclarent : « Je ne crois pas aux discours tenus par les entreprises à propos des efforts qu'elles fournissent pour protéger l'environnement ». Cela en dit

également long sur la différence entre l'intention et le comportement des consommateurs en matière d'achats de produits durables. Là encore, un certain manque de confiance est de mise. Les marques se doivent de renouer avec les consommateurs, de regagner leur confiance en mettant les gens et la planète au cœur de leurs préoccupations. Il ne suffit plus de dire que vous agissez bien, les consommateurs doivent pouvoir le constater, le sentir et le croire.

Cela met les marques face à une nouvelle réalité, au sein de laquelle le changement n'est plus un choix mais une question de survie. Elles vont être contraintes de prendre trois mesures importantes pour passer de la recherche de bénéfices au sens de leur action. Elles vont devoir devenir :

Transparentes
Collaboratives
Proactives

Plus de pouvoir implique plus de responsabilité

Si les consommateurs attendent plus des marques, alors ces dernières doivent répondre à ces besoins. Dans les affaires, la tradition a toujours été de faire un maximum de bénéfices, mais aujourd'hui, la croyance en un modèle plus durable se renforce, non seulement dans les petites entreprises visionnaires, mais également au sein des grands conglomérats d'envergure mondiale tels que Nike, General Electric et Unilever. C'est la conséquence d'une prise de conscience, les entreprises commençant à se rendre compte qu'il est impératif de changer, car leur modèle économique est menacé par une planète en crise et des ressources rares. Le consommateur lambda s'attend à ce que les marques lui offrent des solutions et se comportent de manière responsable, ce qui remet en question les vieilles règles du marché. Je propose dix conseils susceptibles d'aider les entreprises à faire de leur mieux. Pour rester dans le coup, une marque doit être transparente, connectée, simple, collaborative, empathique, créative, communicative, généreuse, pédagogique et positive.

Les marques ont un grand rôle à jouer. Ces 20 ou 30 dernières années, les entreprises se sont étoffées pour devenir de grands conglomérats internationaux. Avec l'accroissement de leur rayon d'action, leur pouvoir est devenu énorme, plus important que celui de nombreux gouvernements. Aujourd'hui, 51 % des plus grandes entités économiques mondiales sont des entreprises qui constituent également les plus gros employeurs de la planète. En outre, les marques touchent tous les aspects de notre vie à travers les produits et services que nous utilisons. Dans le monde, on consomme, chaque seconde, 10 450 boissons produites par Coca-Cola. Imaginez si une petite partie du pouvoir de cette société était utilisée pour le meilleur.

La créativité, atout numéro 1

Dans le débat sur une nouvelle révolution responsable – que ce soit dans les articles, sur les blogs ou dans les livres – l'appel à une communication créative semble absent. Pourtant, on devrait être persuadé de la capacité de l'industrie de la publicité à apporter sa pierre capitale à l'édifice pour changer la donne dans le monde entier. J'estime que nous devrions sans cesse prôner cela. Quiconque évoluant dans la sphère de la communication a un rôle essentiel à jouer. Dans la mesure où ce secteur a contribué à bâtir et faire avancer le train du consumérisme et du capitalisme – qui nous amène, désormais, tout droit vers le bord de la falaise –, nous devons participer à la résolution de ces problèmes à l'échelle mondiale, d'une manière responsable, durable et stimulante. Non seulement nous connaissons le marché et les consommateurs, mais nous avons également des compétences à revendre. Nous avons construit des marques plus fortes que des nations. Nous avons noué, avec tous les petits garçons et les petites filles, de Copenhague au Cap, des relations si solides qu'ils peuvent vous dire pourquoi la marque X est meilleure que la marque Y. Notre travail peut soit contribuer à dessiner la route vers un monde meilleur, soit renforcer l'ignorance. Le moment est venu, en tant que professionnel, d'en prendre conscience et d'agir en osant vous servir de vos talents à bon escient.

Pas de bon business sans responsabilité

Malheureusement, le cœur et le portefeuille ne parlent pas toujours le même langage. Nous pouvons avoir une idée des mesures à prendre, mais nos actes restent très souvent conditionnés par le prix, la commodité et les habitudes. Les gens changent souvent de comportement en raison, par exemple, de l'augmentation du prix du carburant ou d'autres mesures incitatives sur les coûts. Je pense que c'est la conséquence de notre pensée capitaliste, selon laquelle l'argent est roi et que le temps, c'est de l'argent. À ce titre, la plupart des individus et des entreprises ne sont pas différents : c'est l'argent qui impose sa loi.

Certaines personnes demeurent sceptiques face à ces entreprises dont le marketing, les produits ou le comportement général sont responsables. On me pose souvent la question : n'est-ce pas tout simplement un moyen des plus cyniques pour les entreprises de vendre plus ? En effet, on aide d'une main les enfants qui meurent de faim en

Afrique, pendant qu'on remplit les poches de l'entreprise de l'autre. À vous de juger, mais personnellement, je n'ai aucun doute. Faire le bien est rentable et permet, dans notre exemple, aux enfants africains qui meurent de faim de bénéficier d'une aide permanente, ce qui n'est pas le cas lorsque l'argent, donné par philanthropie, vient à manquer ou qu'une nouvelle cause détourne l'attention des donateurs.

Pour la même raison, je ne prêche pas pour la responsabilité sociale des entreprises : je prône une communication et une innovation pour un monde meilleur, avec, au cœur de la démarche, la recherche de la durabilité, particulièrement d'un point de vue économique. Il s'agit de communication d'entreprise et d'innovation durables. Si votre démarche ne débouche pas sur un nombre de clients plus élevé, sur un accroissement de parts de marché ou de ventes, sur des relations renforcées avec vos consommateurs ou sur des marques mieux installées, vos efforts ne s'inscriront pas dans la durée. Il n'y a aucun problème à ce que «bien agir» fasse progresser votre chiffre d'affaires. Si ce n'est pas le cas, ces initiatives resteront isolées et ne toucheront jamais la masse du marché. Le but est de trouver le créneau permettant à votre marque ou communication de jouer un rôle clé dans le changement recherché. Il s'agit de savoir comment aligner votre passion sur votre compassion, et votre mission sur la vision d'un monde meilleur. Il s'agit d'orienter les gens vers une nouvelle réalité durable et responsable dont ils ne soupçonnent peut-être même pas l'existence. Êtes-vous capable de raconter cette histoire ?

L'argent pue ou quoi ?

Les entreprises sont-elles suffisamment responsables et animées d'un sens moral pour se montrer à la hauteur de la tâche, consistant à rendre le monde meilleur ? Seul l'avenir le dira. Une entreprise n'est pas meilleure que la somme de ses employés ou des individus choisis pour la diriger. Bien que la taille et le pouvoir des multinationales aient dépassé celles des gouvernements, il est important de garder à l'esprit que les entreprises sont justement dépendantes des peuples et des gouvernements. Le P.-D.G. de PepsiCo, Indra Nooyi, reconnaît avec sagesse cette dépendance : «Nous pensons que chaque entité commerciale fonctionne grâce à l'autorisation de la société et, en tant qu'entreprise, nous avons le devoir de prendre soin de cette société».

N'ayez pas peur de l'écoblanchiment, mais plutôt du «rien» en matière d'écologie

Je vais défendre les adeptes de l'écoblanchiment (tout du moins certains d'entre eux). Personnellement, j'estime préférable qu'une marque rejoigne les voix responsables existant sur le marché, plutôt qu'elle continue à mener des campagnes en faveur d'un consumérisme insouciant – voilà pourquoi je conseille aux marques de «prendre la parole» pour appeler au changement. Au final, on entendra plus «sauvons le monde» que «consommons la planète». Je ne pense pas que les consommateurs soient stupides. Ils sont tout à fait capables de percevoir les messages trompeurs et de détecter les promesses non tenues. C'est ainsi qu'ils peuvent mettre la pression sur la marque, et l'écoblanchiment mené par cette dernière se transforme alors en véritables efforts responsables, débouchant sur des résultats tangibles.

À ce titre, je ne perçois pas l'écoblanchiment comme un problème, mais plutôt comme une perspective prometteuse. C'est le premier pas timide d'une marque dans la bonne direction. Elle tente d'aborder le thème de la durabilité. Prenez Nike, par exemple. Voyez comme la mauvaise publicité sur ses pratiques répréhensibles en matière de travail dans les années 80 et 90 a fait prendre à cette entreprise une orientation plus éthique – et comment on les tient, désormais, pour responsables de cette promesse, comme le démontre la dernière série d'accusations en matière de pratiques salariales contre leur marque Converse. Nous ne réussirons pas en nous concentrant sur ce qui ne va pas, ou si tout le monde parle de ce que les entreprises et les marques ne font pas. Célébrons les réalisations et soutenons celles qui agissent concrètement – au moins, elles essaient de faire quelque chose ! Gardez cela à l'esprit lorsque vous craignez de faire ce premier pas vers une meilleure direction ou avant de vous joindre à la meute de ceux qui condamnent l'écoblanchiment. Mettons-nous au travail pour sauver la planète et nous sauver nous-mêmes, en affichant un état d'esprit positif.

La façon de faire du business paraîtra aussi déplacée demain que l'esclavage à nos yeux aujourd'hui

Lorsque nos enfants se pencheront sur les pratiques qui sont les nôtres en ce moment dans les affaires, elles leur sembleront aussi incongrues que l'esclavage à nos yeux aujourd'hui. Comment avons-nous pu occulter à ce point le mal que nous avons fait aux êtres humains et à la planète ? Nous ne pouvions pas voir ces icebergs en train de fondre ou cette bombe à retardement chimique dont le compte à rebours s'égrenait dans tous les domaines, de l'alimentation à l'habillement ? Nous n'étions pas conscients que les ressources de la planète et l'écosystème dont nous dépendions tant étaient en train d'être détruits ? À nous d'abandonner cet égocentrisme, car nous ne sommes pas seuls sur cette planète, aussi bien en tant qu'individu qu'en tant qu'espèce. Je ne résiste pas à l'envie de vous raconter cette blague qui montre avec humour notre manque de vision. Ce sont deux planètes qui se rencontrent. La planète 1 dit à la planète 2, « Hé, dis donc, t'as une sale tête ! ». Et la planète 2 lui répond « Oui, je sais, j'abrite des homo sapiens ». Et la planète 1 lui dit, « Bah, ne t'en fais pas, j'en avais moi aussi. Ils vont bientôt disparaître ».

Notre pensée et notre marché capitaliste ont, pendant trop longtemps, été axés sur la satisfaction des besoins et sur la volonté des entreprises de faire toujours plus de bénéfices, au détriment des parties prenantes ainsi que de la Terre. Nous sommes tous des citoyens du monde, placés sur un pied d'égalité. Et quand il s'agit de nous rassembler, de faire du bien à toutes les parties prenantes, pas seulement les actionnaires, nous en sortons tous plus riches. Une marque prospère est tributaire d'une communauté prospère. Vendre des produits alimentaires riches en graisses et mauvais pour la santé est rentable à court terme, mais nuira

à la santé de la communauté et les arrêts maladie se multiplieront. Résultat, les personnes à même de travailler seront moins nombreuses, ce qui signifie qu'elles auront moins d'argent à dépenser et, par voie de conséquence, vous récupérerez moins d'argent. Nous devons modifier notre comportement et notre façon de penser afin de cesser d'être exclusifs et de devenir inclusifs. Je suis persuadé que les mesures et les choix d'un grand nombre d'acteurs déboucheront sur le changement général de système qui s'impose : un monde dans lequel nous ne produisons pas de déchets et nous n'avons pas besoin de nouvelles matières premières. Il nous faut un système économique plus durable, un lien plus durable et responsable avec notre environnement et des relations plus durables avec nos semblables. Les marques doivent « s'unir » et collaborer avec les consommateurs, les ONG, les gouvernements, leurs homologues de même sensibilité, voire leurs concurrents, afin de trouver des solutions durables qui changeront la vie de tout le monde, dont vous et moi.

Durabilité et responsabilité à l'honneur

Grâce aux campagnes de sensibilisation, aux débats publics et à la législation, la majorité des gens pensent non seulement à éteindre les lumières quand ils sortent de chez eux (95 %), mais également à éteindre leurs appareils électroniques quand ils ne les utilisent pas (90 %), ou encore à baisser leur thermostat d'un ou deux degrés. Ils recyclent le papier (61 %) et récupèrent l'eau de pluie (85 %). Au supermarché, les gens sont plus nombreux à opter pour les produits les plus sains ou écologiques et se servent de sacs réutilisables (48 %). La réparation, la réutilisation et

« The Big Knit », Innocent (voir page 192)

le partage de produits sont plus fréquents, notamment concernant les véhicules. Même aux États-Unis, les gens commencent à faire du covoiturage et à utiliser les transports publics (17 %). Certains y sont poussés par l'augmentation du prix des carburants, tandis que d'autres répondent à une prise de conscience. J'aime dire que c'est le cœur contre le portefeuille. Selon les informations recueillies par le Natural Marketing Institute en 2011, 83 % des consommateurs américains s'intéressent à la durabilité sous une forme ou sous une autre. Il existe vraiment un marché grand public pour les produits responsables, que votre marque agisse pour le bien de la santé, de notre société ou de la planète.

Tout ce que vous pouvez faire, je peux le faire en plus écologique

Nous avons réalisé d'extraordinaires avancées et innovations telles que les énergies renouvelables, qui peuvent nous rapprocher un peu plus de la durabilité. Nous pouvons nous montrer moins inefficaces – par exemple, en utilisant plus judicieusement l'électricité –, mais il nous faut réaliser un véritable bond, et pas simplement quelques pas. Le marché en est capable. La voiture électrique fait, par exemple, partie de ces inventions. Mais si elle reste dans son garage et n'est jamais adoptée par le grand public, quelle est l'utilité d'une telle invention ? Sur un marché totalement transparent, les consommateurs récompensent les entreprises responsables, les produits durables qui représentent un progrès. C'est un cercle vertueux. J'appelle cela la « roue du bien ». Lorsque le nombre de consommateurs qui choisissent des entreprises responsables augmente, celui des entreprises responsables augmente aussi et celles-ci commercialisent plus de produits responsables. Quand le marché propose plus de produits responsables, la concurrence s'accroît, ce qui fait baisser les prix et ouvre la voie à une demande plus forte. Ainsi, la roue grossit et tourne plus vite. Les consommateurs et les professionnels du marketing ont tous un rôle primordial à jouer pour faire tourner la roue. J'estime, avant tout, que si nous pouvons la faire tourner suffisamment vite et lui donner une taille assez imposante, le marché pourra, de lui-même, offrir les solutions pour créer un avenir durable et responsable, alimenté par les choix effectués en toute connaissance de cause par les consommateurs.

Avec la « roue du bien », la demande des consommateurs en matière de produits ayant une valeur sanitaire, sociétale et environnementale peut toucher le marché grand public. Un rapport sur un avenir durable, publié par Havas Media en 2009, va dans le sens de ce changement. Plus de 60 % des consommateurs croient pouvoir inciter une entreprise à se comporter de manière plus responsable, non pas en la boycottant ou en la sanctionnant, mais en achetant ses produits.

Les concurrents dans le vieux paysage du marketing ne rivalisent plus seulement sur le plan du discours, mais également au niveau des actes et des objectifs concrets qu'ils se fixent. Les dessous de la fabrication de leurs produits se retrouvent au cœur de leur relation avec les consommateurs. La traditionnelle rivalité entre Pepsi et Coca-Cola en est la parfaite illustration. En 2009, Coca-Cola a lancé son emballage PlantBottle, constitué à 30 % d'un matériau renouvelable à base de plantes. Deux ans plus tard seulement, Pepsi a commercialisé une

bouteille constituée à 100 % d'un matériau végétal. La nouvelle concurrence responsable respecte le principe suivant : tout ce que vous pouvez faire, je peux le faire en plus écologique.

Plusieurs entreprises commercialisent des inventions similaires afin de respecter ce genre de valeurs et contribuent à faire tourner plus vite la « roue du bien ». Procter & Gamble se sert de ses produits pour ouvrir la voie à ses efforts environnementaux (avec l'aide de campagnes de publicité) et a promis qu'au moins 20 millions de dollars de son chiffre d'affaires proviendront de la vente de produits dont l'empreinte écologique est inférieure à des produits similaires, tels que les piles rechargeables Duracell, la lessive haute efficacité Ariel et Ariel Coldwater (campagne « Turn to 30 »). Pour les marques, le voyage de la durabilité commence par les trois mesures, « se mettre à nu, s'unir et communiquer ». Il s'agit de fournir de véritables efforts, en toute transparence, de collaborer avec ses parties prenantes pour trouver des solutions et de ne pas avoir peur de prôner le changement.

Le bond d'un géant

Par le passé, notre capacité à exploiter notre créativité et notre sagesse collectives a été essentielle à notre réussite en tant qu'espèce. Elle le demeure aujourd'hui. Le présent ouvrage porte sur des gens qui jugent nécessaire de remettre en question notre système actuel et osent rêver d'un monde meilleur. À chaque pas que nous faisons ensemble dans la bonne direction, nous faisons tourner plus vite la « roue du bien ». Si nous nous allions tous pour partager les meilleures solutions vers le changement, nous pouvons les mettre en œuvre à l'échelle de la planète grâce à Internet et aux solutions mobiles. Ce n'est plus le pas d'un seul homme, mais l'énorme bond d'un géant. Ce premier pas à effectuer vous revient, mais veillez bien à inviter quelqu'un à vous accompagner. Commencez donc par parler de ce livre autour de vous.

L'instant est idéal pour se montrer généreux et partager avec le monde les meilleures idées et visions. David Droga, président créatif de Droga5, a partagé l'un des moments dont il est le plus fier à Cannes, en 2011, lorsque le Tap Project[1] de son agence a été adopté à l'étranger par d'autres agences. « Cela n'avait rien de personnel, j'étais tellement fier que cette idée soit plus grande que nous, plus grande que tout ça, que cette chose concrète, authentique et potentiellement incroyable se retrouve dans d'autres pays. »

Ce livre renferme de nombreux entretiens avec des personnalités, convaincues qu'il faut changer. Alex Bogusky a quitté son poste de président au sein de l'agence de publicité Crispin Porter + Bogusky, afin de donner un sens à sa vie au sein d'une nouvelle entité, FearLess Cottage, au lieu de chasser les bénéfices. Dans un entretien, Bogusky fait part de sa peur qu'un jour, ses enfants lui posent une question qui le laisse, pour une fois, sans voix : « Le monde est à chier, papa. Qu'est-ce que tu as fait pour essayer d'arrêter ça ? ». Je suis certain que des clients poseront la même

---

[1] Lancé en 2007 par l'UNICEF, le Tap Project (projet robinet), conçu pour sensibiliser à la crise mondiale de l'eau, consistait à demander aux convives d'un dîner au restaurant de donner 1$ pour la carafe d'eau du robinet, argent reversé pour offrir de l'eau potable à des enfants dans des pays en voie de développement. Le Tap Projet est aujourd'hui sur Internet pour démultiplier son impact.

question à des marques – et il vaudrait mieux qu'elle ne les laissent pas bouche bée. Morten Albaek a pris la même décision courageuse en quittant le secteur bancaire pour entrer chez Vestas, société de l'industrie éolienne, afin, selon ses propres mots, d'«avoir une influence positive sur la planète que j'habitais et que j'allais léguer à mes enfants». Vous allez également rencontrer de nombreuses autres personnes ayant osé contester notre paradigme actuel. Il est temps de nous servir de notre créativité et de notre sagesse collectives afin de proposer de meilleures solutions pour l'avenir. Gandhi a dit un jour, «Vous devez être le changement que vous voulez voir dans ce monde». J'espère qu'en ayant écrit ce livre, je vous inciterai au changement et renforcerai votre foi dans le pouvoir de transformation de la créativité, pour que vous m'emboîtiez le pas.

N'inventez pas un nouvel emballage, inventez un nouveau produit

Il incombe désormais aux marques de prouver qu'elles méritent la confiance des consommateurs et, ce faisant, de répondre à la question «Qu'est-ce cela m'apporte (vraiment)?». Réfléchissez à la valeur ajoutée que vous pouvez apporter à l'existence des gens, au lieu de les interrompre alors qu'ils regardent leur film préféré – et gardez un œil sur la place de votre cible principale, sur l'échelle allant du cœur à l'argent ou de «moins néfaste» à «meilleur». Si vous évoluez dans le secteur de la communication, servez-vous de cette industrie comme d'un outil pour évaluer vos efforts, en validant votre travail créatif ou en orientant votre concept vers une nouvelle direction.

Créer de la valeur responsable fait toute la différence : en moyenne, la philanthropie d'entreprise représente 1 % de l'excédent d'une société, tandis que l'utilisation de ses produits, la commercialisation, l'innovation et même la communication pour un bon comportement peuvent profiter de 100 % de ses efforts. Il existe un immense marché potentiel pour l'innovation et la communication sociales et responsables : à vous de proposer des idées créatives et d'envergure.

En haut «La loterie de la vie», Save the Children,
Lowe Brindfors, Stockholm
(voir pages 50-51)

Non seulement le besoin d'idées d'exception se trouve accru par l'existence d'une concurrence acharnée, mais également par l'urgence à satisfaire les besoins élémentaires de la population et de la planète. Les occasions d'innover n'ont jamais été aussi nombreuses et le storytelling des marques concerne non seulement leur discours, mais aussi leurs actes et la richesse de leur historique. Dans ce nouvel univers responsable, il faut regarder au-delà des différents médias traditionnels et tout remettre en question, du produit à l'histoire de la marque. Autrement dit, ne vous contentez pas d'inventer une nouvelle campagne, mais réinventez le produit, réinventez son cycle de vie ou réinventez son marché.

Pour cette tâche d'une ampleur gigantesque, un nouvel ensemble de connaissances est nécessaire à tous les acteurs impliqués dans le processus, du directeur artistique au directeur marketing : «l'empreinte écologique», «la durabilité» et la notion de conception «du berceau à la tombe» doivent faire partie de leur vocabulaire, comme les «médias sociaux» et les «points d'audience». L'avenir appartient à ceux qui comprendront le nouvel agenda de la responsabilité des entreprises et oseront chercher et expérimenter de nouvelles solutions. Une règle n'a pas changé : la créativité demeure le critère numéro 1 pour se démarquer sur le marché, car un nouveau marché exige de nouvelles idées. Cette responsabilité est la vôtre : il faut du cœur et de grandes idées.

La seule limite est votre créativité

Il existe plein d'endroits où vous pouvez changer les choses. J'espère que ce livre vous permettra de percevoir certains problèmes rencontrés par le monde, pour lesquels les marques et la communication peuvent agir et trouver des solutions. Vous pouvez proposer à des milliards d'individus de pays en voie de développement des produits durables, à un prix accessible. Vous pouvez déclencher des prises de conscience sur la nécessité de manger plus sainement. Vous pouvez permettre aux femmes des pays en voie de développement d'avoir accès à l'éducation. Vous pouvez mettre la barre haute et, à l'instar du réalisateur et acteur, Jeremy Gilley, aspirer à une paix mondiale. Il a créé la Journée de la paix, le 21 septembre. Ce jour-là, on encourage le monde entier à ne pas faire usage d'armes. Nous pouvons accomplir tant de choses exceptionnelles ensemble. Là encore, la seule limite est votre créativité. Bien que ma vision des choses soit déformée par plus d'une décennie passée dans la publicité, je suis persuadé que ce secteur d'activité peut jouer un rôle central afin que la «roue du bien» grossisse et tourne plus vite. Nous sommes capables de changer fondamentalement les marques et leur faire prendre conscience qu'il ne saurait y avoir de profits sans responsabilité. Nous disposons non seulement des muscles de la créativité pour proposer des solutions, mais également du pouvoir nécessaire pour influencer l'esprit et le comportement du marché, comme nous l'avons fait par le passé avec une réussite indéniable. Ensemble, nous pouvons appeler au changement, en ayant pour but de trouver des solutions sérieuses pour un avenir durable, au sein duquel ce ne sera pas la richesse mais le bien-être qui caractérisera le succès.

Les pages qui suivent présentent tout le potentiel qui se cache derrière ce mouvement. J'ai sélectionné plus de 120 campagnes lancées aux quatre coins du monde. Elles montrent que ces problèmes ont une solution créative. Responsables d'agences, entreprises, gouvernements et ONG, ils croient tous en un nouvel avenir plus durable et responsable : ils vous révèlent, dans des entretiens, leurs meilleures idées pour s'attaquer à cette immense mutation.

J'espère que le travail exceptionnel et la pertinence des personnes que j'ai interrogées vous inciteront à vous servir de votre pouvoir pour faire le bien et vous conduiront ensuite à inspirer votre entourage. Je suis convaincu qu'en partageant des initiatives, des concepts et des idées pour faire le bien, nous sommes capables de nous stimuler mutuellement à en faire encore plus. Voilà pourquoi j'ai écrit ce livre. J'espère en outre que vous vous montrerez responsable en réfléchissant sérieusement à votre empreinte écologique. Servez-vous de votre droit de vote, en tant que consommateur et citoyen, et de votre voix, en tant que professionnel, pour prôner le changement. Plus vous donnerez, plus vous recevrez en échange.

Cet ouvrage a pour objectif de réveiller les consciences, pas seulement celle des entreprises dont la situation financière est précaire, mais aussi celle des créatifs, dont les compétences peuvent contribuer à changer les choses. C'est surtout un appel à l'humanité, car il ne s'agit pas de sauver la planète, mais bien de sauver notre espèce. J'ai depuis toujours la conviction que notre atout numéro 1 est la créativité. Ce livre traite d'excellentes idées pour rendre notre monde meilleur, de notre capacité à proposer des solutions à des problèmes qui nous semblent insolubles.

À vous de jouer !

Henkel, Le Chat, Sidièse, Paris
Lavons Mieux (voir page 123)

Interview
CONNIE HEDEGAARD

Je pense que la sensibilisation doit être continuelle, car les gens ont tendance à oublier.

Connie Hedegaard a été commissaire européenne à l'action pour le climat de 2010 à 2014 et s'est donc occupée de l'avenir de 500 millions de citoyens européens. Cela en fait l'une des voix les plus importantes à l'international concernant les problèmes climatiques. Elle a également joué un rôle clé dans l'organisation de la COP15, au Danemark, en 2009. Après une carrière en politique (Connie Hedegaard fut la plus jeune membre du Folketing, le parlement danois), elle est devenue journaliste, avant de revenir à la politique en 2004. Début 2010, elle a pris ses fonctions de commissaire au sein de la Commission européenne. J'ai eu la chance que Mme Hedegaard trouve un créneau dans son emploi du temps chargé pour me recevoir. Nous avons discuté pendant une demi-heure des mesures à prendre pour sauver le monde. Bien que nous ne soyons pas parvenus à résoudre complètement la crise climatique, Mme Hedegaard m'a suffisamment conforté dans l'idée que la situation est en train de s'améliorer. En tant que compatriote danois, je suis immensément fier du travail accompli par Connie Hedegaard.

Ce qui ressort de ma conversation avec la commissaire, c'est que nous devons revoir notre conception de la croissance et tempérer le capitalisme du passé en nous montrant responsables. Cela semble certes couler de source, mais nous ne pouvons continuer à produire des biens comme si les ressources servant à les fabriquer étaient illimitées. Nous en sommes peut-être intrinsèquement conscients, mais on n'insistera jamais assez sur ce point. Comme le dit Connie Hedegaard, si on ne rappelle pas en permanence aux consommateurs l'existence d'un problème, celui-ci peut perdre de son importance à leurs yeux.

Nous avons commencé par évoquer ses objectifs en tant que commissaire à l'action pour le climat : elle espérait qu'en 2014, l'Union européenne serait la région du monde la plus écologique. «Je pense que nous sommes sur le point de prouver que la croissance économique est possible tout en réduisant l'impact sur l'environnement et le climat et en créant également des emplois. Cette réussite est liée à la mise en place de nos objectifs et réglementations.

Mais elle est également due aux effets de la crise économique, qui nous a permis de dépasser nos propres objectifs. Et, de par ce qui se passe ailleurs dans le monde, nous sommes sur le chemin pour atteindre cette vision globale que j'ai proposée.»

Bien que cette vision soit importante, Connie Hedegaard estime qu'il est essentiel de continuer à rappeler aux consommateurs que nous sommes confrontés à des problèmes climatiques. C'est également l'occasion pour les entreprises d'apporter leur pierre à l'édifice, à savoir de diffuser des messages sur la nécessité de se soucier du climat via les modes de communication traditionnels, ainsi qu'en utilisant les étiquettes des produits. «Je pense que la sensibilisation doit être continuelle, car les gens ont tendance à oublier. Si on prend seulement l'exemple de l'été 2011 à Copenhague, ville dans laquelle nous estimons que les gens sont extrêmement au fait du climat, les habitants ont été très surpris quand leurs sous-sols se sont retrouvés subitement inondés. Pourtant, on les avait avertis à de multiples reprises! Nous savions que, dans cette partie de l'Europe, le changement climatique prendrait la forme de violentes précipitations. Mais l'effet de surprise fonctionne encore. Une campagne de sensibilisation ponctuelle ne suffit donc pas. Vous devez communiquer en permanence. Voilà pourquoi les entreprises ont une très grande responsabilité, notamment à travers l'étiquetage environnemental. Cet outil, et d'autres dont nous disposons, seront incroyablement importants dans cet objectif.»

Au sujet des étiquettes environnementales, Connie Hedegaard pense que pour responsabiliser les consommateurs, il faut leur fournir plus d'informations. S'ils sont en mesure de connaître la consommation d'énergie des produits avant l'acte d'achat, avec un peu de chance, leurs leurs choix seront plus responsables. «Concernant les produits importants telles qu'une voiture, je crois qu'il devrait exister des étiquettes européennes, avec la possibilité de comparer. Quand je vais acheter une chaudière ou un appareil électronique, je dois pouvoir connaître la consommation électrique. Ce devrait être une donnée de base. Si j'achète un sèche-cheveux ou une bouilloire, il faut que je sache quel modèle consomme le plus. »

Pour la commissaire, il faut également penser qualité et non quantité, ne pas regarder que les chiffres mais l'historique complet d'un produit par l'intermédiaire de l'étiquette et grâce à d'autres moyens. « Quand vous achetez une voiture, il est extrêmement important de connaître le niveau d'émission de CO_2, l'autonomie du véhicule, etc. Pour la mise en vente d'une maison, affichez clairement le bilan énergétique. Personnellement, je pense également que nombre des grands distributeurs ont un pouvoir énorme lorsqu'ils font la publicité de leurs produits. » Dans le même temps, les gouvernements ne doivent pas être les seuls à prendre leurs responsabilités, les entreprises également. « Bien entendu, les politiques doivent continuer à fixer des objectifs ambitieux, concevoir les réglementations, définir les normes – tout ce genre de choses –, mais je dirais qu'il est également extrêmement important que la sphère des entreprises œuvre, elle aussi, à faire passer ce message aux consommateurs… qu'elle n'en fasse pas seulement une question de prix et de quantité, mais qu'elle mette l'accent sur le volet qualitatif de la croissance. Dans toute l'Europe, nous parlons par exemple de la nécessité de créer plus de croissance. Mais je pense que la question centrale est : quel type de croissance ? »

Connie Hedegaard a développé ensuite sa définition de la croissance et les modalités de définition d'un avenir durable. « Il importe vraiment que nous sachions quel type de croissance développer pour le XXIe siècle. Nous ne pouvons conserver celui du XXe siècle. Je considère que Bruxelles, mais également les différents gouvernements, doivent être à la pointe du combat sur ce thème d'une croissance bien plus axée sur la qualité, avec moins d'impact sur l'environnement. »

Se pose alors, bien entendu, la question des pays en voie de développement et de leur faculté à assurer la croissance de leur économie et à améliorer la vie de leurs citoyens d'une manière responsable. Il est évidemment injuste d'attendre d'eux qu'ils fassent une croix sur la croissance. Mme Hedegaard est d'accord sur ce point. « Je pense que dans de nombreux pays en voie de développement, il s'agit d'intégrer le volet climatique au plan du développement général. Cette intégration est bien moins coûteuse si elle intervient au départ d'un projet, ce que nous n'avons pas fait en Occident, puisque nous nous sommes d'abord développés, puis nous avons dû prendre le climat en considération. Ces pays pourraient profiter d'un saut technologique et éviter d'adopter notre type de croissance. Je pense que cela fait partie de la stratégie de développement de nombreux pays africains et asiatiques. »

Et, bien que nous essayions de faire en sorte que le monde se développe économiquement de manière durable, responsable et en toute sécurité, une autre question se pose : combien de produits sont fabriqués dans les pays en voie de développement pour être utilisés dans les pays industrialisés, dont les lois sociales et environnementales sont différentes ? Comment nous assurer que les produits « verts » des pays industrialisés ne sont pas fabriqués dans les pays en voie de développement dans des circonstances effroyables ? « J'estime que des normes aussi draconiennes que possible le permettront, rendant ces pays responsables de leurs émissions, en vertu des accords internationaux. Si vous êtes une entreprise internationale, vous ne pouvez pas avoir un impact écologique différent d'un pays à l'autre. L'application d'un dénominateur commun sera un sujet pour Durban, la prochaine conférence internationale sur le climat. [COP17 s'est tenue à Durban, en Afrique du Sud, fin 2011]. Bien entendu, certains pays feront de la résistance, mais à mes yeux, il est essentiel de disposer d'un cadre mondial sur ces sujets. Nous pouvons faire notre possible en Europe et nous sommes en train d'appliquer cela au secteur de l'aéronautique quand nous disons : si vous atterrissez en Europe, si vous décollez d'Europe, vous devez respecter notre législation. Cela ne se limite pas aux compagnies européennes. »

La conversation a ensuite porté sur l'avenir et notre capacité à surmonter nos problèmes actuels. « Je trouve qu'il est parfois étrange que l'homme doive apprendre les choses à ses dépens… Les avertissements ne suffisent pas, vous devez subir les inconvénients et les conséquences, puis ça commence à faire le tour dans votre tête : "Ouah, on devrait peut-être s'y prendre d'une manière plus intelligente". Je suis sûre que nous allons vivre ça… Les gens mettent toujours trop de temps à réagir massivement, mais nous allons dans cette direction. Il suffit de revenir cinq ans en arrière pour s'en rendre compte : on ne parlait alors que de la croissance quantitative traditionnelle et la question du climat n'était pas du tout posée. Je trouve que, depuis ces dernières années, les choses bougent, et dans la bonne direction qui plus est. Prenez la Chine par exemple, ils construisent désormais leurs villes d'une manière très différente. Ils se fixent des objectifs en matière de consommation énergétique pour leurs différents secteurs d'activité, prennent en compte ces questions essentielles. Par conséquent, les choses bougent, mais trop lentement à mon goût. Nous allons continuer d'avancer dans la bonne direction, je ne pense pas que le processus s'interrompra. »

Ce qui est très clair, c'est que nous ne pouvons continuer d'évoluer comme nous l'avons fait jusque-là. Connie Hedegaard s'explique : « À de nombreux égards, les gens se sont focalisés sur le volet économique de la crise, mais je pense que cette crise a montré très clairement que continuer de faire des affaires sans changer de mode opératoire est inenvisageable, sous peine que cette crise perdure et s'aggrave. Il faut donc s'ouvrir à d'autres manières de procéder, et bon nombre d'acteurs vont devoir repenser leurs stratégies commerciales. C'est là que la croissance verte mondiale prendra toute sa place. »

Pourvu que la croissance verte demeure un sujet de discussion dans les années à venir.

TRANSPARENCE

1.

TRANSPARENCE
Pourquoi démarrer une amitié par un mensonge ?

« Changement de recette », Domino's Pizza, Crispin
Porter + Bogusky, Boulder (voir page 24)

La fin du secret

L'époque du secret des affaires ou de n'importe quel autre secret est révolue. Les actions des marques, bonnes et mauvaises, sont de plus en plus mises au jour et jugées sur la toile par des consommateurs du monde entier – soit environ un milliard de personnes. C'est une force universelle. Il suffit de voir l'impact de sites Web tels que WikiLeaks ou des réseaux sociaux sur les gouvernements et marques d'envergure mondiale.

La frontière entre public et privé est désormais ténue, comme vous l'avez peut-être remarqué en regardant certaines photos mises par les internautes sur Facebook. Certains d'entre nous n'hésitent pas à partager leurs moments les plus intimes ou leurs aspirations en mettant à jour leur statut ou en géolocalisant les endroits où ils se trouvent. Les gens attendent la même transparence de la part des marques, des institutions et des gouvernements. Si une entreprise n'est pas transparente, comment lui faire confiance ?

Le moment est venu de se mettre à nu

Vous et moi devenons parties prenantes de ce mouvement lorsque nous faisons une critique en ligne ou postons un commentaire Facebook sur le service client d'une entreprise. Un Tweet ou un commentaire peut pousser les autres à adopter le même point de vue et mettre la pression sur une marque. Le pouvoir de la transparence d'Internet est impitoyable. Il a été étudié dans le classique de David Weinberger et al., intitulé Cluetrain Manifesto (Le Manifeste des Évidences, www.cluetrain. com/manifeste.html), qui met au défi les entreprises de se réveiller, afin de prendre conscience du pouvoir du Web : « Aujourd'hui, le Web permet au marché de converser de nouveau, les gens se disant la vérité sur les produits et entreprises et faisant part de leurs désirs ». Les marques n'ont plus nulle part où se cacher et, comme je le conseille dans l'introduction, le moment est venu de se mettre à nu.

N'ayez pas peur d'avouer vos faiblesses

Il n'y a rien de plus désarmant que la sincérité, terme que j'ai entendu à de multiples reprises lorsque je me suis entretenu avec bon nombre de personnes pour la rédaction de cet ouvrage. Vous devriez réfléchir sérieusement à ce que vous n'aimeriez pas voir découvert par vos clients, puis remédier aux problèmes. Échafaudez un plan de communication clair. Reconnaître une erreur est parfois la première étape : révélez à vos clients votre situation passée, votre situation actuelle et là où vous aimeriez arriver, puis laissez-les vous aider.

Un exemple révélateur ? Il m'a été confié au cours d'une conversation avec la légende de la pub, Alex Bogusky. Il m'a parlé du beurre de cacahuètes de Justin's. Le plus gros problème pour cette entreprise était l'emballage, source de gaspillage. Justin's fit preuve de franchise et consulta les consommateurs et fournisseurs pour résoudre le problème. On peut en tirer la leçon suivante : n'ayez pas peur d'admettre que vous rencontrez un problème. En fait, vous avez tout intérêt à rechercher votre plus gros problème, puis à demander de l'aide. Si vous ne le faites pas maintenant, quelqu'un finira par le trouver et le révéler et le mal sera fait. Cette approche fonctionne parce que vous dites la vérité.

MICROSOFT DEVIENT HUMAIN

Dans une interview exclusive, Bill Gates, ancien P.-D.G. et actuel président de Microsoft, a remercié Robert Scoble de la chaîne vidéo Channel 9, pour son travail sur le blog de Microsoft : « Vous permettez aux gens de mieux connaître ceux qui travaillent chez nous. Vous créez un lien. Les gens se sentent plus impliqués. Ils nous diront peut-être comment améliorer nos produits. »

«Processus de fabrication sans traitement»,
Citric, DraftFCB, Buenos Aires (voir page 28)

CITRIC: NON-PROCESSING PROCESS

Personne n'est parfait, alors admettez que votre travail n'est pas terminé

Au début, les bouteilles Innocent contenaient 25 % de plastique recyclable et leur étiquette disait : nous travaillons sur le reste. Lorsqu'ils lancèrent par la suite une nouvelle bouteille avec 50 % de plastique recyclable, les consommateurs les ont appelés pour les féliciter des progrès accomplis. Ils ne se sont pas plaints que la part de plastique recyclable ne soit pas de 75 % ou de 100 %. Innocent a recueilli les fruits de sa sincérité.

Patagonia, entreprise qui fabrique des vêtements d'extérieur, a également opté pour la sincérité avec «la chronique de notre empreinte», dédiée à l'empreinte écologique de leurs produits et qui montre les bons, mais aussi les mauvais côtés. J'adore les descriptions de leurs produits. Voici celle d'un de leurs sacs : «Nous souhaitions proposer le sac à dos Chacabuco à un prix compétitif sur un marché où la concurrence est forte, mais l'utilisation de matériaux recyclés, particulièrement onéreux, nous aurait mis hors de portée de notre objectif tarifaire. Le sac à dos Chacabuco n'offre donc aucune innovation environnementale.» Patagonia joue cartes sur table à propos de ses défauts, ce qui donne de la marque une image indubitablement plus humaine et attirante.

Ne travaillez pas seulement sur le message publicitaire, mais aussi sur l'ensemble du cycle de vie du produit

Avec la demande de transparence actuelle, tout est scruté. À lire absolument, l'ouvrage de Daniel Coleman, *Ecological Intelligence* (Ed. Broadway Books, avril 2009), dans lequel il prône la transparence sur «tout le cycle de vie d'un produit et l'intégralité des répercussions de

son existence, à tous les stades, et milite pour que ces informations soient présentées à l'acheteur de manière parfaitement intelligible et lisible… pas comme ces additifs alimentaires, difficiles à déchiffrer, qui figurent sur les paquets de bonbons». Goodguide.com est un guide qui aide les consommateurs à faire leur choix en toute connaissance de cause et incite à la transparence. Il montre les impacts cachés sur la santé, l'environnement et la société des produits de consommation ordinaires. Après avoir téléchargé leur application mobile, vos habitudes d'achat changeront à jamais. Autre guide, ClimateCounts.org qui met les entreprises devant leurs responsabilités en matière de bilan carbone et d'implication dans la lutte contre le réchauffement climatique. Lorsque les consommateurs peuvent examiner facilement et minutieusement une entreprise, ainsi que ses marques, l'entité ne peut plus s'appuyer uniquement sur l'histoire faisant l'objet de sa communication publicitaire, mais doit travailler sur toute son histoire personnelle. Cela signifie que le «cycle de vie des produits» et l'«empreinte écologique» doivent faire partie de votre vocabulaire marketing et de votre processus de création. Cela force également les entreprises à «se mettre à nu», car le marché révélera de toute manière l'histoire et ses dessous.

Guidez les consommateurs en leur prenant la main

Seventh Generation est une entreprise qui croit dur comme fer à la transparence. Elle vend des produits de nettoyage écologiques et prend en compte le souci d'information des consommateurs, puisqu'elle divulgue la liste entière des ingrédients qu'elle utilise et communique sur l'impact environnemental de ses produits. Ses clients peuvent regarder des vidéos, lire les descriptifs de ses produits et laisser un commentaire. Même des géants tels que les fabricants SC Johnson et Clorox ont emboîté le pas et révèlent désormais les ingrédients qu'ils utilisent, respectivement sur WhatsInsideSCJohnson.com et à travers l'initiative

JUSQU'OÙ VA VOTRE SINCÉRITÉ ?

Jeffrey Hollender, ancien P.-D.G. du fabricant de produits verts Seventh Generation, a un jour posté sur le site Web de sa société une liste détaillée de tous les défauts de ses produits et de la façon dont ils nuisaient à la mission de l'entreprise. Depuis, il a quitté Seventh Generation suite à un conflit portant sur l'orientation de l'entreprise.

Clorox Ingredients Inside. Bien que cette ouverture n'atteigne pas le niveau de transparence défini par Goleman plus haut, c'est assurément un pas dans la bonne direction. La transparence permet aux marques de guider les consommateurs en leur prenant la main, voire de les éduquer. Cet exercice génère de la confiance entre les deux parties.

Desserrez votre nœud de cravate et soyez plus bavard

Vous ne pouvez ignorer la transparence. Adoptez-la en bloguant, tweetant et façonnant votre présence en ligne et hors ligne, par la voix de votre entreprise. Cela fera naître une exigence à tous les niveaux de l'entité de la part d'une nouvelle génération d'employés et de P.-D.G. ouverts, qui oublieront leurs hautes fonctions et s'exprimeront comme Monsieur et Madame Tout-le-monde. Tony Hsieh, P.-D.G. de Zappos, e-commerçant de chaussures, a tout compris depuis le début : ses Tweets, aussi bien personnels que professionnels, sont massivement suivis. L'un de ses Tweets, @zappos, dit : « Désormais, à chaque fois que je serai coincé dans un embouteillage, je considérerai que je fais partie d'un grand défilé. » À travers ses Tweets, je sais à quel personnage j'ai affaire, je peux nouer une relation avec lui et, surtout, il donne l'impression d'être franc. C'est peut-être pour cette raison que Twitter a lancé un service, ExecTweets.com, grâce auquel les grands dirigeants d'entreprise et professionnels de l'informatique peuvent partager leurs idées et points de vue.

Microsoft a également choisi une approche toute en sincérité. En 2004, ils ont lancé leur blog vidéo, Channel 9, qui permet de suivre la vie au sein du géant du logiciel. Aujourd'hui, n'importe quel initié ou technicien doté d'un clavier peut bloguer, partager et poster des vidéos. Cette initiative a rapidement attiré des milliers de followers dans le monde entier, provoqué des discussions et humanisé une entreprise, autrefois connue pour son culte du secret. À une époque où les entreprises inspirent peu confiance au consommateur, abattre des murs est un premier pas essentiel pour reconstruire la précieuse relation entre les consommateurs et l'entreprise.

La franchise paie toujours sur le long terme

Sur un marché transparent idéal, l'équilibre qui penchait auparavant du côté des entreprises est désormais à la faveur du consommateur. Résultat, dans les rayons de mon supermarché, je peux faire un choix en toute connaissance de cause et acheter le shampooing qui affiche les meilleurs résultats dans les domaines qui me tiennent le plus à cœur : la santé, l'environnement ou la société. C'est un cycle de renforcement positif, que j'appelle la « roue du bien », qui récompense les entreprises agissant bien et incitant les autres à faire des progrès. L'avenir appartient aux marques qui oseront s'ouvrir, se montrer sincères et adopter une approche transparente. Après tout, lorsque vous souhaitez vous lier d'amitié avec quelqu'un, vous ne débutez pas votre relation par un mensonge, non ?

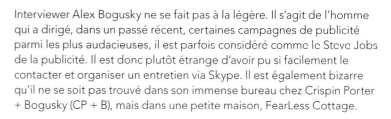

Interview
ALEX BOGUSKY

Interviewer Alex Bogusky ne se fait pas à la légère. Il s'agit de l'homme qui a dirigé, dans un passé récent, certaines campagnes de publicité parmi les plus audacieuses, il est parfois considéré comme le Steve Jobs de la publicité. Il est donc plutôt étrange d'avoir pu si facilement le contacter et organiser un entretien via Skype. Il est également bizarre qu'il ne se soit pas trouvé dans son immense bureau chez Crispin Porter + Bogusky (CP + B), mais dans une petite maison, FearLess Cottage.

Alex Bogusky a récemment quitté CP + B, faisant du même coup jaser et grincer quelques dents. C'était le type qui a dû assister à une réunion de créatifs et dire, «bah ouais, on va créer un parfum pour Burger King qui sent le hamburger!». Mais c'est également le type qui a écrit *The 9-Inch Diet*, ouvrage sur le contrôle des portions alimentaires. Cette dichotomie, cette personnalité multifacettes font de lui l'un des hommes les plus intéressants qui existent dans la publicité, mais aussi en dehors.

Pour certains, l'histoire de Bogusky est empreinte d'hypocrisie (si vous écoutez les fanatiques absolus), mais lors des échanges que j'ai eus avec lui, il m'a surtout paru sincère. Son histoire n'est pas celle d'un mystérieux prestidigitateur qui sort des bobards énormes d'un chapeau, mais celle de la rédemption à l'état pur. Ayant à mon actif une décennie dans la publicité et parlé avec de nombreuses personnes de «la roue du hamster» qu'est la publicité, je comprends ses préoccupations. Je saisis l'envie d'utiliser sa créativité pour faire quelque chose de bien plutôt que pour vendre plus de produits au détriment des gens et de l'environnement. Bogusky n'est pas un hypocrite qui nourrit les enfants de force à coup de produits de la restauration rapide, mais un individu souhaitant se racheter en laissant la Terre dans un état légèrement meilleur qu'il ne l'a trouvée.

À travers ses nouvelles initiatives – Common (un label et un réseau pour développer des initiatives de consommation collaborative, entrepreneuriat social, etc.) et FearLess (son activité de consulting créatif, d'incubateur et de laboratoire des médias), Alex Bogusky tente de parler vrai et de révéler ses convictions. Il explique le malaise qu'il a commencé à ressentir lors de ses dernières années passées chez CP + B : **«Je dirais que, pendant cette année ou année et demie, j'ai commencé à me sentir un peu mal et j'étais comme – euh, je ne sais pas. J'étais incapable de dire ce que je pensais de la situation, je faisais des discours et les gens me posaient des questions, j'avais vraiment du mal à m'y retrouver.»**

Nombre de personnes l'ont accusé d'être hypocrite et même psychopathe, ce qu'il trouve assez amusant, mais en réfutant ces accusations, il a dit une chose à laquelle j'adhère complètement : **«Si être traité d'hypocrite vous fait peur, c'est que vous ne pourrez jamais changer votre vision des choses».** Il marque un point car, dans l'univers de la publicité où on nous apprend l'importance de la proposition unique, faire machine arrière est un peu une forme d'hérésie.

Il poursuit sur la même voie lorsqu'il aborde Al Gore et ses efforts inlassables pour s'attaquer à la crise climatique (Alex Bogusky intervient actuellement comme consultant au sein du Climate Reality Project

d'Al Gore) : «On traite d'hypocrites les gens comme Al Gore parce qu'il s'inquiète pour le climat tout en conduisant une voiture. Si ce genre de chose doit nous empêcher d'agir, alors nous sommes tous dans une impasse et tout changement est impossible, c'est tragique.»

En parlant avec Alex Bogusky via Skype, je découvre sa vraie personnalité – celle d'un homme qui essaie de se racheter, de trouver un nouveau moyen d'exploiter ses talents remarquables pour rendre le monde meilleur. Pendant l'entretien, il s'est mis à tomber de la grêle et, sans se démonter, il a récupéré quelques grêlons et me les a montrés à l'écran. À d'autres moments, j'entendais un chien aboyer derrière. Je pense que le fait d'être ancré dans la vie quotidienne le remplit de joie. L'entendre parler de l'énorme diminution de son salaire et de son passage d'une vie où tout roulait – poste exceptionnel, salaire exceptionnel, plus besoin de faire ses preuves –, à une vie beaucoup plus incertaine, permet d'apprécier le cheminement personnel effectué et le courage qu'impliquait cette décision.

Après avoir évolué aux quatre coins du monde, Alex Bogusky apprécie désormais de s'investir dans de petits projets locaux. Il a consacré du temps et investi de l'argent dans une entreprise de l'Alabama qui fabrique des vélos à base de bambou et dans une société qui fabrique du beurre de cacahuètes, Justin's Nut Butter. Ce sont deux entreprises assez modestes qui affichent des valeurs qui lui sont chères. Cela va dans le sens de la consommation et de l'investissement responsables, qui devraient croître car les gens aiment les marques qui leur parlent et sont sincères. Il m'a parlé d'une histoire à propos de Justin's Nut Butter et de leurs problèmes d'emballage : lorsqu'il a soulevé le problème auprès d'eux, ils ne se sont pas vexés mais ont amélioré leurs emballages, parce qu'ils croyaient à cette solution.

Lorsque la conversation a porté sur la publicité et le pouvoir de faire le bien, nous avons débarqué sur un terrain passionnant. Il a parlé de la façon dont la publicité évolue d'une histoire fictive racontée à des consommateurs à un récit sincère et dynamique intervenant en temps réel de ce que réalise une entreprise. «Le plus intéressant dans le marketing actuellement, c'est votre action réelle en tant qu'entreprise… Si vous êtes capable de raconter en temps réel, en toute transparence et de façon passionnante une histoire sur l'entreprise que vous êtes, ce qui vous tient à cœur et ce que vous faites, c'est l'aspect le plus intéressant du marketing… Quand le consommateur est sur la même longueur d'ondes, j'adore les entreprises transparentes.», dit Alex Bogusky, en dansant d'un pied sur l'autre, comme un consommateur passionné. «J'aime les entreprises qui font le bien! Les entreprises sont comme ça : QUOI? Il nous faut plus de ça! Mais où il va le consommateur? Je tiens à suivre le consommateur…»

Aux yeux d'Alex Bogusky, le passage à un partenariat commercial est une chance pour la publicité, au lieu de considérer celle-ci comme un simple outil servant à favoriser les ventes ou à accroître la notoriété de la marque : «J'estime que si vous êtes dans la publicité et que vous ne prenez pas en compte la structure de l'entreprise et les cycles de vie [des produits],

vous êtes à côté de la plaque.» Si la publicité sert d'intermédiaire entre les marques et les consommateurs, il faut qu'elle commence à se montrer plus responsable et, surtout, qu'elle dise plus la vérité.

Après avoir échangé avec lui, je constate qu'Alex Bogusky prend grand plaisir à exprimer ce nouveau sens de la vérité. C'est peut-être un comportement que nous devrions tous essayer d'imiter, quel que soit notre statut. C'est un homme en quête de réponses. Il avoue ne pas être certain que FearLess et Common soient encore totalement aboutis – ils cherchent toujours le sens de leur action, comme l'homme lui-même. Il a dit une chose super à propos de sa motivation et de ses enfants : «J'ai vraiment la possibilité, pendant un certain temps, de prêter mon concours à des choses qui influeront selon moi sur l'avenir de mes enfants. Et quand cet avenir sera là, soit ils me diront : "Merci papa, c'était superbe" ou "Le monde est à chier, papa. Qu'est-ce que tu as fait pour essayer d'arrêter ça?" Et je pourrai alors dire, j'ai fait ça, ça, ça et ça. J'ai fait de mon mieux et je suis désolé que le monde soit devenu ainsi. Je sais que cette conversation va arriver et je ne veux pas me retrouver pris de court dans les deux cas.»

Vu le décalage horaire entre Le Cap et le Colorado, lorsque l'entretien s'est terminé, il était près de deux heures du matin pour moi. J'étais fatigué et Alex Bogusky a dit quelque chose qui m'a donné l'espoir que la publicité responsable allait s'installer durablement. «Prenez une entreprise qui dépense des millions de dollars en publicité classique. Si vous parvenez à faire en sorte qu'elle utilise cet argent pour faire le bien, pour aller dans le sens du développement durable, c'est le summum de la publicité. C'est la chose la plus sophistiquée, brillante, sexy, passionnante et sympa que vous puissiez faire.»

//

C'est le summum de la publicité. C'est la chose la plus sophistiquée, brillante, sexy, passionnante et sympa que vous puissiez faire.

//

1. TRANSPARENCE

Domino's pizza crust

Il arrive un moment où vous savez qu'un changement s'impose.

PATRICK DOYLE, P.-D.G. DE DOMINO'PIZZA

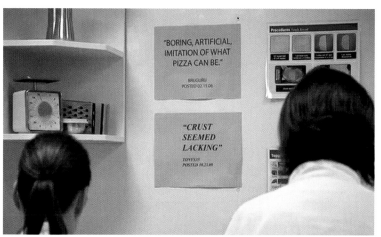

"BORING, ARTIFICIAL, IMITATION OF WHAT PIZZA CAN BE."

"CRUST SEEMED LACKING"

Meredith Baker
Product Manager

DOMINO'S PIZZA
Crispin Porter + Bogusky, Boulder
CHANGEMENT DE RECETTE

Mesure courageuse et radicale, Domino's Pizza a avoué au public que ses pizzas étaient mauvaises. Plutôt que de garder le cap en se serrant les rangs, comme on aurait pu s'y attendre de la part d'une grande entreprise, ils se sont adressés très franchement à leurs clients et ont avoué leur faute. Ils ont ensuite entièrement changé la recette de leurs pizzas en montrant à leurs clients tout le processus.

Ils ont également été à l'origine d'autres initiatives transparentes, telles que « Show Us Your Pizza », qui incitait leurs clients à prendre des photos des pizzas Domino's, puis à les télécharger sur un site Web. Cela faisait partie de la promesse de Domino's de ne plus faire appel à des stylistes culinaires ni utiliser de retouches pour que leurs pizzas paraissent plus belles dans les publicités.

La mesure la plus radicale dans leur quête de transparence fut peut-être de permettre aux employés des restaurants Domino's d'avoir un feedback en temps réel des clients. Ces derniers pouvaient se connecter sur un site Web et attribuer une note – ils pouvaient même y trouver le nom des personnes ayant fait leurs pizzas. L'expérience fut portée à son apogée avec l'utilisation d'un panneau d'affichage installé à Times Square, à New York, montrant en direct ces commentaires.

Comme on pouvait s'y attendre, cette campagne a porté ses fruits. Cette ouverture exposait certes à la critique, mais Domino's a vu ses ventes augmenter, avec un pic de 14 % lors du premier trimestre après le lancement de la campagne. Ils ont plus que doublé leurs bénéfices au cours de ce trimestre par rapport à l'année précédente. Cela montre que transparence et franchise sont bonnes pour les affaires, très bonnes même.

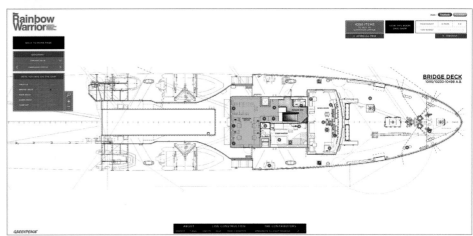

GREENPEACE
DDB, Paris
RAINBOW WARRIOR

Greenpeace est une ONG environnementale qui refuse les contributions des entreprises et les subventions d'état : elle est donc uniquement financée par les dons des particuliers. Lorsque leur bateau, le Rainbow Warrior II, a atteint son âge de navigation limite, Greenpeace a lancé une campagne destinée à financer la construction d'un nouveau membre de la famille Rainbow. L'organisme a alors démarré un appel aux dons classique, mais en faisant bien plus que cela. Sur son site Web fonctionnel et très bien conçu, les internautes ont pu consulter les plans du nouveau Rainbow Warrior de Greenpeace et choisir la partie du bateau qu'ils souhaitaient acheter.

Tous les équipements du bateau sont à vendre. Les utilisateurs peuvent tout acheter, d'une fourchette (1 €) au gouvernail (500 €). Les donateurs reçoivent un certificat et leur nom figure alors sur un des murs de la salle de conférences du bateau.

En rendant tangible l'utilisation des dons, Greenpeace a facilité l'engagement des particuliers. Et le fait que les sympathisants puissent dire avec fierté, « j'ai acheté l'un des bureaux utilisés par l'équipage du Rainbow Warrior ». En permettant aux sympathisants d'adhérer à cette idée d'indépendance et de liberté – avoir le sentiment qu'ils ont contribué concrètement à l'existence du bateau de Greenpeace –, cet organisme a transformé les donateurs en collaborateurs et considérablement renforcé sa marque.

1. TRANSPARENCE

Je m'appelle Nick

Pour votre santé, pratiquez une activité physique régulière. www.mangerbouger.fr

Ça fait dix ans qu'on pêche du colin en Alaska

Pour votre santé, pratiquez une activité physique régulière. www.mangerbouger.fr

pour faire du surimi Fleury Michon.

Pour votre santé, pratiquez une activité physique régulière. www.mangerbouger.fr

Si tu me dis qu'il n'y a pas de poisson dans notre surimi

Pour votre santé, pratiquez une activité physique régulière. www.mangerbouger.fr

je t'invite en mer

Pour votre santé, pratiquez une activité physique régulière. www.mangerbouger.fr

pour que tu puisses vérifier par toi-même.

Pour votre santé, pratiquez une activité physique régulière. www.mangerbouger.fr

FLEURY MICHON
DDB Paris
VENEZ VÉRIFIER

Pour reprendre la parole après les crises sanitaires, Fleury Michon a décidé de jouer la transparence sur un de ses produits phares : le surimi, qui représente 20 % des ventes de l'entreprise agro-alimentaire vendéenne. La marque a lancé en 2014 une vaste campagne de communication pour reconquérir la confiance des consommateurs.

Bien que très apprécié des Français, le surimi souffrait d'une très mauvaise réputation et d'une suspicion sur la qualité de sa production. Pour faire connaitre la qualité de son processus de fabrication, Fleury Michon a proposé à ses consommateurs de venir vérifier par eux-mêmes. « Venez vérifier » : tel était le mot d'ordre de la campagne.

La campagne comportait différents volets. Un site Web dédié, de même qu'un hashtag sur Twitter (#venezvérifier), mais aussi une série de mini-reportages en ligne sur Youtube et enfin un spot publicitaire diffusé sur petit et grand écran. Enfin, quelques journalistes et blogueurs, mais aussi une poignée de consommateurs tirée au sort ont été invités à visiter l'usine de Chantonnay (en Vendée) et même à embarquer pour l'Alaska où ils pourront assister à la pêche au colin et rencontrer différents professionnels, comme ceux chargés de la gestion des quotas. Si ce n'est pas un exemple de transparence !

 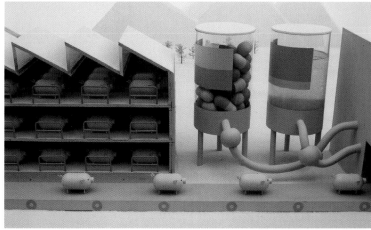

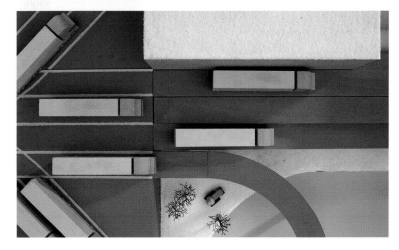 

CHIPOTLE MEXICAN GRILL
CAA and Chipotle
RETOUR À LA CASE DÉPART

Dans ce film d'animation, *Chipotle Mexican Grill*, de la chaîne américaine de restauration mexicaine, on nous raconte l'histoire d'un éleveur qui agrandit sa ferme et la transforme en monstre industriel ingérable. Il se rend très vite compte de son erreur et revient aux méthodes traditionnelles qu'il utilisait au départ, se montrant plus proche de ses animaux et plus en phase avec la Terre. La bande sonore du film est *The Scientist*, de Coldplay, chantée par la légende de la musique country, Willie Nelson, disponible sur iTunes, et dont le produit de la vente est reversé à la Chipotle Cultivate Foundation.

La publicité est une histoire de rédemption, quelque chose qui parle à tout le monde. Les erreurs du passé nous paraissent si flagrantes que nous ne pouvons que nous demander comment nous avons pu laisser l'agriculture échapper à tout contrôle. À l'époque, bien que Chipotle soit sur le point de renouer avec les méthodes d'élevage de ses débuts, la chaîne prévoyait une augmentation de son chiffre d'affaires de + 23,7 % sur l'exercice suivant (2011).

CITRIC: NON-PROCESSING PROCESS

CITRIC
DraftFCB, Buenos Aires
**UN PROCESSUS DE
FABRICATION SANS USINES**

Pour montrer tout le côté naturel des jus Citric, l'entreprise a décidé de montrer son processus de fabrication qui ne passe pas par une usine. Cette série d'affiches publicitaires montre, grâce à une direction artistique limpide et spirituelle, comment, à chaque étape de la production, la case usine de traitement est évitée.

Cette campagne est simple, transparente et informe immédiatement les consommateurs que la production s'effectue sans traitement.

CITRIC: NON-PROCESSING PROCESS

VESTAS
Droga5, New York
WINDMADE

Avec WindMade, Vestas et ses partenaires fondateurs ont créé un label unique en son genre, qui montre aux consommateurs quelles sources d'énergie propre ont été utilisées par leurs marques préférées pour produire l'électricité nécessaire à créer leurs produits favoris. Grâce au programme d'étiquetage WindMade, les entreprises peuvent informer leurs clients de la quantité d'électricité propre utilisée par leurs installations et ces derniers pourront acheter les produits sur la base de leur mix énergétique de fabrication. Ce label, utilisable partout dans le monde, indiquera la quantité d'énergie éolienne ayant permis de fabriquer un produit. Cette information supplémentaire permet aux consommateurs d'effectuer leur choix en toute connaissance de cause et récompense les marques se servant de l'énergie éolienne pour fabriquer leurs produits.

Dans une démarche altruiste, Vestas s'est associé à d'autres membres de l'industrie éolienne, à des marques de renommée mondiale, à des ONG et à des experts de cette technologie pour concrétiser cette initiative. Vestas s'est aperçu que mettre en avant l'énergie éolienne est une démarche positive pour toutes les parties prenantes, même s'il s'agit en temps normal de concurrents, voire d'adeptes d'énergies non traditionnelles. Si l'intérêt pour ces produits se trouve renforcé par des consommateurs de plus en plus nombreux, plus d'entreprises souhaiteront recourir à l'électricité verte et consolideront ainsi tout le cycle.

La marée montante met à flot tous les bateaux.

DAVID DROGA, PRÉSIDENT CRÉATIF DE DROGA5

390 KG
DE DÉCHETS
PAR PERSONNE
ET PAR AN
C'EST BEAUCOUP,
ET SI ON
AGISSAIT
AUTREMENT ?

En utilisant un cabas
pour ses courses,
on peut réduire ses déchets
de 2 kg par personne et par an.

GRENELLE ENVIRONNEMENT
ENTRONS
DANS LE MONDE
D'APRÈS

RÉDUISONS
VITE·NOS·DÉCHETS,
ÇA DÉBORDE.
reduisonsnosdechets.fr

ADEME

ADEME
DDB France
CAMPAGNE DÉCHETS

Signée par l'ADEME (Agence de l'Environnement et de la Maîtrise de l'Énergie) et le ministère de l'Écologie, de l'Énergie, du Développement durable et de la Mer, à l'occasion de la Semaine Européenne de Réduction des Déchets, cette campagne interpelle les Français sur la thématique de réduction des déchets (un Français en produit 39 kilos par an).

Réalisé par l'agence DDB, le dispositif met en scène un imposant personnage symbolique. Grand et laid, ce « double » de déchets, réduit de taille à chaque geste éco-responsable du citoyen-consommateur qu'il accompagne.

Facilement mémorisables au quotidien, douze éco-gestes accompagnent le message central, tels que : choisir des produits au détail ou en vrac, boire l'eau du robinet, éviter les produits à usage unique…

Pour mobiliser le grand public, cinq spots TV et radio ont également été diffusés. À ce volet grand public, était associée une communication spécifique à destination des professionnels : diffusion de programmes courts en télévision, radio et Web et parution de publi-rédactionnels dans la presse spécialisée.

PETA
McCann Erickson, Singapour
LE CÔTÉ SOMBRE DE LA BEAUTÉ

À Singapour, PETA souhaitait que les fashionistas soient mieux informées sur les vêtements qu'elles achètent et les véritables coûts associés. Cette campagne a utilisé de manière novatrice des supports extérieurs et des téléphones mobiles. Des panneaux d'affichage ont fleuri, montrant des chaussures, des sacs et des ceintures fabriqués à base de peau d'animaux. Ils vantaient ces produits à des prix incroyables, mais uniquement visibles après avoir téléchargé une application et scanné un code-barres. Ce code-barres était en fait un lien vers une vidéo montrant le traitement des animaux à partir desquels étaient fabriqués ces produits.

En montrant les conditions de vie effroyables infligées aux animaux pour fabriquer de jolies chaussures ou ceintures, PETA incite les acheteurs à réfléchir à deux fois avant de faire leur choix. La cruauté n'est jamais belle à voir.

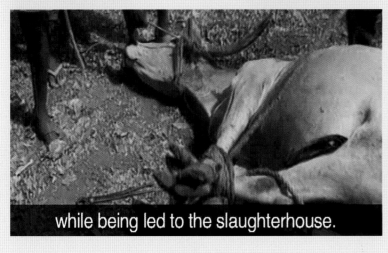

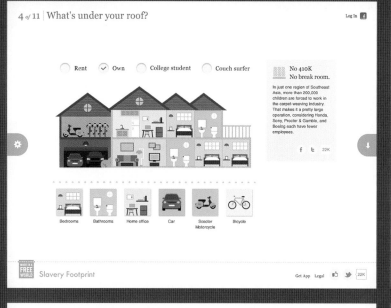

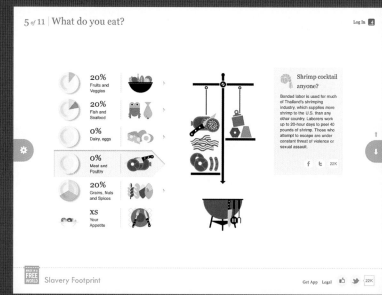

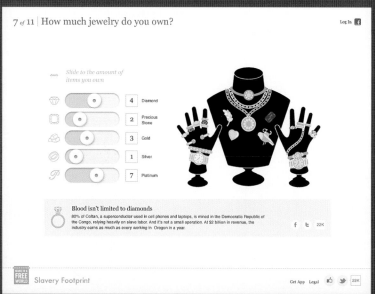

CALL + RESPONSE
Muhtayzik Hoffer, San Francisco
L'ESCLAVAGE ÉCONOMIQUE

Call + Response est une organisation dont la mission est de sensibiliser les gens à l'esclavage économique et aux conditions scandaleuses dans lesquelles sont parfois fabriqués certains produits. Sur le site Web Slavery Footprint, vous pouvez calculer le nombre d'esclaves qui « travaillent pour vous » en répondant à un sondage sur les biens que vous possédez et produits que vous utilisez. À mesure que vous fournissez les éléments, vous obtenez des informations sur l'esclavage économique.

Il existe également une application mobile, « Made in a Free World », qui permet aux utilisateurs d'entrer le nom d'une marque afin de vérifier si sa chaîne de production est éthique et offre de bonnes conditions de travail. Cela débouche sur Facebook à deux endroits à la fois – la boutique et la marque – et ces clics apparaissent sur 1 000 pages Facebook conçues pour montrer l'impact de diverses marques sur l'esclavage. L'application permet ensuite aux utilisateurs d'envoyer directement aux marques un message disant, « Je souhaite en savoir plus sur l'esclavage dans votre chaîne d'approvisionnement ». Ce message est également posté sur Twitter pour que les marques soient au courant lorsqu'elles vont sur les réseaux sociaux. En outre, aux États-Unis, la campagne a pour partenaire MTV, afin de voir quelle Université est en mesure de gagner le plus de *Free World Points*, points attribués lorsque l'on choisit des produits éthiques en matière de production.

Avec son mode d'information du consommateur intéressant et stimulant, cette campagne traite un sujet sérieux tout en lui offrant le moyen de mettre en œuvre la solution. Le but de *Made in a Free World* est d'en faire un label, à l'instar de Fairtrade et WindMade, et de montrer ainsi quels produits sont fabriqués dans des conditions satisfaisantes. Les deux premiers mois ayant suivi son lancement, plus de deux millions de consommateurs ont répondu au sondage. L'étiquette *Made in a Free World* a de beaux jours devant elle.

  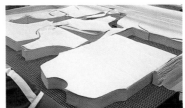 

Les maillots des équipes nationales sont une étape importante du processus consistant à rendre tous les produits Nike plus durables.

NIKE

NIKE
DES BOUTEILLES POUR UN MAILLOT

Pour la fabrication des maillots de la Coupe du monde de la FIFA 2010, organisée en Afrique du Sud, Nike a opté pour de nouvelles matières premières. L'entreprise a utilisé du polyester recyclé provenant de bouteilles d'eau en plastique – jusqu'à huit bouteilles par maillot. Pour confectionner les maillots 2010 des équipes nationales sous contrat avec la marque, les fournisseurs de tissu ont récupéré des bouteilles en plastique dans des décharges situées au Japon et à Taïwan et ont utilisé ce plastique récupéré afin d'obtenir le fil nécessaire à la fabrication du produit final.

Nike est ainsi parvenu à réduire sa consommation énergétique de 30 %, par rapport à ce qui est nécessaire pour obtenir du polyester vierge et à débarrasser les décharges d'un peu moins de 13 millions de bouteilles en plastique. Soit l'équivalent d'environ 254 tonnes de plastique, de quoi recouvrir 29 terrains de football.

Cet engagement à produire des vêtements plus responsables ne peut qu'avoir un écho positif parmi les clients de Nike. Il est difficile de reprocher à une marque une démarche de ce genre et cela lui permet d'emporter l'adhésion du grand public à ses promesses et à son engagement écologique. Votre marque y trouve son compte, tout comme la planète.

CONNEXION

CONNEXION

Quel degré de proximité pouvez-vous atteindre ?

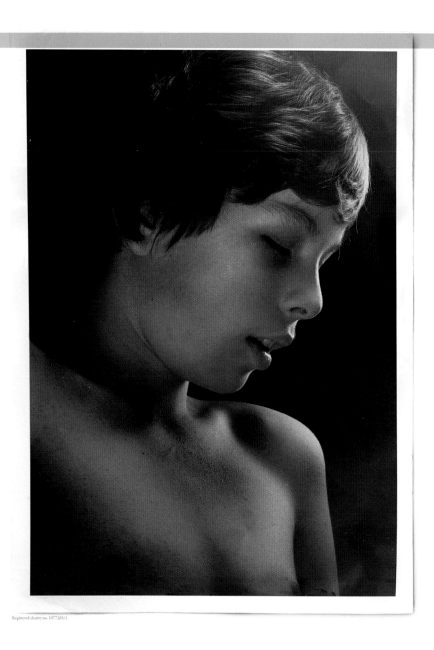

«La différence», St John Ambulance, BBH,
Londres (voir page 55)

St John Ambulance
The difference.

★ ★ ★

I was at the pool.
I slipped.
I banged my head.
Blacked out.
Luckily, Dad was there.
I'd be OK.
Dad would know first aid.
He'd know to lie me on my side.
Keep me breathing.

But Dad didn't know.

SAMUEL SHAW...2000-2010

You can be the difference between life.
And death.
To find out how search 'life saved'.

Le pouvoir de nouer des relations personnelles

«Un grain de raisin est resté coincé dans ma gorge. Je ne pouvais plus respirer. C'était vraiment effrayant. Mais je savais qu'un adulte allait m'aider, quelqu'un qui connaissait le secourisme, qui savait que j'avais besoin d'une seule chose, de bonnes claques dans le dos. Les adultes savent toujours quoi faire, non?» Il s'agit du corps d'une annonce publicitaire imprimée pour St John Ambulance, accompagnée de la photo en noir et blanc d'une petite fille, les yeux fermés, Abigail West, 2005-2010. S'il s'agit d'une histoire imaginaire, elle vous place au centre d'une situation susceptible de vous permettre de sauver une vie : si seulement vous connaissiez le secourisme. Trop de personnes ne donnent pas car elles ont le sentiment que leur contribution n'influe aucunement ou ne votent pas car elles sont convaincues que leur voix n'a aucun poids. Une histoire qui vous touche est un puissant outil pour vous faire prendre conscience que votre contribution ou votre immobilisme fait toute la différence. Vous pouvez alors vous mettre dans la peau d'autrui.

Un visage permet aux gens d'être sensibles à votre campagne

La mort de milliers de personnes, tuées par la guerre ou la famine en Afrique, est seulement malheureuse, tandis que celle d'un homme dans un accident de la route au bout de votre rue est une tragédie. Attitude bonne ou mauvaise, il semble que nous soyons plus facilement sensibles au sort de notre voisin qu'à celui de 1 000 Africains inconnus. Cela vaut également pour la façon dont la presse relate des histoires concernant ce qui est proche et cher à nos yeux. Contrairement à une statistique froide et désincarnée, vous éprouvez quelque chose et vous vous sentez proche d'un autre être humain. Lorsque la marque de margarine Flora a lancé en Afrique du Sud une campagne pour sensibiliser les gens aux maladies cardio-vasculaires, elle souhaitait informer les consommateurs qu'en choisissant leurs produits, pauvres en cholestérol, ils diminuaient les risques pour leur santé. Ils ne se sont pas appuyés sur le taux de mortalité élevé, mais sur un type lambda appelé Wally : «...brillant homme d'affaires de 52 ans, heureux dans sa vie de couple, père de deux enfants et grand-père de deux magnifiques petits-enfants. J'aime jouer au golf et j'avoue être dingue de sport». Dans les talk shows, les magazines et les blogs, les Sud-Africains ont appris à connaître Wally et ses efforts pour changer ses mauvaises habitudes et combattre sa maladie cardio-vasculaire. Lorsqu'il dut subir un pontage cardiaque, la nation s'est retrouvée devant la télévision pour une émission en direct – première mondiale. Grâce à l'histoire de Wally, la marque Flora a fait naître chez des millions de Sud-Africains un sentiment d'empathie pour les personnes qui souffrent d'une maladie cardio-vasculaire.

Faites en sorte que votre histoire devienne la leur

En tant que consommateur, vous n'avez jamais eu autant d'occasions d'exprimer ce que vous aimez et n'aimez pas, des boutons «like» de Facebook et «+1» de Google aux critiques et commentaires que vous pouvez poster à propos d'un livre, d'un film ou d'un voyage. Nous autres, êtres humains, sommes des animaux sociaux qui aimons montrer qui nous sommes et ce qui nous tient à cœur. Cela explique également le succès de la Toyota Prius et de son design écologique emblématique, qui indique immédiatement aux autres conducteurs que son propriétaire est affublé d'une «auréole» verte. Pour la même raison, il est important pour les marques de réfléchir en quoi leur propre histoire se rapproche de celle de leurs clients – ou comment ils peuvent se rapprocher – qu'il s'agisse de «Je suis pour une mode écologique» ou «Mon corps est mon temple sacré». L'histoire doit être facile à partager, afin qu'elle fasse partie intégrante de l'image d'eux-mêmes que les gens souhaitent donner à voir. Pour la même raison, cette dimension personnelle est devenue un outil souvent utilisé lors d'initiatives telles que le ruban rose, symbole de la lutte contre le cancer du sein, ou bien les programmes de don vous remettant, pour vous remercier, un certificat à votre nom qui montre le coin de forêt tropicale que vous avez contribué à sauver.

Autre exemple, la Croix-Rouge américaine, qui a créé un badge «Foursquare Blood Donor» permettant aux personnes donnant leur sang de montrer en ligne à leurs copains leur engagement, mais aussi de contribuer à mettre cette cause en avant. Une stratégie similaire a été utilisée pendant le Tour de France, lorsque Nike a lancé un programme de soutien à la fondation de Lance Armstrong pour la lutte contre le cancer, Livestrong. Les sympathisants de cette campagne pouvaient placer sur un site un message personnel, lequel, s'il était choisi, était retranscrit à la craie sur la route empruntée par les coureurs. L'un des messages de soutien disait : «La douleur est ponctuelle. Le renoncement est définitif. F. Dreyer !». Ce message personnel était non seulement montré aux champions cyclistes vénérés par les supporters, mais également au monde entier lors de la retransmission télévisée : une contribution individuelle pour un impact mondial.

Intégrez votre public à l'histoire

Qu'y a-t-il de plus fort et personnel que d'arriver à impliquer dans votre histoire la personne que vous essayez de toucher ? Souvenez-vous de l'anxiété ressentie en lisant la pub pour St John Ambulance au début de ce chapitre. Les jeux en ligne sont un moyen d'amplifier cet effet en transformant votre groupe cible en personnage principal d'une histoire. C'est le cas de 56 Sage Street de la banque Barclays, jeu au sein duquel de jeunes gens peuvent apprendre à déjouer les pièges économiques et à économiser leur argent. Une plateforme en ligne est par essence interactive, de telle sorte que vous pouvez y raconter des histoires complexes, mais qui soient séduisantes, personnelles et empreintes d'un très fort sens des responsabilités. Il est évident que les opérations bancaires et la gestion d'un budget ne sont pas simples et ne constituent pas des sujets très attrayants pour les jeunes. Mais avec un récit interactif axé sur les personnes, on peut les tenir en haleine. Autre support personnel et efficace, le téléphone mobile, pour lequel il reste malheureusement encore beaucoup à faire sur le plan de la créativité bien que les progrès soient constants.

Indiquez clairement les valeurs et convictions de votre marque

Dans un marché mondial, les consommateurs peuvent plus facilement choisir la marque ou la cause en phase avec leurs valeurs qui leur tient à

C'EST PRESQUE COMME AVOIR UN ENFANT

L'opération *Sponsor a Child* (Parrainez un enfant), initialement lancée sous le nom de *Save the Children* (Sauvez les enfants) dans les années 1930, s'est propagée dans le monde entier tout en évoluant. En donnant régulièrement à un enfant d'un pays en voie de développement, votre action bénéficie de différents niveaux de personnalisation, tels que des photos de l'enfant parrainé et des lettres régulières. Qui pourrait avoir le cœur de se retirer de cette opération ?

cœur, plutôt que la marque ou le foyer pour sans-abri qui se trouve au coin de leur rue. Cela les orientera vers des marques qui s'efforcent de leur offrir une expérience personnelle, un service personnel ou un produit personnalisé. Dans ce chapitre sur la transparence, j'évoque également une tendance à opter pour des marques se servant des médias sociaux tels que les blogs ou Twitter pour se montrer plus transparentes, mais aussi plus proches. C'est indispensable, surtout lorsque vous traitez de thèmes qui nous touchent tous, tels que le cancer ou le contenu de notre nourriture et de celle de nos enfants. Dialoguez avec les gens, montrez-leur votre implication, laissez-les s'exprimer et transformez-les en collaborateurs. C'est l'occasion de vous rapprocher d'eux et vous apprendrez beaucoup de choses du contenu de leurs Tweets ou commentaires. Votre cause deviendra la leur.

Rassemblez des personnes de même sensibilité grâce à votre campagne

Cette évolution s'est renforcée grâce aux supports numériques qui ont non seulement révolutionné notre rapport aux autres, mais aussi notre capacité à toucher un public plus large à travers le monde. Ma participation, au fil des ans, à des campagnes dans les médias sociaux m'a permis de remarquer que si les gens prennent part activement à une campagne ou à une cause, ils s'y attachent beaucoup plus et entrent en relation avec les autres contributeurs. Avec l'explosion de l'univers numérique, la proximité ne se mesure plus en kilomètres mais à l'importance des valeurs et centres d'intérêt partagés.

Une campagne réellement personnalisée se caractérise par l'implication de nombreuses personnes de même sensibilité. Dans la campagne

«Team Hoyt», Téléthon de la chaîne TV3 pour soutenir les victimes de blessures cérébrales et de la moelle épinière, Barcelone (voir page 58)

«L'odeur, preuve de soutien», Guide Dogs Australia, Clemenger BBDO, Melbourne (voir page 61)

«Chalkbot» de Nike (messages envoyés par des internautes écrits à la craie sur le parcours du Tour de France), les gens recevaient une photo de leur message ainsi que les coordonnées GPS de l'endroit où il était inscrit à la craie sur la route, afin de pouvoir partager facilement cette information en ligne. Cela les a incités à soutenir le programme Livestrong, la fondation contre le cancer de Lance Armstrong. C'est précisément ce que vous recherchez : un ami vous recommandant à un autre. Pas étonnant qu'une étude mondiale de consommation en ligne de l'institut Nielsen, menée en 2009, ait révélé que le canal de communication le plus fiable aux yeux des gens était les amis dans la vie réelle : 90 % des consommateurs sondés faisaient confiance à des recommandations de la part de connaissances. Les campagnes doivent toujours avoir une dimension personnelle et interhumaine et favoriser les échanges. Andreas Dahlquist, vice-président et directeur exécutif de la création chez McCann Erickson à New York, l'homme derrière l'opération marketing à succès «The Fun Theory» (www.thefuntheory.com), a dit : «Pensez social plutôt que numérique : comment relier les gens entre eux et créer par là même une réelle valeur ajoutée».

Le potentiel de la personnalisation

Le potentiel d'une stratégie personnelle matérialisée sur une plateforme numérique est extraordinaire : sa portée peut être hallucinante. Vous pouvez toucher des millions de personnes aux vies très différentes, mais de même sensibilité. Il sera très amusant de voir, dans l'avenir, jusqu'où ira ce potentiel de développement. Non seulement les informations sur vous et moi sont de plus en plus collectées afin de personnaliser la Toile, mais la technologie numérique colonise également nos voitures, nos maisons et même les emballages des produits alimentaires. Pourquoi cette connectivité et ces données ne seraient pas utilisées ? Mais ne vous perdez pas dans la technologie car, comme le démontrent la pub pour St John Ambulance et la campagne Flora, la publicité responsable de qualité propage toujours de bonnes idées qui touchent les gens et leur font prendre conscience qu'ils peuvent changer les choses grâce à leur comportement. Comme l'a dit Wally, après avoir survécu à son pontage cardiaque : «Les comportements néfastes se paient toujours cash par la suite, alors ne pensez pas : ça n'arrive qu'aux autres ! J'espère qu'en prenant connaissance de mon histoire, vous pourrez apporter, aujourd'hui même, les changements nécessaires dans votre vie !»

VOTRE PERCEPTION DE LA BEAUTÉ SUR UN PANNEAU D'AFFICHAGE

Dans le cadre de sa « campagne pour la vraie beauté », Dove a demandé aux femmes et aux jeunes filles de donner leur sentiment sur différents thèmes touchant à la beauté tels que « qu'est-ce qui vous donne le sentiment d'être belle ? ». Les réponses, transmises via Twitter ou SMS, s'affichaient sur un grand écran de la gare Victoria de Londres, qui voit passer environ 350 000 personnes par jour

//

Une marque est une aventure portée et partagée par tous. Il est donc nécessaire de produire des contenus dont les parties prenantes sont les acteurs.

//

Sidièse est l'agence qui fait aujourd'hui figure de leader sur les sujets de la communication responsable. Cette agence indépendante de taille moyenne (une vingtaine de personnes) a été créée il y a 15 ans par Gildas Bonnel. Elle ne s'est pas positionnée dès sa naissance sur la communication responsable, mais a pris le virage très vite, dès 2004, en répondant à un appel d'offres de l'ADEME et de la Fondation Nicolas Hulot sur la sensibilisation des 8-12 ans au réchauffement climatique. Cette mission a été l'occasion d'une prise de conscience des dirigeants de l'agence qui ont initié une réflexion sur l'écoconception des campagnes. Rapidement, un comité éthique a été mis en place avec des experts du développement durable, pour aider Sidièse à passer de ce stade de l'écoconception à l'enjeu plus vaste de responsabilité des messages.

En rencontrant Nicolas Perdrix, le directeur général associé de l'agence qui est rentré chez Sidièse en 2003 et revenu en 2010 (après un an d'agence à Sydney et une année de voyage à travers le monde), la question était d'abord de savoir ce qu'était une agence dite de «communication PLUS responsable» et en quoi elle se différenciait des autres : **«Nous sommes devenus experts de l'expression des enjeux de la RSE à destination de tous les publics, car nous avons su développer une méthodologie de travail unique, basée sur la coconstruction avec les annonceurs et tout un ensemble d'experts et de parties prenantes que nous embarquons dans nos campagnes…»**

D'accord pour cette méthodologie de travail innovante mais *quid* du contexte actuel de la communication responsable qui est compliqué ? Les études d'opinion montrent que les consommateurs n'ont pas confiance dans les entreprises, en particulier les plus grandes. Ils se méfient de leurs discours en général, et en particulier sur le développement durable (1/3 seulement des Français croiraient le discours RSE des entreprises). Comment, dans ces conditions, prendre la parole sur le développement durable ? Comment retrouver la confiance et se reconnecter à des consommateurs/experts qui trouvent toutes les informations qui seraient cachées sur Internet ?

Encore une fois, Nicolas, très conscient de cette perte de confiance, s'appuie sur une démarche qui passe par l'échange avec les parties prenantes et leur implication pour gagner en crédibilité : **«La succession de crises sanitaires, financières et politiques a détruit la confiance accordée par les citoyens… et cette perte de confiance se transfère aujourd'hui sur le discours des entreprises. Le *greenwashing* a fait également très mal. On est actuellement dans une grave crise de défiance. Dans le domaine du développement durable, on en est même arrivé au *greenhiding* : beaucoup d'entreprises ne veulent plus dire ce qu'elles font par crainte de mal s'exprimer ! Il y a donc un challenge de reconnexion et de sincérité pour lequel nous pouvons aider les entreprises. Pour nous, se reconnecter, cela passe d'abord par l'émotionnel, mais un émotionnel basé sur du rationnel : le rêve qui s'appuie sur des preuves. Au-delà du rapport RSE annuel, il faut mettre en place un dialogue tout au long de l'année (un *community*** *management* de la RSE). Aujourd'hui, on peut dire que le consommateur – qui fait presque partie du Comex tant il est écouté par les dirigeants des entreprises – peut, d'un coup de clavier, facilement savoir "ce qu'il y a sous le capot d'une entreprise". Ce qui veut dire que l'entreprise a intérêt à avouer "ses péchés" et, bien entendu, à annoncer ce qu'elle fait pour s'améliorer... Mais surtout, une marque est une aventure portée et partagée par tous. Il est donc nécessaire de produire des contenus dont les parties prenantes et les consommateurs sont les acteurs. Par exemple, en collaborant avec le cabinet Ethicity, nous avons aidé Henkel à relancer Le Chat éco-efficacité, dont la 1re sortie publicitaire en 2009 avait essuyé de violentes critiques d'ONG environnementales et d'associations de consommateurs. En travaillant en amont de la campagne de pub avec des consommateurs, des experts, et les communautés qui avaient critiqué la marque, nous avons défini une plateforme de contenus – "Lavons mieux" – qui traite de l'ensemble du cycle de lavage et propose des solutions d'usage pour réduire ses impacts et pas seulement l'impact chimique de la lessive. Ce positionnement implique le consommateur à qui l'on suggère un ensemble d'écogestes du lavage».

Il y a une population que l'on oublie souvent et qui est pourtant capitale, parce qu'elle connaît l'entreprise de l'intérieur et qu'elle est souvent sceptique par rapport aux discours sur le développement durable de l'entreprise : ce sont les collaborateurs. Nicolas acquiesce : «Effectivement, parmi les parties prenantes, il faut s'adresser en particulier aux publics internes qui vivent au quotidien la réalité de l'entreprise, qui la connaissent de l'intérieur. Les collaborateurs doivent faire corps avec le projet, devenir des ambassadeurs du message. Par exemple, nous avons participé à mettre en place pour le groupe Pernod-Ricard l'opération Responsib'ALL qui a touché 18 000 collaborateurs de l'entreprise dans le monde, traitant de différents enjeux d'un sujet sensible : la consommation responsable. Enfin, pour les publics externes, il est nécessaire de supprimer les zones d'ombre : la transparence au service de la réputation.»

Et comment la communication responsable se traduit-elle en termes de process ? Comment élabore-t-on une campagne de communication responsable ? Comme n'importe quelle campagne ? Nicolas nous explique la recette selon Sidièse : «Par la maîtrise de solides méthodologies de coconstruction, nous aboutissons à une sorte de mutualisation des visions internes et externes de l'entreprise qui vient nourrir le socle stratégique de notre travail. Cette étape permet d'établir notre recommandation en matière de communication (de la stratégie des moyens aux concepts créatifs) à l'égard de l'ensemble des publics de l'annonceur. Ce travail est croisé avec les avis de notre large réseau d'experts et d'influenceurs que nous n'hésitons pas à solliciter pour déboucher sur la production de contenus approfondis et crédibles qui vont alimenter la campagne. Ces groupes de travail, d'un nouvel âge pour notre industrie, permettent d'avoir un regard critique et de donner la légitimité à agir... À partir de là, la campagne peut être

déployée en externe (média/hors-média) et en interne, souvent avec un événement de lancement en présence des influenceurs du marché. Finalement, les impacts de la campagne sur les publics cibles (image de marque en rupture, changements de comportement) viennent nourrir en profondeur le récit de l'entreprise et parfois même influent sur sa propre raison d'être ; on pourrait presque parler de "communication circulaire" ».

En définitive, qu'est-ce que le développement durable et la RSE ont changé ou vont changer dans les agences ? Est-ce que l'on n'est pas encore et toujours dans le business as *usual* ? Nicolas pense que la RSE, c'est avant tout une façon d'être plus collaboratif, plus humble : «Quand beaucoup d'agences s'estiment être des "sachants", chez Sidièse, nous nous considérons comme des "apprenants". Nous mutualisons en permanence nos expériences et notre expertise développement durable avec nos "alliés", notre réseau d'experts, spécialistes des différentes thématiques sociales, sociétales et environnementales. Notre modèle est celui d'une entreprise de plus en plus étendue».

AMNESTY INTERNATIONAL
TBWA, Paris
SIGNATURES

Dans ce film d'animation de 2007, maintes fois primé, nous voyons des personnes dans des situations dangereuses sauvées par le pouvoir d'une signature. Alors qu'elles sont sur le point d'être torturées, exécutées, voire écrasées par un char, une signature vient à leur secours. Cette signature se transforme en trou, dans lequel elles peuvent plonger afin d'échapper à leurs poursuivants ou en ballon qui leur permet de s'envoler au-dessus du champ de bataille.

Ce film est non seulement une réussite sur le plan conceptuel mais également au niveau de la réalisation. L'animation est superbe et, en faisant de la signature une arme redoutable, Amnesty International envoie un message très fort, en répondant au scepticisme que bon nombre d'entre nous avons déjà ressenti : « ma signature aura-t-elle vraiment du poids ? ». Amnesty International nous montre que l'on peut changer les choses en signant une pétition.

Tout ce dont nous avons besoin est parfois d'un rappel de l'importance de notre petite contribution. Et ce film fait merveilleusement passer ce message. Amnesty International s'est toujours appuyé sur le poids des signatures et pétitions. Ce retour sur leur passé et leurs actions est une communication très puissante.

THINK !
Leo Burnett, Londres
FILMÉ PAR UN PORTABLE

Think ! est un spot sur la sécurité routière
tourné pour le gouvernement du
Royaume-Uni. Il a été l'un des premiers à
être intégralement tourné à l'aide d'un
Smartphone et s'est avéré l'un des plus
efficaces. Il montre un groupe
d'adolescents marchant dans la rue en
s'amusant, mais qui traverse sans faire
attention. L'un des garçons est renversé
par une voiture et se retrouve projeté
dans les airs. Le spot se termine par les
cris des amis du garçon se précipitant
vers lui.

Ce spot a été posté sur Internet et
s'est répandu, sans aucun logo, parmi les
adolescents du pays, lesquels pensaient
qu'il s'agissait d'images d'un véritable
accident. Ce n'est qu'au bout d'une
semaine qu'une version signée par le
gouvernement est passée à la télévision
et au cinéma.

En utilisant un moyen de
communication couramment employé par
les adolescents, Think ! s'adresse
directement à eux en utilisant un langage
qu'ils comprennent, ce qui a frappé les
esprits et facilité le changement de
comportement. Rien que la première
semaine, ce film a été vu 150 000 fois.
Selon un sondage, neuf adolescents sur
dix ayant vu le film ont déclaré qu'ils
allaient désormais faire plus attention en
traversant.

KINDERTAFEL DÜSSELDORF
Ogilvy & Mather, Düsseldorf
OFFREZ UN REPAS

Ce site Web pour l'association
Kindertafel Düsseldorf est une
campagne de sensibilisation et un
support pour générer des dons.
Les internautes se rendant sur ce site
peuvent déplacer différents aliments afin
de les mettre sur une assiette destinée
à nourrir les enfants pauvres de
Düsseldorf. Chaque type d'aliment a un
prix et on demande ensuite aux
internautes de donner la valeur du plat
confectionné. Pour vous encourager à
donner plus, les enfants tenant les
assiettes ont un air vraiment triste.

Cette méthode de « dons interactifs »
rend la démarche bien plus concrète.
Comme le site Web Rainbow Warrior de
Greenpeace (page 25), vous pouvez voir à
quoi va servir votre argent. Cet exemple
personnalise également le problème auquel
sont confrontés ces enfants : difficile de
refuser quelque chose à un enfant qui vous
regarde droit dans les yeux.

Cette simplicité joue en faveur de la
campagne. Les internautes n'ont rien de
compliqué à réaliser, simplement à faire
glisser des aliments jusque dans une
assiette, puis de s'acquitter du montant
correspondant. La simplicité est en
quelque sorte une forme de
responsabilité : en décomposant la
procédure, vous facilitez la perception de
l'information et la mise en actes par les
consommateurs.

SPENDE EIN ESSEN
Online Spende der Düsseldorfer Kindertafel

DÜSSELDORFER TAFEL   KINDERTAFEL   WEITERSAGEN   TELLERGALERIE   DEIN SPENDEBETRAG

3,80 €

Weiter zur Spende ›

HOME | PROJEKTE | TEAM | KONTAKT | IMPRESSUM | ENGLISH

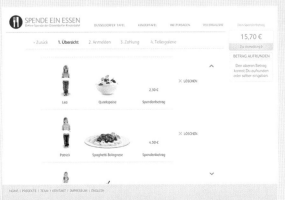

CHILDREN OF THE WORLD
Contract Advertising,
New Delhi
AIDEZ-MOI À LIRE ÇA…

Children of the World a créé une publicité des plus classiques dont Marshall McLuhan aurait été fier – le support constitue le message. En sachant qu'en Inde, nombre d'enfants des rues vendant journaux et magazines sont analphabètes, Children of the World a joué sur cette cruelle ironie.

Chaque magazine avait une enveloppe détachable, préaffranchie, sur laquelle était inscrit « *Help me read this* » (aidez-moi à lire ça). Les résultats ont montré toute l'efficacité de cette communication : plus de 300 enfants ont été parrainés (chiffre bien supérieur aux résultats des années précédentes). En outre, Children of the World a réussi à créer des écoles de fortune dans tout New Delhi. Nombre de personnes ont appelé pour devenir bénévoles au sein de ce programme.

Cette campagne pour une bonne cause a joué sur une corde sensible. En encourageant les gens à donner de leur temps afin d'aider ceux qui sont dans le besoin, elle a réussi à tous les niveaux. Lorsque les consommateurs prennent ainsi le temps de collaborer avec une marque ou d'agir pour une cause telle que celle-ci, chacun réalise quelque chose de bien.

DEPAUL UK
Publicis, Londres
IHOBO

Grâce à l'application « iHobo », Depaul UK, la plus grande association caritative du Royaume-Uni œuvrant pour les jeunes sans-abri, communique sur les raisons pouvant pousser à devenir SDF, les difficultés rencontrées par ces personnes et les meilleurs moyens de les aider de manière responsable. Avec cette application, les utilisateurs s'occupent d'un SDF sur leur téléphone mobile pendant trois jours et essaient de lui épargner des ennuis. Votre iHobo vous sollicite à tout moment du jour et de la nuit et, si vous l'ignorez pendant trop longtemps, risque de tomber dans la toxicomanie et de jouer avec sa santé, voire de succomber à une overdose.

Cette application permet d'effectuer des dons, dans un premier temps sur iPhone. Lorsque vous avez passé trois jours sur « iHobo », on vous incite à effectuer un don – l'un des principaux objectifs de cette application est de faire prendre conscience aux gens que donner une pièce à un SDF ne suffit pas. En confrontant concrètement la population aux problèmes rencontrés par les SDF, Depaul s'assure que son message est suivi de gestes concrets. Plus de 600 000 personnes ont téléchargé l'application « iHobo » et la mission de Depaul d'éduquer les gens sur le thème des sans-abri a été particulièrement bien remplie.

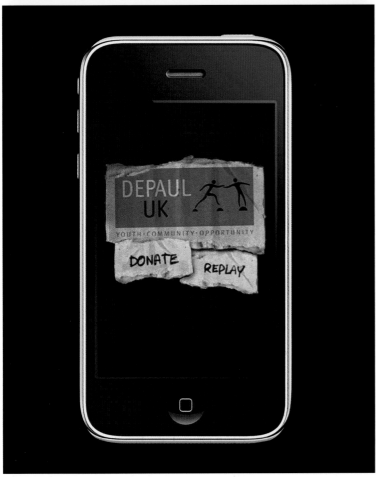

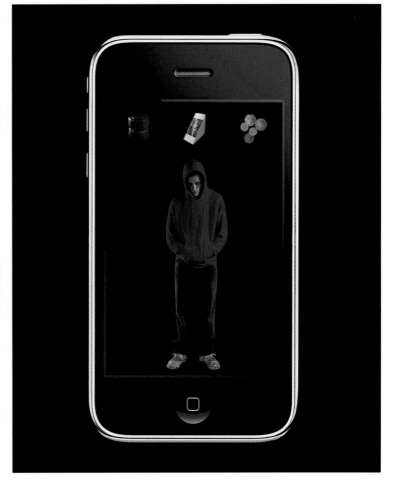

COLIBRIS
Sidièse, Paris
TOUS CANDIDATS

Parce que chaque jour, à notre échelle, nous participons à l'émergence d'un monde plus écologique et plus humain.

Lancée le 20 octobre 2011 dans la perspective des élections présidentielles, la campagne « Tous Candidats » avait l'ambition de faire émerger la voix de Pierre Rabhi : « J'ai l'impression que la politique n'est plus en phase avec la réalité du monde. En revanche, la société civile constitue un potentiel énorme de changement ! »

Cette campagne nationale, lancée par le Mouvement Colibris, a voulu donner la parole aux citoyens désireux de se porter eux-mêmes « candidats au changement ». Le principe : défendre l'action individuelle. Pour participer à la campagne, il suffisait d'aller sur le site Touscandidats2012, de créer son affiche de campagne, de créer son propre slogan et de diffuser le message autour de vous !

C'est l'agence Sidièse qui a imaginé ce dispositif comprenant une plateforme digitale (touscandidats2012.fr) et l'animation de réseaux (Twitter et Facebook). En parallèle, étaient organisés 22 forums régionaux et un ouvrage, *Manifeste*, était édité chez Actes Sud. Un grand événement de mobilisation a relayé la campagne grâce au soutien du photographe JR. Plus de 5 000 portraits de citoyens candidats ont été affichés sur les murs de 40 villes de France (mêlant anonymes et célébrités tels Pierre Rabhi, Mélanie Laurent ou encore Zaz). Près de 4 000 personnes ont participé à l'affichage dans toute la France.

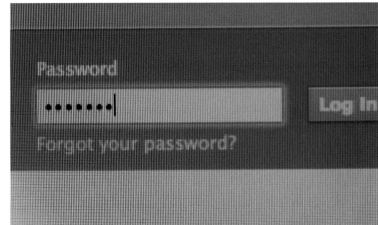

JASON ZADA
PRENDS CETTE SUCETTE

Cette application interactive du réalisateur Jason Zada met l'accent sur les dangers de partager trop d'informations sur Facebook. Lorsqu'ils acceptent de « *take this lollipop* » (prendre cette sucette), les utilisateurs de Facebook tombent sur une vidéo montrant un homme en sueur à l'air dérangé en train de s'emparer de leur profil. À mesure qu'il fouille, il connaît de plus en plus d'informations personnelles… jusqu'à créer une carte dont il se sert pour découvrir où vous vivez.

Cette histoire très personnalisée révèle aux internautes la quantité de données qu'ils divulguent sur Facebook et les incite à y réfléchir à deux fois avant d'en dévoiler trop. Les médias sociaux font de plus en plus partie intégrante de notre existence et les problèmes de vie privée et de confidentialité des contenus vont donc s'amplifier. Quelle quantité d'informations vous concernant, accessibles à tout le monde, avez-vous mis en ligne ?

SAVE THE CHILDREN
Lowe Brindfors, Stockholm
LA LOTERIE DE LA VIE

Pour s'adresser aux habitants des pays
en voie de développement, Save the
Children a lancé « la loterie de la vie »,
qui permet aux gens de savoir quelle vie
ils auraient eue s'ils étaient nés dans
un autre pays. Les utilisateurs entrent
immédiatement dans une loterie et se
voient automatiquement attribuer un
pays. On leur donne ensuite des
informations sur ce pays et les
conditions dans lesquelles ils auraient
été élevés. Puis, ils peuvent partager
ces données avec leurs amis.

En personnalisant cette expérience
et en fournissant des informations sur
les conditions de vie dans un autre
pays, « la loterie de la vie » force les
utilisateurs à considérer différemment
leur existence. Cette opération les
encourage également à faire un don à
l'association caritative Save the
Children – faire en sorte que les gens
s'imaginent dans la peau d'une autre
personne est un excellent moyen de
susciter l'empathie. Plus de
380 000 personnes ont relevé le défi.

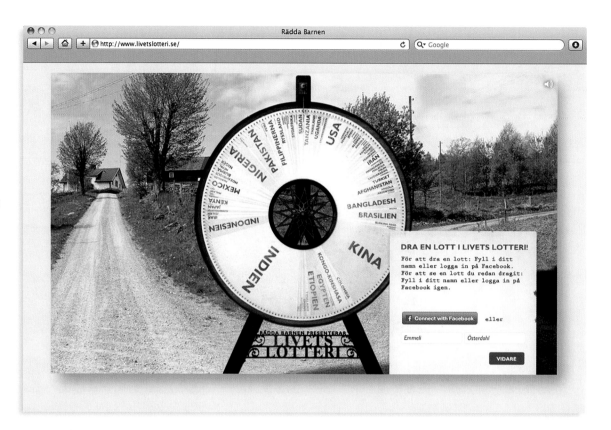

THEY'D LOVE TO MEET YOU

BRANDHOUSE
FOXP2, Le Cap
**J'AIMERAIS BEAUCOUP
TE RENCONTRER**

Cette campagne, orchestrée par
Brandhouse, marque de boissons
alcoolisées sud-africaine, avertit sans
ménagement ceux qui pensent encore
que boire et conduire ne pose aucun
problème. Brandhouse se sert des
horreurs du système carcéral sud-africain
pour s'assurer que les gens y
réfléchissent à deux fois avant de
prendre le volant après avoir bu quelques
verres.

Les prisons sud-africaines sont
connues pour être bondées, ainsi que
pour les gangs effrayants qui y
séjournent. Brandhouse rappelle ces
caractéristiques au grand public sans
prendre de gants. Les spots TV
ressemblent à la présentation que font
les membres d'un site de rencontres, les
hommes décrivant ce qu'ils recherchent
chez un partenaire. Puis la caméra fait un
zoom arrière et nous constatons qu'il
s'agit en fait de détenus parlant de leur
compagnon de cellule rêvé. Les spots
radio ont été écrits comme des poèmes
d'amour pour que le propos porte.
Couverts de tatouages, le regard
menaçant, ces types attendent
simplement que quelqu'un se fasse
prendre pour conduite en état d'ébriété.

Certaines campagnes invitent à mieux
se comporter sur un ton positif et
amusant, tandis que d'autres sont plus
directes et prennent aux tripes – celle-ci
entre sans nul doute dans la dernière
catégorie.

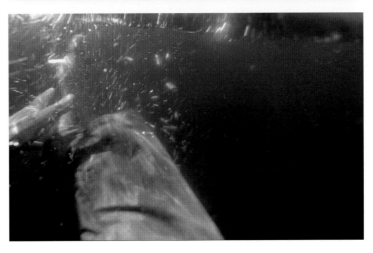

GUY COTTEN
CLM BBDO, Paris
UNE SORTIE EN MER

En pleine mer, combien de temps
pouvez-vous rester à la surface de l'eau ?
Que ressentez-vous lorsque vous prenez
votre respiration pour la dernière fois
avant de vous noyer ? Qu'est-ce qui vous
passe par la tête ? Voilà tout ce à quoi
vous êtes personnellement confronté sur
sortieenmer.com, un site interactif
particulièrement dérangeant. Tout
commence par une virée en voilier avec
un ami. Au programme : détente et ciel
bleu. Hélas, l'histoire se transforme en
une véritable lutte contre la mort lorsque
la bôme vous projette à la mer à la suite
d'une seconde d'inattention. Commence
alors la bataille contre les éléments :
vous devez faire défiler la page Web pour
rester à la surface. Problème : ce geste, a
priori simple, finit fatalement par vous
fatiguer. Et tandis que des souvenirs
surgissent dans votre esprit, vous
sombrez vers les profondeurs. L'écran
s'assombrit et un message apparaît sous
vos yeux : « En mer, on se fatigue plus
vite qu'on ne le pense. »

Une sortie en mer est une façon
incroyablement intime et percutante
d'amener les marins têtus à réfléchir à
deux fois avant de prendre le large sans
gilet de sauvetage. Pour Guy Cotton,
connu pour ses vêtements de qualité
supérieure destinés aux plaisanciers
comme aux professionnels, s'attaquer à
ce sujet (tout à fait légitime) a
grandement attiré l'attention sur la
marque. De fait, plus de 7 millions de
personnes se sont plongées dans cette
expérience interactive. Espérons que
Popeye aura désormais la sagesse de ne
pas prendre le large sans son gilet de
sauvetage...

NIKE
Wieden+Kennedy, Portland
CHALKBOT

Avec Chalkbot, idée découlant de Livestrong, l'initiative contre le cancer menée par Lance Armstrong, Nike a affiché son engagement aux côtés de personnes ayant survécu à un cancer. Nike a proposé au public d'envoyer des messages d'encouragement aux coureurs du Tour de France : ces messages étaient peints sur les routes empruntées par la course. Le public pouvait télécharger des messages enthousiasmants sur un site Web ou les envoyer par SMS. Mais l'aspect novateur de cette campagne était la matérialisation de ces messages. On a construit un robot qui écrivait ces messages sur la route, puis prenait une photo de chacun d'eux, avant de l'envoyer à son auteur, accompagné des coordonnées GPS.

Nike a toujours été connu pour sa combativité, tout comme Lance Armstrong et sa victoire contre le cancer. Cela rappelle ce dont nous, êtres humains, sommes capables si nous continuons de nous battre sans jamais perdre espoir. Cette campagne a été un réel succès, avec plus de 36 000 messages peints et plus de 4 millions de dollars récoltés pour Livestrong.

A grape stuck in my throat. I couldn't breathe. It was really scary. But I knew a grown-up would help me. Who was clever at first aid. Who knew that all I needed was some hard slaps on the back. Because grown-ups always know what to do. Don't they?

Abigail West 2005-2010

You can be the difference between life. And death. To find out how search 'life saved'.

ST JOHN AMBULANCE
BBH, London
LA DIFFÉRENCE

St John Ambulance, association caritative du Royaume-Uni spécialisée dans le secourisme, avait un message important à faire passer : en apportant les premiers soins, il est possible de venir à bout de situations potentiellement extrêmement graves. Rien qu'au Royaume-Uni, 150 000 personnes meurent chaque année à cause d'une méconnaissance des gestes de secourisme. Le défi de St John Ambulance était de faire passer ce message au grand public.

Des publicités chocs, avec des photos en noir et blanc, racontaient l'histoire de cinq personnes mortes parce que leur entourage proche ne connaissait pas les techniques des soins d'urgence. Les récits, à la première personne, ont permis de sensibiliser les lecteurs au côté tragique de ces histoires. Très souvent, la personne dans l'impossibilité de sauver ces victimes était un membre de la famille ou quelqu'un de proche, ce qui a permis aux lecteurs de se projeter dans cette situation.

Dans la mesure où l'une des principales vocations de St John Ambulance est de dispenser des formations au secourisme, ces publicités ont incité le grand public à en savoir plus et à prendre conscience qu'il pouvait sauver des vies. Ces encarts incitaient également les lecteurs à envoyer un code par SMS afin de recevoir un fascicule gratuit révélant comment venir à bout de cinq affections courantes grâce à des gestes de secourisme élémentaires, le but étant d'éduquer le grand public et de contribuer à sauver des vies.

2. CONNEXION

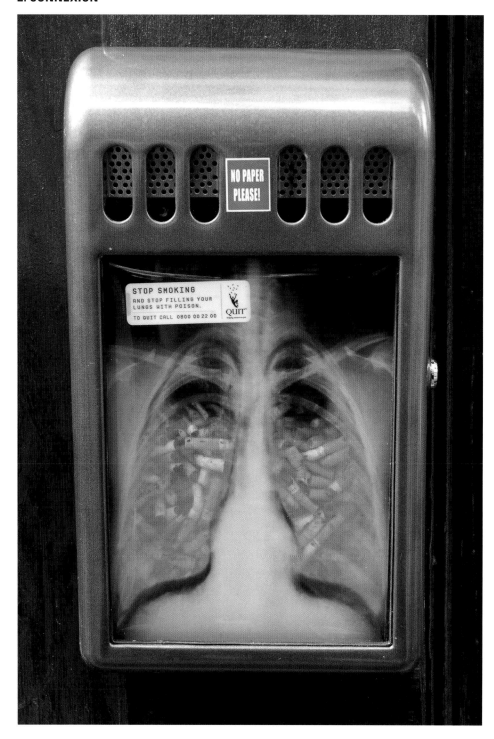

STOP SMOKING
AND STOP FILLING YOUR
LUNGS WITH POISON.
TO QUIT CALL 0800 00 22 00

NO PAPER PLEASE!

QUIT
Saatchi & Saatchi, Londres
RADIO DES POUMONS

Lorsque l'interdiction de fumer dans les lieux publics est entrée en vigueur au Royaume-Uni, les cendriers publics extérieurs sont devenus monnaie courante. L'association anti-tabac QUIT en a parfaitement tiré parti en coinçant les fumeurs au moment même où ils s'adonnaient au rituel qu'elle souhaitait justement les voir abandonner. À mesure que des mégots et des cendres étaient

jetés, les poumons à l'intérieur des cendriers commençaient à se remplir, montrant ainsi aux fumeurs ce qu'il se passait dans leurs propres organes.

En impliquant les consommateurs et en leur montrant ce qui passe dans leurs poumons, cette campagne les force à réfléchir et, avec un peu de chance, les encourage à arrêter de fumer. Rien que la première semaine, les appels reçus par le service d'assistance de QUIT ont augmenté de 50 %, preuve que cette approche a porté ses fruits.

REMEMBER A CHARITY
DDB, Londres
UN CASCADEUR, UN LEGS

« Remember a Charity » est une organisation incitant les gens à coucher des associations caritatives sur leur testament. Selon les statistiques, 74 % des personnes donnent à des associations caritatives au cours de leur existence, mais seules 7 % leur lèguent de l'argent. Or, d'après les calculs, il suffirait que le nombre de personnes léguant de l'argent à des associations caritatives augmente de seulement 4 % pour que celles-ci voient leur financement global bondir de 1,230 milliard d'euros.

Pour sensibiliser le grand public, ils ont fait appel à Rocky, cascadeur depuis les années 80, arguant du fait que personne ne peut mieux cerner l'importance d'un testament qu'un cascadeur. Pour sa première cascade, Rocky en a recréé une qui avait mal tourné au début de sa carrière, le laissant sur le flanc pendant cinq ans. Sur Facebook, les fans pouvaient se prononcer sur la manière d'exécuter cette cascade et il eut le bonheur de la réussir haut la main.

Cette idée surprenante a vraiment créé le buzz et renforcé le sentiment d'implication, rapprochant les gens de cette histoire et les encourageant à faire le bien tout en s'amusant. Cette opération était également aux antipodes des messages d'intérêt public plus traditionnels, qui ont tendance à s'appuyer sur des films en noir et blanc... et une bonne dose de culpabilité. Au final, cet angle d'attaque a fonctionné à merveille, puisque la campagne a généré l'équivalent de près de 1 550 000 euros d'achat d'espace à travers des diffusions gratuites, touchant un public de plus de 83 millions de personnes. En outre, les recherches sur « Remember a Charity » ont doublé pendant cette semaine de sensibilisation et les nouveaux visiteurs furent cinq fois plus nombreux que lors d'une semaine ordinaire. L'objectif final était d'inciter les gens à léguer de l'argent à des associations caritatives, objectif atteint, puisque les personnes se souvenant de la campagne étaient trois fois plus enclines à discuter d'un leg avec leurs amis et leur famille. Et un peu moins de 20 % des gens ont dit qu'ils allaient franchir le pas après avoir vu les spots sur Rocky.

Comme pour tout le monde, ma famille et mes amis passeront toujours en premier, mais je pense que ce serait génial si plus de gens, comme moi, choisissaient de léguer un peu de ce qu'ils ont à leur association caritative préférée : je suis persuadé que ça changerait beaucoup de choses.

ROCKY TAYLOR, CASCADEUR

2. CONNEXION

OVER THE PAST 20 YEARS, RICK HOYT AND HIS FATHER HAVE PARTICIPATED IN OVER 900 ENDURANCE TESTS AND 6 IRONMANS.

Team Hoyt

DECEMBER 19TH
FIGHTING AGAINST SPINAL CORD AND BRAIN INJURIES
905 11 50 50

TÉLÉTHON DE LA CHAÎNE TV3
POUR LES VICTIMES DE BLESSURES
CÉRÉBRALES ET DE LA MOELLE
ÉPINIÈRE
Bassat Ogilvy, Barcelona
TEAM HOYT

En Espagne, pour convaincre les gens de l'importance de donner à des associations caritatives qui soutiennent les victimes de blessures cérébrales et de la moelle épinière, le téléthon de la chaîne TV3 a raconté l'histoire de la Team Hoyt. Team Hoyt est une équipe composée de Dick Hoyt, le père, et de son fils Rick, qui fait des courses à pied longue distance. Le cerveau de Rick a été privé d'oxygène lors de sa naissance en 1962 et on lui a diagnostiqué une tétraplégie spastique. Rick et Dick ont participé à leur première course de 8 km en 1977, Dick poussant

Rick dans un fauteuil roulant. Depuis, ils ont plus de 1 000 courses à leur actif, dont des marathons, des duathlons et des triathlons, ainsi que six Ironman. En couvrant cette histoire et en la faisant connaître, TV3 a créé une œuvre très forte qui réchauffe le cœur. Difficile, même pour les êtres les moins sensibles de ne pas s'émouvoir. En rendant concret un problème pouvant sembler abstrait, TV3 provoque une réaction forte et personnelle de la part de son public cible, en lui montrant qu'il est important de faire des dons.

Un jour, on a demandé à Rick, s'il en avait la possibilité, quelle chose il donnerait à son père. Rick a répondu, «Ce que j'aimerais le plus, c'est que mon père prenne place sur le fauteuil et que je le pousse, pour une fois.»

TEAM HOYT

FLORA
Lowe Bull, Le Cap
DÉCOUVREZ LE CŒUR DE WALLY

La marque Flora souhaitait sensibiliser le grand public sur le thème des maladies cardio-vasculaires en Afrique du Sud, pays dans lequel le taux d'obésité est en augmentation. Plutôt que de bombarder l'opinion de statistiques et d'informations sur leur margarine, pauvre en matière grasse, l'entreprise a décidé d'opter pour une approche plus incarnée. Elle a trouvé Wally Katzke, un homme âgé d'une cinquantaine d'années, ayant des antécédents de problèmes cardiaques, et a suivi son parcours. L'histoire a trouvé son apogée avec la retransmission en direct à la télévision nationale de son pontage coronarien.

Cette opération, d'une durée de deux heures, fut retransmise dans son intégralité sous la forme d'une vidéo apparaissant dans un coin de l'écran, pendant que des experts parlaient de santé cardio-vasculaire dans un langage facile à comprendre. Avant l'opération, Wally a également été interviewé dans un talk show local plusieurs jours durant, afin de sensibiliser les téléspectateurs aux maladies cardio-vasculaires et à l'importance d'avoir un mode de vie sain.

Cette expérience publicitaire incroyablement intimiste (y a-t-il plus intimiste que regarder carrément à l'intérieur du corps d'une personne ?) est non seulement parvenue à sensibiliser les gens aux dangers des maladies cardio-vasculaires, mais a également contribué à sauver Wally. Il s'est parfaitement remis de l'opération et mène actuellement une vie très saine en pouvant apprécier les moments en famille.

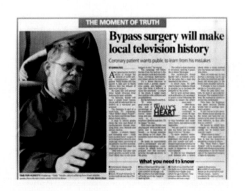
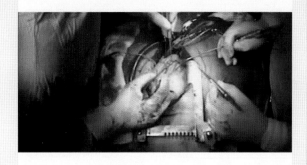
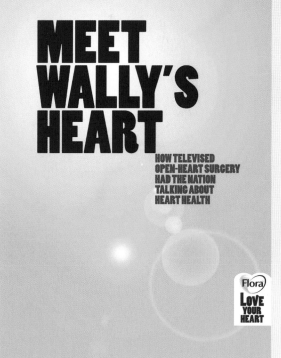

Land Transport NZ and NZ Police
New Zealand Government

Sleep before you drive

NZ TRANSPORT AGENCY
Clemenger BBDO, Wellington
DORMEZ AVANT DE PRENDRE LE VOLANT

En remplaçant les voitures par des lits, NZ Transport Agency (l'équivalent de la Sécurité routière en Nouvelle-Zélande) a réinventé les traditionnels spots que nous avons tous vus, mettant en scène des accidents de voiture. Ces photos incongrues attirent l'attention du lecteur. Nous voyons des personnes mortes dans leur lit, comme si elles avaient été victimes d'un accident de la route. Rien ne nous est épargné : nous voyons le sang et le danger.

En mettant concrètement ce problème en scène afin de montrer les conséquences potentiellement mortelles d'un endormissement au volant, NZ Transport Agency s'est assuré que les personnes voyant ces publicités y réfléchissent à deux fois avant de conduire alors qu'elles sont fatiguées.

GUIDE DOGS AUSTRALIA
Clemenger BBDO, Melbourne
L'ODEUR, PREUVE DE SOUTIEN

La publicité est avant tout un support visuel, mais comment montrer votre soutien aux personnes non voyantes ? Guide Dogs Australia (une marque représentant six organisations de chiens d'aveugle en Australie) a trouvé la solution idéale : afficher votre soutien aux non-voyants via l'odeur. Les gens pouvaient acheter un parfum unisexe à porter en public, afin que les non-voyants puissent identifier les personnes les soutenant.

Le but était de toucher des femmes entre 25 et 40 ans, segment que GDA avait eu du mal à mobiliser par le passé. Les résultats furent très positifs : la probabilité de soutien de GDA de la part du segment cible a augmenté de 18 %.

Ce parfum était vendu 5 $ dans toute l'Australie dans les parfumeries KIT, le produit de cette vente revenant à GDA. Ce support publicitaire inattendu montre tout ce qui peut être fait sur le terrain. La promotion d'une cause ne s'effectue pas forcément en ligne, sur un support papier ou via un canal traditionnel. En permettant aux gens d'avoir la sensation olfactive de leur soutien aux non-voyants, cette campagne a montré que les supports publicitaires peuvent être multiples.

SUPPORT SCENT

Guide Dogs
Australia

kit

61 % des consommateurs dans le monde ont déjà acheté un produit parce que la marque soutenait une bonne cause

SIMPLICITÉ
Est-ce que ça ne pourrait pas être plus simple ?

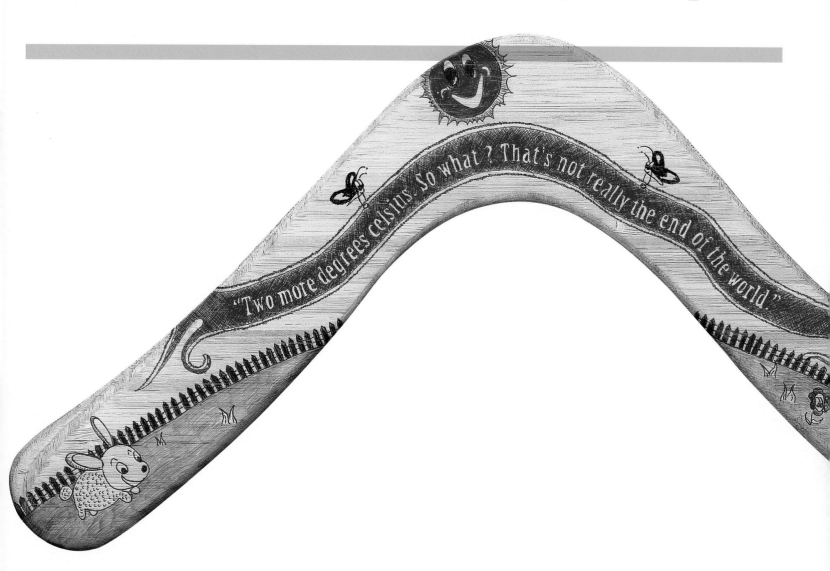

«Boomerang», Greenpeace, DDB, Paris
(voir page 74))

EINSTEIN A DIT...

Si vous ne pouvez expliquer un concept simplement, c'est que vous ne le comprenez pas suffisamment.

Dans un univers complexe, la simplicité porte toujours ses fruits

La pression subie par les entreprises pour qu'elles se montrent plus responsables de leur impact sur la planète et les êtres humains ne cesse d'augmenter. Et la portée de cette responsabilité continue de s'étendre à mesure que la science améliore notre compréhension du monde qui nous entoure. Les consommateurs sont avertis et se responsabilisent, tandis que les gouvernements mettent la barre plus haut. Mais, d'un autre côté, les consommateurs croulent sous les informations et les choix qui s'offrent à eux : nombre de supermarchés se vantent de proposer plus de 30 sortes de dentifrice ! Même le secteur des ONG est en pleine expansion, avec plus de 40 000 ONG internationales reconnues par les Nations unies et des centaines de milliers sur le plan national. Comment faciliter la compréhension et le soutien de votre cause ou campagne de la part des consommateurs ? L'indice mondial de simplicité des marques de Siegel+Gale, réalisé en 2011 sur la base de 6 000 consommateurs du monde entier, montre que près de la moitié d'entre eux jugent leur vie plus compliquée aujourd'hui qu'il y a dix ans. La même enquête a révélé que les consommateurs sont prêts à payer 5 à 6 % plus cher pour une relation ou interaction plus simple avec une marque. Pour que les gens réagissent à vos initiatives, la simplicité est un moyen de vous assurer que vos messages débouchent sur des actes et que la frontière entre l'intention et l'action sera bien franchie.

Aussi simple qu'un panneau de signalisation

Le besoin d'orientation s'accroît chez les gens. Considérez la simplicité comme un panneau de signalisation : tournez à gauche ; hôpital ; travaux. La simplicité laisse de côté les détails et véhicule le message le plus important. Si vous regardez la façon dont Google et Yahoo ont essayé de faire passer leur message les premières années, il n'est pas étonnant que Google ait remporté la bataille des moteurs de recherche. Google est entré sur le marché en proposant un unique champ de recherche, tandis que Yahoo offrait un champ de recherche et 190 liens. Google a opté pour la simplicité en supprimant les couches d'information redondantes.

Contribuez à leur simplifier la vie

Les consommateurs souhaitent que les marques leur facilitent l'existence. Dans la plupart des entreprises, une mine d'initiatives géniales demeure cachée dans un rapport de 120 pages sur la responsabilité sociale de l'entité, seulement vu par les personnes payées pour le lire : les investisseurs et les journalistes. La simplicité, c'est traduire quelque chose d'incompréhensible en un contenu compréhensible exploitable pour agir. J'estime que l'une des plus grandes contributions d'Al Gore au débat sur le climat a été sa capacité à simplifier ce thème urgent, de façon à ce qu'il soit compris par un plus grand nombre de personnes.

3. SIMPLICITÉ

«Conçue pour un impact plus faible sur
l'environnement», Fiat, Marcel, Paris
(voir page 76)

«It's Your Turn», WWF, JWT, Singapour
(voir page 91)

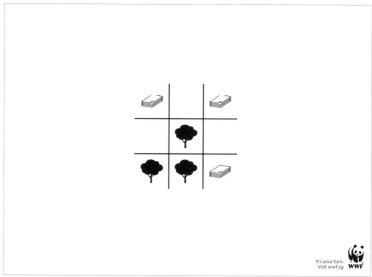

Heureusement, la technologie a également aidé à se repérer parmi les nombreux choix disponibles. Des sites tels que VolunteerMatch, Network for Good, JustGiving et GuideStar permettent aux consommateurs de s'y retrouver parmi toutes les causes à défendre et de savoir comment s'y prendre pour apporter leur soutien. Dernièrement, Johnson & Johnson a lancé une initiative similaire par le biais d'une application qui rassemble toutes sortes de possibilités, du bénévolat aux moyens d'effectuer des dons…

Nombre d'applications mobiles peuvent contribuer à vous faciliter la vie ou encourager un changement de comportement bénéfique, comme l'application «Morsel» de GE Healthcare, qui suggère l'exécution de gestes quotidiens simples et bons pour la santé, susceptibles d'améliorer votre vie.

Évitez l'exhaustivité, préférez le passage à l'acte

Le groupe de distribution international Tesco, dont le siège est situé au Royaume-Uni, a ajouté la photo d'un avion sur l'emballage des produits fabriqués à l'étranger. Ce symbole permet de guider facilement le client. Ce n'est pas un hasard si le message de santé le plus fréquemment employé est une formule dont on se souvient très bien, telle que «5 fruits et légumes par jour» ou «20 minutes d'exercice physique par jour». Trop souvent, les sceptiques se plaignent d'une communication tendant à banaliser les problèmes environnementaux et sociaux, mais, vu le nombre de messages publicitaires diffusés sollicitant tous l'attention des consommateurs, la simplicité est impérative. Prenez, par exemple, la publicité de Fiat «Conçue pour un impact plus faible sur l'environnement», qui décrit un crash test lors duquel le mannequin est remplacé par un panda (ou un morse ou un pingouin). Il s'agit d'une image très forte qui transforme un message factuel sur le faible taux d'émission de CO_2 de la voiture en une histoire touchante sur le sauvetage d'un animal (et du climat). Ce que vous perdez en complexité, vous le gagnez en efficacité du message.

Choisissez un concept judicieux et faites preuve d'une simplicité redoutable

Les campagnes de dons les plus simples sont celles qui ont le plus de succès… pour une bonne raison. Prenez, par exemple, les chaussures TOMS : en achetant une paire de chaussures, vous en offrez une à un enfant défavorisé d'Amérique du Sud. Les campagnes les plus réussies affichent cette simplicité confondante, qu'il s'agisse des campagnes «*It's your turn*» de WWF ou «*Boomerang*» de Greenpeace. Elles parviennent à faire passer un message complexe d'une manière simple et perspicace. La simplicité demande plus de travail et de ressources en amont, car il faut du temps pour éliminer les couches de communication redondantes mais vous en récoltez les fruits à long terme.

Commencez par une idée ou un concept avant de choisir le support ou le message

Très souvent, le choix du message ou du support intervient trop tôt dans l'équation rendant la simplification du message impossible. Voici un exemple dans lequel la parade a été trouvée : «*Project Watch Your Drink*» s'adressait aux personnes susceptibles d'être victimes de viol après avoir été droguées. Dans les bars et les clubs, on mettait dans les consommations un petit parasol à cocktail sur lequel était inscrit : «C'est si simple de "trafiquer" votre consommation». C'était le bon message, au bon endroit, au bon moment et dans la situation idoine. Dans leur ouvrage Marketing Public Health, Michael Siegel et Lynne Doner Lotenberg qualifient ces situations d'«ouvertures» et les définissent comme «le moment, le lieu et la situation où le public visé est le plus attentif et capable de suivre le conseil dispensé par le message».

Se servir de la simplicité pour montrer son côté responsable

La simplicité paie en retour ceux qui en font preuve et laisse sur le bord de la route ceux s'accrochant aux méthodes classiques. Dans un monde où les ressources sont limitées, je n'ai pas besoin de plus de lames sur mon rasoir ou d'une offre de 30 marques de dentifrice. La simplicité est une nouvelle sorte de responsabilité. Je ne suis pas le seul à me sentir coupable lorsque je déballe 110 grammes de jambon, avant de jeter l'emballage, d'un poids équivalent, rassurez-moi ! Le «Clever Little Bag» de Puma est un moyen simple de passer du discours à l'action en matière de diminution de l'impact sur l'environnement et de prôner l'économie en matière de conception. Autre exemple, la gamme de crèmes glacées Häagen-Dazs Five, entièrement naturelle et ne comprenant que cinq ingrédients : du lait écrémé, de la crème, du sucre, des jaunes d'œuf et un parfum naturel. L'étiquette est facile à comprendre et les consommateurs s'approprient ce produit en raison de sa simplicité d'autrefois.

Un minimalisme responsable

Les gens se demandent maintenant : «Est-ce que j'ai vraiment besoin de ça ?». Plutôt que de posséder une chose, ils cherchent à la partager, à la louer ou à en être le copropriétaire. Pourquoi, dans le quartier, tout le monde devrait-il acheter une tondeuse à gazon, utilisée au mieux une fois par semaine, alors que l'on pourrait en partager une seule ? Des sites Web tels que NeighborGoods, Freecycle et Neighborrow – et en France, lebonechange.com, sharinplace.fr, par exemple – mettent en contact emprunteurs et prêteurs et permettent donc d'échanger et de partager produits et services. Il existe de nombreuses autres initiatives allant dans ce sens. BMW et l'agence de location de voitures SIXT proposent un service de partage de véhicules, DriveNow, dans plusieurs villes d'Allemagne. Et, contrairement à d'autres programmes similaires, ils vous facilitent la vie : vous pouvez laisser la voiture où vous le souhaitez. De telles initiatives sont d'excellentes occasions pour les marques d'afficher leur comportement responsable. Quand la simplicité est synonyme de responsabilité…

Visez un lien simple entre la marque et la cause

La cause d'Amnesty International, c'est les droits de l'homme. Dove prône les «vraies beautés». Volvo défend la sécurité. Il est important de garder à l'esprit que les consommateurs ont plus de facilité à s'approprier et à retenir la simplicité, avant de mettre en pratique un message ou une idée. Pour une marque comme Volvo, axée sur la sécurité, comment concevoir une campagne passionnante sur ce sujet ? La sécurité sur la route est un concept évident, mais quid de la sécurité des employés ? Quid de la sécurité face au stress suivant un achat comme dans le programme d'assurance de Hyundai ? Pendant la récession économique, Hyundai a promis aux Américains qu'ils pourraient retourner leur nouvelle voiture s'ils étaient licenciés dans l'année suivant leur achat.

La simplicité est l'un des concepts les plus difficiles à traiter, mais, bien maîtrisée, elle peut s'avérer un redoutable outil pour favoriser le changement, en transformant la communication en action. Le monde est suffisamment compliqué comme cela. Si vous êtes capable de faire en sorte que les gens puissent facilement agir ou s'engager aux côtés de votre marque ou au profit de votre cause, voire de leur montrer la voie vers une vie plus simple et responsable, des fidèles vous emboîteront le pas.

C'EST SIMPLE : PARLEZ À VOS CLIENTS

Starbucks a formé ses employés à devenir les ambassadeurs d'une cause et ça se comprend. Pendant que j'attends mon café, on me parle de commerce équitable. Favoriser la simplicité, c'est autant choisir intelligemment son support que faire passer un message, et pour cela, rien ne vaut le bouche-à-oreille.

Interview
MORTEN ALBAEK

Morten Albaek est écrivain et universitaire après avoir été banquier dans une autre vie. Il a été le plus jeune vice-président directeur de l'histoire de la Danske Bank, banque de premier plan d'Europe du Nord. Mais la mort de son père à l'âge de 64 ans, alors qu'il n'était âgé que de 32 ans, a bouleversé sa vie. Il s'est dit que, s'il devait mourir au même âge que son père, il était déjà à la moitié de sa vie. Cette prise de conscience l'a incité à faire le bilan de son existence et à réfléchir à ce qu'il souhaitait faire au cours des 32 prochaines années. Le fruit du hasard, le destin ou une intervention divine a fait qu'il s'est retrouvé en discussion avec la société Vestas. Peu de temps après, il a pris ses fonctions de vice-président directeur au sein de cette entreprise de construction d'éoliennes. J'ai eu la chance de pouvoir l'interroger sur « WindMade », nouveau projet ambitieux de l'entreprise, sur la vision qu'il avait du monde des affaires, de la durabilité et des défis qui se poseront dans le futur à l'énergie éolienne.

Nous avons commencé à parler de WindMade, première initiative qui montre aux clients les produits fabriqués grâce à l'énergie éolienne et ceux qui ne le sont pas. WindMade est l'un des premiers projets à grande échelle de ce secteur d'activité, à la fois généreux, transparent et collaboratif. Morten Albaek : « WindMade est le premier label mondial concernant l'énergie éolienne – et étendu à n'importe quelle source d'énergie renouvelable. Vestas a mené cette initiative, à l'origine de laquelle se trouvent des partenaires internationaux : WWF, le Pacte mondial des Nations unies, Bloomberg, PricewaterhouseCoopers, Lego et le Conseil mondial pour l'énergie éolienne. WindMade n'est pas qu'un programme d'attribution de label, mais un véritable mouvement destiné à inciter les marchés à se tourner vers les énergies renouvelables en accentuant les efforts consentis jusqu'à présent par l'industrie et le système politique. Il s'agit d'offrir aux consommateurs un choix qu'ils n'ont pas actuellement lorsqu'ils se rendent dans un supermarché à Delhi, Berlin, Sydney, Le Cap, Pékin, Rio ou Portland, à savoir choisir entre un produit fabriqué grâce à une source d'énergie durable qui ne détruit pas la planète (concrètement, le vent…) et un produit sur l'emballage duquel la source d'énergie utilisée pour le fabriquer n'est pas indiquée. »

Cette idée mijotait depuis un moment chez Vestas. « Ces dernières années, nous avons commencé à remarquer certaines tendances, la première concernant nos clients. Généralement, nous vendons nos centrales éoliennes à des entreprises de service public et à de grands groupes énergétiques dont la principale activité est de développer et de vendre de l'électricité. Mais nous avons très vite constaté que des clients non traditionnels, principalement des multinationales soucieuses de leur bilan carbone, commençaient à investir dans des fermes éoliennes et à devenir plus actifs en matière d'approvisionnement électrique. La seconde tendance était que le consommateur moyen dans le monde en savait de plus en plus sur le type d'énergie utilisé pour l'alimenter. Il souhaitait connaître le mode de fabrication de ses produits préférés, et le type d'énergie utilisé. C'est comme lorsque l'on souhaite avoir des informations nutritionnelles sur les aliments que l'on consomme au quotidien. »

WindMade aide les marques que nous connaissons et aimons à raconter cette histoire aux citoyens du monde entier disposés à l'écouter.

Vestas est le fer de lance d'un nouveau type de capitalisme dans lequel tous les secteurs d'activité font partie intégrante du succès. En déposant les armes (pour l'heure), les entreprises concurrentes de l'énergie éolienne œuvrent ensemble à l'amélioration de ce secteur d'activité et du monde par la même occasion. Tout le monde est gagnant à tous les niveaux – de la croissance financière aux répercussions pour l'environnement. «WindMade a pour vocation d'optimiser tout le marché de l'énergie éolienne en générant de nouveaux segments de clientèle. Son succès dépend de sa crédibilité et de la relation de confiance à créer avec les entreprises et consommateurs que nous souhaitons impliquer. La naissance d'un organisme, sans but lucratif indépendant, ayant le soutien de notre secteur et la participation d'autres partenaires tels que les Nations unies et l'ONG environnementale digne de confiance, le WWF, nous a permis de créer un outil bien plus puissant qu'un label marketing traditionnel.»

La marque WindMade n'est pas seulement destinée à aider les consommateurs à faire des choix en toute connaissance de cause, mais également à permettre une plus grande transparence. «L'un des éléments clés de WindMade est sa clarté et sa facilité de compréhension. Un consommateur saura précisément quelle source d'énergie a été utilisée pour fabriquer un produit ou alimenter une entreprise. Nous sommes convaincus que le modèle WindMade s'adaptera facilement à d'autres industries des renouvelables. Nous prévoyons vraiment la création, dans un avenir proche, d'une gamme de labels "fabrication écologique"… WindMade et d'autres produits de "fabrication écologique" auront influé sur toutes les chaînes d'approvisionnement, modifié la conscience des consommateurs et contribué à accroître l'utilisation des énergies renouvelables dans le monde.»

Après son lancement à New York fin 2011, WindMade avait déjà été adopté par plusieurs entreprises de premier plan, dont Motorola Mobility, Deutsche Bank et Bloomberg. WindMade semble prendre un départ prometteur.

Vestas est fière d'être l'une des entreprises les plus respectueuses de l'environnement au monde, avec un personnel nombreux qui s'enorgueillit d'être animé par la passion et un investissement total. Dans le même temps, les salariés sont très optimistes et résolument positifs. «Moi-même, ainsi que mes collègues de Vestas, qui sont plus de 20 000, sommes persuadés que l'être humain est par essence raisonnable. Et quand on expose des faits, des informations et de nouvelles idées à des personnes raisonnables – autrement dit, quand on les éclaire – leur côté raisonnable s'active et leur comportement change. Par conséquent, le monde change… C'est un privilège incroyable et extrêmement stimulant de travailler au sein d'une entité où, en raison de la pureté de notre démarche, les objectifs du capitalisme (l'efficacité, les recettes et le rendement) se retrouvent étroitement liés à ceux de l'humanisme (mettre le bien-être des gens au-dessus de toutes les autres préoccupations).»

Malgré la conviction profonde de Vestas, ils se heurtent encore à des problèmes lorsqu'ils traitent avec les gouvernements, mais aussi en matière de rythme de croissance. «Je pense que l'absence de politiques gouvernementales cohérentes à long terme nuit réellement à une progression rapide des nouvelles énergies. On parle souvent des subventions pour les énergies renouvelables, mais elles s'avèrent très nettement amputées par celles accordées aux industries des combustibles fossiles. Combien de personnes savent qu'en 2009 et 2010, le secteur des combustibles fossiles a reçu environ 400 milliards de dollars de subventions contre 37 milliards de dollars pour les énergies renouvelables? Difficile d'être compétitif quand la compétition ne se déroule pas sur un pied d'égalité. Il est impératif qu'en matière de subventions, la transparence s'impose dans toutes les industries énergétiques.»

Avec un peu de chance, les gouvernements s'attaqueront à ces problèmes et les consommateurs pourront mettre la pression pour que les choses changent. Morten Albaek pense que la réponse viendra des consommateurs et que la publicité a un rôle essentiel à jouer pour diffuser des messages positifs, permettant de responsabiliser les gens et garantir une certaine honnêteté. «Il est clair que les consommateurs recherchent la confiance, pas seulement des informations qui leur font du bien. La publicité devra trouver un moyen de rester créative sans tromper les consommateurs. Elle devra proposer une transparence créative.»

À la fin de notre conversation, il m'a fait part d'une idée pragmatique qui m'a fait réfléchir, une idée qui me dit que nous serons tous un peu comme Morten Albaek dans le futur, quand l'humanité tentera de réparer les erreurs qu'elle a commises. «Je préférerais être en concurrence avec d'autres entreprises d'un marché de l'énergie éolienne florissant, qu'être le seul acteur d'un marché inexistant.» Longue vie à Morten Albaek et Vestas sur un marché concurrentiel.

% des filles disent que les mannequins figurant dans les magazines influent sur leur conception d'un corps idéal

3. SIMPLICITÉ

**UNE TÉLÉVISION RESTÉE EN VEILLE
PREND BEAUCOUP PLUS DE PLACE QU'ON NE LE PENSE.**

Les appareils laissés en veille représentent à eux seuls jusqu'à 10 %* de nos factures d'électricité. Alors, pensons à les éteindre vraiment, par exemple avec une multiprise à interrupteur. Plus de conseils pour faire des économies d'énergie sur **mamaisonbleucieledf.fr**

L'énergie est notre avenir, économisons-la !   *source : ADEME 2013.

EDF
Havas Worldwide, Paris
**TOUS AUX ÉCONOMIES
D'ÉNERGIE**

Qu'il s'agisse des téléphones, des télévisions ou des lampes gigantesques qui figurent au milieu de ces décors (tout à fait ordinaires, d'ailleurs), ces différentes images suscitent l'étonnement. Créer une campagne efficace consiste avant tout à faire disparaître ce qui est évident et à ajouter ce qui est porteur de sens. Nos habitudes façonnent nos êtres. Éteindre un interrupteur ne demande qu'un effort minime et pourtant la plupart des gens ne comprennent pas ce que laisser sa télévision en veille ou une lumière allumée peut réellement coûter.

Cette campagne d'EDF, la principale compagnie d'énergie française, évite l'écueil de la complexité. L'électricité (élément très difficile à illustrer) y est représentée à travers ces visuels qui sautent aux yeux tout en montrant l'ampleur de ces coûts plus élevés qu'on pourrait croire. Voilà l'astuce : cherchez toujours un message porteur de sens et faites-le passer le plus simplement possible.

ASICS
Babel, São Paulo
DES CHAUSSURES CONTRE LE RACISME

Dans un pays dingue de football tel que le Brésil, les joueurs professionnels sont incroyablement célèbres, mais ce sport est devenu le théâtre d'actes racistes récurrents. ASICS tenait à envoyer un message positif et a sollicité l'un des joueurs les plus connus au Brésil, Loco Abreu, en lui faisant jouer un match avec une chaussure noire et une chaussure blanche.

ASICS a seulement publié un encart dans les journaux le jour de la diffusion du match en direct à la télévision dans tout le Brésil. Vu le degré de fanatisme de ce pays pour le football, le message a été vu par des millions de personnes, récupéré en ligne, repris dans les blogs et les bulletins d'information. Cette opération a envoyé un message fort : quiconque aimant vraiment le football ne doit pas tolérer le racisme.

El Loco Abreu will play with these boots. Because racism shouldn't win.

asics
sound mind, sound body

DEUTSCHE STIFTUNG
DENKMALSCHUTZ
Ogilvy & Mather, Francfort
**DES SCULPTURES
QUI FONT LA MANCHE**

La fondation allemande pour la
protection des monuments (Deutsche
Stiftung Denkmalschutz) s'est retrouvée
face à un problème : la baisse
considérable des financements.
L'entretien des cathédrales et sculptures
en pâtissait. Il fallait d'abord informer les
gens de l'existence du problème, puis les
inciter à effectuer des dons.

Afin d'insister sur ce point, des
répliques des sculptures concernées ont
été fabriquées et mises en scène en train
de tendre la main. On les a installées
dans le métro et dans des passages
souterrains, accompagnées d'un panneau
en carton sollicitant de l'argent pour le
monument historique correspondant. Le
succès de cette campagne a été
incroyable et inattendu, puisque les dons
au profit de la fondation allemande pour
la protection des monuments ont
augmenté de 40 %.

En exploitant le pouvoir d'idées
modestes à petite échelle qui ne coûtent
pas cher mais permettent de toucher un
grand nombre de personnes, cette
campagne personnalise de manière
surprenante l'état critique des
monuments. C'est également un exemple
de publicité capable de transformer un
sujet potentiellement ennuyeux en une
opération attachante et enthousiasmante
– caractéristique dont devraient
s'inspirer bon nombre de campagnes de
collecte de fonds.

BRAILLELIGA
Duval Guillaume, Bruxelles
BLIND CALL

Brailleliga, association caritative belge soutenant les non-voyants, a trouvé une solution simple, élégante et ingénieuse à un problème qui nous embête tous. Nous nous sommes tous déjà retrouvés avec notre téléphone mobile qui se déverrouille alors qu'il se trouve dans notre sac ou poche. Invariablement, il finit par appeler le premier numéro de notre liste de contacts. Cela signifie qu'Alice, André ou Arthur reçoivent un appel et n'entendent rien d'autre que le bruit ambiant. Et nous payons donc pour un appel accidentel.

Et si ces appels accidentels (*blind call*, en anglais) pouvaient servir à aider les non-voyants ? Brailleliga a donné aux gens un numéro à enregistrer dans leur téléphone sous le nom « *A Blind Call* », prenant généralement place en tête de leur liste de contacts. Puis, en cas d'appel accidentel, le coût de la communication était reversé à une association caritative en faveur des non-voyants.

Cette opération simple mais créative a reçu un accueil très positif. À chaque appel accidentel, 0,75 € était reversé. Parmi les milliers de donateurs, certains sont allés jusqu'à appeler ce numéro volontairement, simplement pour apporter leur aide.

WATCHYOURDRINK.COM
TBWA, Londres
**UN PARASOL POUR PRÉVENIR
DU DANGER DE LAISSER SON
VERRE SANS SURVEILLANCE**

Cette idée simple, efficace et carrément
effrayante à certains égards du projet
Watchyourdrink.com montre qu'un petit
objet peut avoir un énorme impact.
Trouver dans votre boisson un parasol sur
lequel est imprimé « Il est si simple de
corser votre consommation » vous montre
qu'il est facile de le faire si vous laissez
votre verre hors de votre vue.

On s'imagine l'effet que cela peut
avoir sur nous : l'estomac noué alors que
vous recherchez dans le bar qui a bien pu
mettre ce parasol dans votre verre sans
que vous le remarquiez. C'est bien
entendu le genre d'expérience que vous
allez raconter à vos amis, et diffuser ainsi
le message avec efficacité et à moindre
frais.

WWF
Leo Burnett, Sydney
EARTH HOUR

Earth Hour a démarré en Australie sous la forme d'une initiative pour le compte de WWF, avant de devenir un phénomène mondial. Cette opération, née à Sydney en 2007, est maintenant présente dans plus de 130 pays. Certains monuments, parmi les plus célèbres, se muent en plateforme de communication lorsque leurs éclairages sont éteints afin de sensibiliser le grand public. C'est un signal fort, car nous sommes habitués à voir ces monuments baignés de lumière en permanence.

Chaque année, le dernier samedi de mars, on demande aux gens d'éteindre leurs lumières entre 20 h 30 et 21 h 30 afin d'exprimer leur solidarité. Des entreprises, des habitations et des monuments tels que les pyramides de Gizeh, la Tour Eiffel, l'Empire State Building de New York et la statue du Christ Rédempteur de Rio de Janeiro cessent d'être éclairés. En permettant aux personnes du monde entier de participer à l'opération et de ressentir qu'elles contribuent à changer les choses, Earth Hour s'assure que le buzz s'étend. Il ne s'agit pas simplement d'éteindre les lumières, tous les participants étant incités à considérer leur acte comme un engagement responsable, destiné à trouver des solutions aux problèmes environnementaux subis par la planète. C'est la simplicité de l'idée qui la rend si créative : il suffit d'éteindre les lumières.

FIAT
Marcel, Paris
CONÇUE POUR UN IMPACT PLUS FAIBLE SUR L'ENVIRONNEMENT

Fiat a pris une image assez classique de la publicité automobile et l'a modifiée pour la rendre saisissante, en mettant au volant un animal menacé.

Fiat est le constructeur automobile du marché européen aux émissions de CO_2 les plus faibles. En prenant cette statistique plutôt aride et ennuyeuse et en l'assimilant à un sujet chargé d'émotion tel que les espèces menacées, il est parvenu à créer un message fort. Grâce à cette réalisation saisissante, les consommateurs vont assimiler le message selon lequel Fiat est un constructeur écologiquement responsable. Cela signifie que les propriétaires de véhicules Fiat sont fiers de leur choix et encouragent les acheteurs potentiels à se tourner vers la marque.

HOW ABOUT SHARING WITH THOSE IN NEED?

BY BUYING HALF THIS PRODUCT FOR ITS FULL PRICE, 50% OF THE AMOUNT PAID GOES TO CASA DO ZEZINHO. AND YOU GET TO SHARE THE DREAM OF A BETTER FUTURE FOR MANY CHILDREN WITH US.

CASA DO ZEZINHO
AlmapBBDO, São Paulo
UNE MOITIÉ POUR UN PEU DE BONHEUR

Cette idée simple et percutante de Casa do Zezinho, ONG brésilienne qui centre ses interventions sur les quartiers défavorisés, a eu un tel impact sur les supermarchés qu'elle ne saurait être ignorée. Deux chaînes de supermarché locales ont conclu un partenariat avec Casa do Zezinho afin que cette campagne voie le jour. Avec l'aide des enfants bénéficiant du travail de l'ONG, ils ont coupé divers produits alimentaires en deux, avant de les mettre dans leur emballage habituel. Les chaînes de supermarché ont fourni la nourriture, vérifié que leur qualité était optimale et assuré le transport et le stockage tout au long de la campagne. Les clients faisant leurs courses dans ces supermarchés étaient incités à acheter la moitié de ce qu'ils prenaient habituellement tout en payant le prix du produit entier. L'autre moitié du prix était reversée à Casa do Zezinho.

À noter que ces produits alimentaires n'étaient accompagnés d'aucun support promotionnel ou communication supplémentaire, laissant ainsi une liberté de choix totale aux clients. À la fin de chaque journée, presque tous les produits « coupés en deux » avaient été vendus. En outre, la campagne s'est avérée doublement efficace, car les dons effectués en faveur de Casa do Zezinho ont augmenté de 28 % par rapport à l'année précédente.

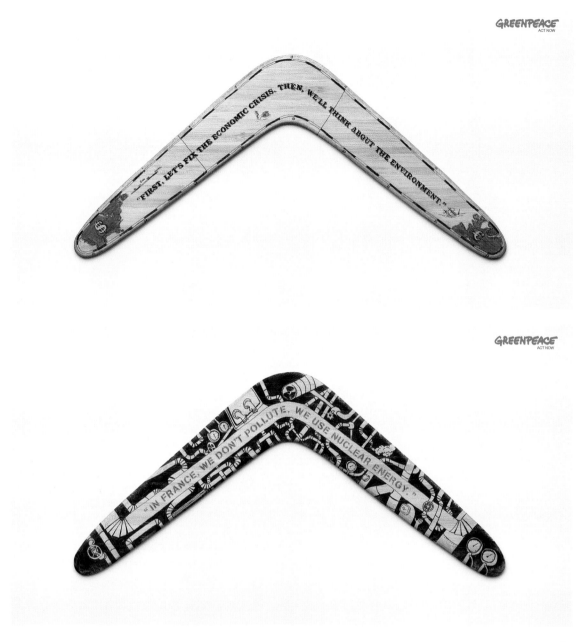

GREENPEACE
DDB, Paris
BOOMERANG

Ces affiches ont été créées par Greenpeace France afin de rappeler que l'apathie environnementale vous revient littéralement à la figure. En traitant de problèmes tels que la pollution, l'utilisation de l'eau, le recyclage et l'énergie nucléaire, ces affiches interpellent les consommateurs à l'aide d'un contenu visuellement intéressant.

À la fois simples et perspicaces, ces réalisations s'adressent directement aux consommateurs et illustrent concrètement le manque de vision en matière de climat. Ces messages sur les boomerangs sont des sentiments éprouvés ou des appels à l'action. En personnalisant ces problèmes, Greenpeace facilite aux consommateurs un passage à l'acte d'une manière à la fois bénéfique à l'environnement et à eux-mêmes.

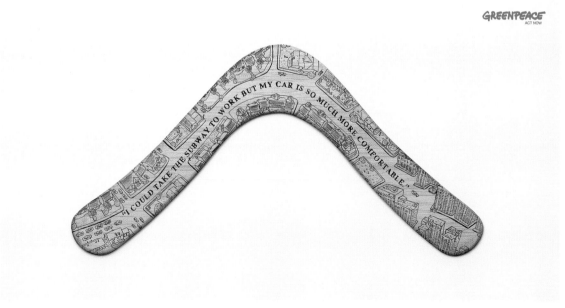

La légalisation du mariage homosexuel dans le Vermont est assurément un pas dans la bonne direction qui vaut la peine d'être fêté en paix, avec amour et en faisant le plein de glaces.

WALT FREESE, ANCIEN P.-D.G. DE BEN & JERRY'S

BEN & JERRY'S
HUBBY HUBBY

Pour montrer son soutien au vote d'une loi autorisant le mariage homosexuel dans le Vermont, et en partenariat avec l'organisation Freedom to Marry, Ben & Jerry's ont renommé leur glace Chubby Hubby en Hubby Hubby (hubby étant le diminutif de husband, mari, en anglais). Dans le Vermont, pendant un mois entier, l'emballage revisité mettait en scène le mariage de deux hommes en smoking, à la place du traditionnel habillage du pot. La marque a également annoncé la disponibilité d'un sundae spécial dans ses boutiques en l'honneur des festivités.

En tant qu'entreprise ayant toujours eu une conscience sociale, c'était pour Ben & Jerry's une mesure d'exception montrant à l'opinion que les problèmes sociaux lui tenaient à cœur et qu'elle souhaitait les aborder. La campagne a déclenché un buzz massif et une grosse couverture médiatique ayant touché, selon les estimations, 430 millions de consommateurs.

DURING **WORLD WATER MONTH,** GO OUT TO EAT, DONATE A MINIMUM OF $1 FOR TAP WATER, AND A CHILD IN NEED WILL HAVE 40 DAYS OF CLEAN WATER.

unicef 🥤 **TAP PROJECT**

TO FIND A RESTAURANT OR DONATE NOW. UNICEFTAPPROJECT.ORG

UNICEF
Droga5, New York
TAP PROJECT

Le Tap Project de l'UNICEF a été lancé en 2007 à New York. Les adeptes des restaurants étaient encouragés à verser 1 $ lors de la journée mondiale de l'eau, en échange d'un verre d'eau du robinet (tap water, en anglais), généralement gratuit. Tous les fonds récoltés étaient destinés à soutenir les efforts de l'UNICEF pour garantir l'accès à l'eau potable à des millions d'enfants dans le monde entier. Bien que l'opération ne fut que sur un seul jour et dans une seule ville, elle s'est ensuite développée dans les 50 états américains, avec la participation de milliers de restaurants lors du mois de mars.

En choisissant de faire passer son message au moment opportun (lorsque les clients commandaient de l'eau), l'UNICEF s'est assuré d'inciter les gens à effectuer un don. Si un verre d'eau, généralement gratuit, ne coûte que 1 $ pendant un mois de l'année, il est difficile de refuser de faire ce geste. Cette stratégie s'est avérée très efficace, puisque depuis le début de l'opération en 2007, le Tap Project de l'UNICEF a récolté un tout petit peu moins de 4 millions de dollars. Un malheureux dollar, c'est de l'eau pendant 40 jours pour un enfant dans le besoin. Cette campagne a permis d'offrir une grande quantité d'eau potable à de nombreuses personnes.

C'est cette plongée dans le comportement humain qui a rendu cette initiative si fructueuse. Dans ces circonstances, difficile pour une personne de refuser de payer un verre d'eau, surtout si elle réfléchit à tous les verres d'eau gratuits dont elle bénéficie depuis des années. En même temps, cette initiative profite à tout le monde : le consommateur qui souhaite voir les choses changer mais ne veut pas se donner trop de mal, les restaurants qui peuvent apporter la preuve de leur implication à l'amélioration du monde et les enfants, qui peuvent boire de l'eau potable.

TROPICANA
DDB, Paris
LE PANNEAU ÉCLAIRÉ PAR DES ORANGES

Après trois mois d'une planification minutieuse et l'utilisation de très nombreuses oranges, Tropicana a dévoilé le tout premier panneau d'affichage alimenté par des oranges. Absolument pas raccordé au réseau électrique, il était uniquement alimenté grâce à l'acidité des oranges reliées à des électrodes en zinc et en cuivre.

Cette réalisation respecte la promesse du jus d'orange Tropicana, entièrement naturel, sans recours à l'électricité ni impact négatif sur l'environnement. Cette idée, simple et créative, restera également ancrée dans l'esprit des consommateurs.

La difficulté était de rendre pertinent aux yeux des enfants la fonte des glaces dans une ville tropicale d'Inde telle que Calcutta. Un bâtonnet glacé paraissait être le support le plus attirant pour une sensibilisation simple et attachante. L'effet de surprise était total et les enfants ont immédiatement saisi l'ampleur du problème.

OGILVY

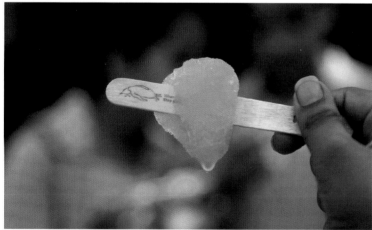

AICMED
Ogilvy, Calcutta
LA FONTE DES GLACES

AICMED est une ONG indienne s'occupant de la préservation de l'environnement. Cette campagne avait pour but de sensibiliser les enfants aux dérèglements climatiques et à la fonte des calottes polaires. Dans une démarche simple et novatrice, AICMED s'est associé à Rollick, fabricant de glaces implanté à Calcutta, dans le but de créer des bâtonnets glacés.

Lorsque les enfants avaient terminé leur glace, ils pouvaient voir sur le bâton l'image d'un ours polaire semblant sans vie, accompagnée du message, « Quand la calotte polaire fond, ils meurent. Stoppe le réchauffement climatique ». Les enfants étaient donc sensibilisés au problème à un âge précoce, dans l'espoir qu'ils optent pour une vie responsable. Résultat, 91 % des enfants ayant participé à l'opération ont promis d'empêcher la propagation du réchauffement climatique et plus de 300 ont également rejoint AICMED comme bénévoles pour l'été. Pas mal pour une glace !

*Ne faites pas qu'en parler
— agissez*

KEMPERTRAUTMANN, HAMBOURG

INITIATIVE POUR LES ENFANTS
DISPARUS
Kempertrautmann, Hambourg
L'ALLEMAGNE VOUS RETROUVERA

En Allemagne, 100 000 enfants et jeunes
gens sont portés disparus chaque année.
En 2011, pour sensibiliser et impliquer
l'opinion à l'initiative pour les enfants
disparus, lors d'un match, Mark von
Bommel, capitaine du Bayern Munich, est
entré sur le terrain, exceptionnellement
sans être accompagné d'un enfant. Il
portait une affiche comprenant la photo
d'une petite fille disparue sous laquelle
était inscrit le lien vers le site Web de
l'initiative pour les enfants disparus.

Ce match était diffusé en direct à la
télévision et a été vu par 15 millions de
personnes dans plus de 40 pays. Cela a
permis de dynamiser la campagne
« L'Allemagne vous retrouvera ». Depuis,
plus de 120 000 personnes ont rejoint la
page Facebook de la campagne afin de
témoigner leur soutien et contribuer à
retrouver les enfants disparus. Cela
prouve qu'un message simple, intelligible
et un support astucieux peuvent constituer
le meilleur moyen d'obtenir un résultat
positif.

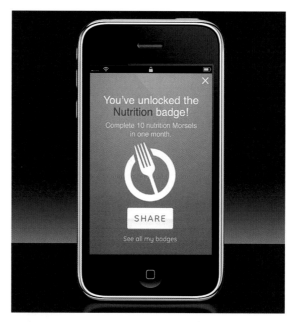

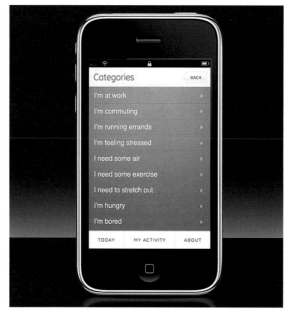

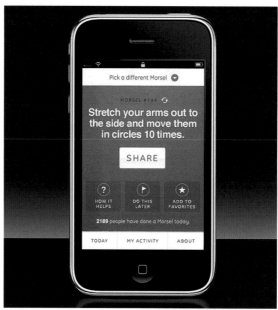

GENERAL ELECTRIC
Big Spaceship, New York
MORSEL

Dans le cadre de son coup marketing Healthymagination, General Electric a créé l'application mobile « Morsel » qui incite les utilisateurs à faire une chose par jour bonne pour leur santé, comme s'étirer, boire une tasse de camomille ou encore manger un sauté de tofu à la place d'une viande rouge. L'idée est qu'en se créant une petite collection de choses à faire, les utilisateurs de cette application mobile puissent mener une existence plus saine et heureuse.

Cette initiative, très simple, rappelle en permanence aux consommateurs que General Electric se soucie de leur bien-être et de leur santé.

Garder à l'esprit qu'il vaut mieux impliquer les consommateurs en leur donnant le sentiment de contribuer au changement est toujours plus payant que de leur servir des messages marketing. Cette approche collaborative fait de General Electric une marque soucieuse du bien-être des consommateurs, qui peut s'associer à ces derniers afin d'améliorer leur vie. À ce jour, le site Web revendique plus de 350 000 tâches exécutées par les utilisateurs, ce qui représente beaucoup en faveur d'une vie plus saine

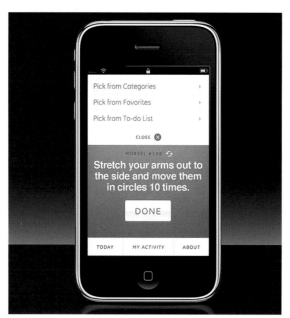

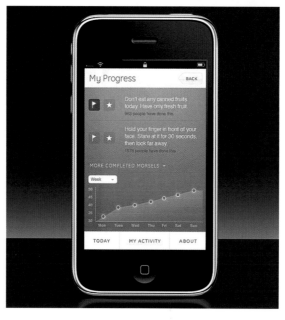

The Polo. 95% recyclable.

VOLKSWAGEN
DDB, Berlin
LE CONTENEUR À VOITURE

Volkswagen avait quelque chose à dire sur la nouvelle Polo : elle est recyclable à 95 %. La marque devait trouver la solution idéale pour montrer cette caractéristique et a donc décidé de créer le premier conteneur de recyclage de voiture. Ce coup publicitaire ne permettait pas de recycler véritablement une voiture, mais un lien orientait les gens vers un site Web permettant d'en savoir plus sur le programme de recyclage respectueux de l'environnement de Volkswagen.

En diffusant un message publicitaire dans cette configuration, Volkswagen s'est montré stratégiquement très pertinent. Les personnes se servant régulièrement des conteneurs de recyclage sont bien plus enclines à acheter un véhicule dont les pièces sont recyclables. Avec cette idée simple et inattendue, Volkswagen incite le consommateur à s'engager dans cette voie. C'est le type de campagne qui fait sourire, comme toutes les bonnes publicités traditionnelles, mais là, d'une façon originale.

WIMPY
MetropolitanRepublic, Johannesburg
BURGERS EN BRAILLE

Pour indiquer à leurs clients l'existence de menus en braille dans ses établissements, la chaîne de restauration rapide sud-africaine Wimpy a lancé une campagne virale utilisant des hamburgers comme support. Il s'agissait de cibler les trois principales institutions d'Afrique du Sud s'occupant des non-voyants. Les hamburgers servis étaient particuliers, car les graines de sésame recouvrant le pain formaient un message en braille décrivant le produit afin d'aider les non-voyants à « voir » leur hamburger. L'un de ces messages disait : burger 100 % pur bœuf fabriqué pour vous.

Wimpy estime qu'en ciblant ces trois institutions, avec simplement 15 burgers, elle a touché 800 000 non-voyants dans toute l'Afrique du Sud grâce à des lettres d'information en braille, à des e-mails associés à un lecteur d'écran et au bouche-à-oreille. En outre, cela a eu un impact positif sur les voyants ayant regardé le clip de la campagne.

MCDONALD'S
Leo Burnett, Chicago
SALADES FRAÎCHES

Pour rappeler aux clients que leurs salades sont fraîches et bonnes pour la santé, McDonald's a décidé de construire un panneau d'affichage à Chicago montrant concrètement la qualité du produit. Un jardin vertical a été planté comprenant 16 types de salade (toutes vendues par McDonald's). En l'espace de trois semaines, le panneau d'affichage a poussé, formant ainsi les mots « *FRESH SALADS* ». Pendant cette période, les ventes de graines de salade ont augmenté à Chicago, preuve de l'impact de cette opération publicitaire.

Simple, efficace et créative, cette campagne regroupe tous les ingrédients d'une bonne publicité extérieure.

PUMA
Fuseproject, France
PETIT SAC INTELLIGENT

Désireuse de réduire son impact sur l'environnement, la société Puma a lancé le Clever Little Bag en avril 2010. Après près de deux ans de recherche et de développement, Puma, avec l'aide du designer industriel renommé, Yves Behar, a pu dévoiler au monde entier son nouvel emballage pour chaussures qui n'était plus une boîte, mais un sac.

Le Clever Little Bag utilise 65 % de carton de moins que les boîtes à chaussures traditionnelles, ne présente aucun laminé ni papier de soie, prend moins de place et est plus léger, ce qui signifie que les coûts d'expédition sont moindres. En outre, il remplace le sac en plastique généralement fourni avec votre achat, le client se retrouvant avec ce chouette petit sac à porter sur le bras.

Le choix du sac à la place de la boîte réduit non seulement les coûts de transport, mais également les émissions de CO_2, la consommation électrique et l'utilisation d'eau. Les chaussures de course boueuses ne seront plus pénibles à transporter. Ce sac offre le parfait équilibre entre l'attrait et l'impact environnemental et fera le bonheur des personnes passionnées de mode, tout en présentant un atout écologique. Ce produit prouve également que Puma joint le geste à la parole en matière d'environnement avec des résultats tangibles.

Le moment est venu de faire bon usage des boîtes… en ne les utilisant pas.

PUMA

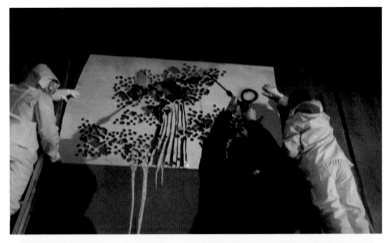

CLOROX GREEN WORKS
DDB West, San Francisco
GRAFFITI INVERSÉ

Comment lancer une marque de nettoyage écologique dont les produits sont à 99 % d'origine végétale, d'une manière montrant votre engagement en faveur de la cause tout en créant suffisamment de buzz ? Clorox Green Works a répondu à la question grâce au Reverse Graffiti Project, mis en place à San Francisco. À l'entrée du tunnel Broadway de San Francisco, des portions d'une section de mur, longue de 43 mètres, ont été nettoyées de façon à représenter une végétation en fresque murale.

Conçue pour faire parler d'elle et afficher les atouts du produit, cette campagne a été un réel succès. Chaque jour, 20 000 personnes voient le site en passant devant en voiture. Paul Curtis, l'artiste chargé par Clorox de réaliser le projet, a très bien résumé le concept : «Pour réaliser à quel point un mur est sale, il suffit de le nettoyer de cette façon. Les gens comprennent tout de suite.» Malheureusement, ils sont tellement habitués à voir la saleté dans les grandes villes, qu'ils perçoivent son existence uniquement si on l'enlève.

En optant pour un projet étroitement lié à son produit, Clorox Green Works a créé une publicité qui va au-delà de la somme de ses composants.

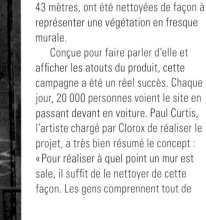

LOTUS LIGHT CHARITY SOCIETY
Grey, Hong Kong
LES SACS À PARAPLUIE

La Lotus Light Charity Society souhaitait alerter l'opinion sur la pénurie d'eau dans le nord-ouest de la Chine. Elle a décidé d'utiliser l'un des symboles du bouddhisme, le parasol, ou plutôt son cousin, le parapluie. Des sacs à parapluie ont été mis à disposition des clients dans les centres commerciaux très fréquentés. Sur chaque sac figurait un message sur la pénurie d'eau (la majeure partie de l'eau potable de la région est de l'eau de pluie) et par effet de transparence, le bout du parapluie mouillé entrait dans un dessin représentant un bol, une tasse ou un seau.

Cette opération, visant à faire prendre conscience aux clients que les gouttes d'eau pouvaient contribuer à atténuer la sécheresse dans le nord-ouest de la Chine, a débouché sur une telle augmentation des dons que plus de 5 300 citernes d'eau ont été construites en 2009, au bénéfice de plus de 20 000 personnes.

Véhiculer un message d'une manière simple et concrète facilite grandement le passage à l'acte des personnes concernées sur la base des informations fournies. Le fait que l'eau dégoulinant d'un parapluie corresponde à la quantité que peut boire une personne sur une journée suffit amplement à vous faire changer de comportement… ou le devrait.

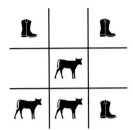

WWF
JWT, Singapour
À VOUS DE JOUER

Dans ces publicités de WWF, des morpions illustrent les conséquences de vos choix ou, comme j'aime l'appeler, les coulisses d'une histoire. On a des vachettes contre des bottes et des crocodiles contre des sacs. Le message de WWF est simple : *it's your turn* (à vous de jouer).

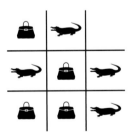

COLLABORATION

4.

COLLABORATION

Comment travailler ensemble ?

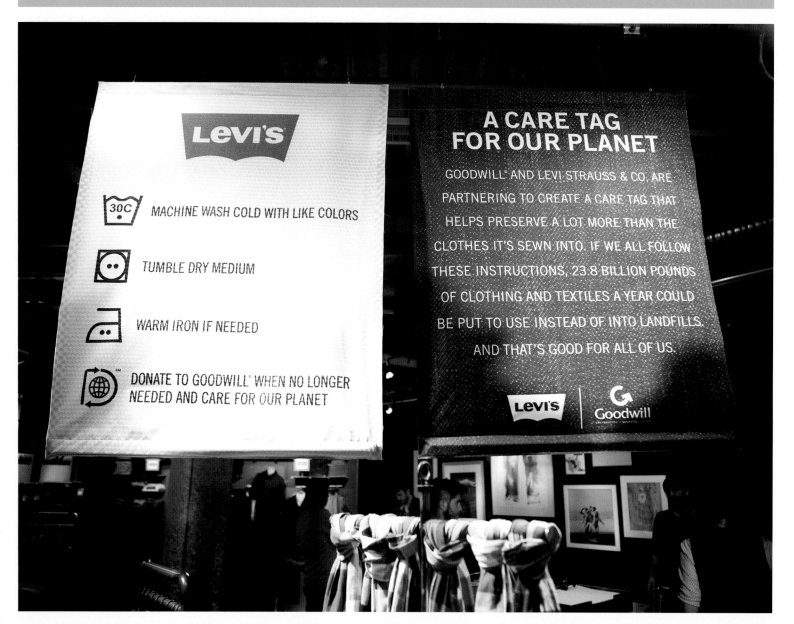

Une volonté collective

L'activiste environnemental Al Gore apporte une précision essentielle sur les défis à relever : «Il est désormais limpide que nous avons à portée de main tous les outils nécessaires pour résoudre la crise climatique. Le seul ingrédient manquant est la volonté collective.» Nous sommes tous à bord d'un navire ballotté de toutes parts, que vous soyez P.-D.G. d'une grande entreprise, employé ou mère inquiète, les menaces et possibilités toucheront votre vie quotidienne, de l'augmentation des prix de la nourriture et du pétrole aux allergies dont souffrent vos enfants. C'est l'occasion pour les marques de transformer les groupes cibles en collaborateurs et de tendre ensemble vers un objectif commun.

Vous n'êtes plus le nombril du monde, c'est l'intérêt commun qui prime

Vous vous êtes déjà probablement retrouvé assis à un dîner à côté d'une personne qui ne parle que d'elle. Si cette attitude est néfaste pour les gens, elle l'est tout autant pour les marques. Vous devez passer de l'égocentrisme à l'intérêt collectif. Ces dix dernières années, des modèles de collaboration ont fleuri un peu partout, sur des sites tels que l'encyclopédie en ligne Wikipédia, eBay ou Le Bon Coin, théâtres de rencontres entre acheteurs et vendeurs. Ce ne saurait être une notion étrange, d'autant que les avantages pour les marques, les gens et l'environnement sont indiscutables.

Œuvrer ensemble à la résolution de problèmes qui touchent tout le monde

La collaboration est par essence gratifiante. Plusieurs scientifiques, dont Jonathan Haidt, professeurs de psychologie à l'université de Virginie, affirment que la sélection naturelle n'est pas seulement la survie des plus forts, mais également une compétition entre des groupes. C'est le groupe le plus altruiste et axé sur la collaboration qui l'emporte et transmet ses gènes. De récentes découvertes en matière de science du cerveau confortent ces conclusions et montrent que l'altruisme déclenche une réaction chimique cérébrale qui récompense un comportement axé sur la coopération. Vous pouvez éprouver ce sentiment si vous pratiquez un sport collectif ou lorsque vous aidez un inconnu. Si votre marque est capable de créer un environnement dans lequel la collaboration est de mise, les avantages sont légion.

Les marques doivent rechercher des situations d'interaction ne leur permettant pas de résoudre seules les problèmes qui se présentent, mais dans lesquelles, grâce à la participation active des clients, 1 + 1 = 3. Nombre de produits sont plus nuisibles dans les mains des consommateurs qu'au moment de leur fabrication. Un bon exemple est la campagne «Turn to 30°» d'Ariel. Procter & Gamble, la maison mère, a effectué une analyse du cycle de vie des détergents de lavage et découvert que 85 % de l'utilisation énergétique étaient l'œuvre du consommateur. Ariel a non seulement créé un détergent, Ariel Cool Clean, capable de laver efficacement à basse température, mais a

également incité les consommateurs à préserver l'environnement en réglant leur machine sur 30°. Une étude a par la suite conclu qu'au Royaume-Uni, environ 85 % des consommateurs avaient affirmé qu'ils étaient passés au lavage à basse température suite à la campagne d'Ariel. La source de motivation de ce changement de comportement était les économies d'électricité, mais la récompense pour Ariel était la reconnaissance et la fidélisation des clients. C'était donc une opération gagnant-gagnant.

Créez cet esprit de collaboration

Charlie Denson, président de Nike, a évoqué l'importance d'opter pour une approche axée sur la collaboration : «Les consommateurs souhaitent faire partie d'une communauté, qu'elle soit numérique – à savoir virtuelle – ou physique. Ils tiennent à faire partie de quelque chose, à s'engager.» Nike a parfaitement rempli cet objectif en lançant sa plateforme Nike + en cocréation avec Apple, sur laquelle les adeptes de la course à pied peuvent suivre et améliorer leurs performances tout en rencontrant et en encourageant d'autres coureurs. Il s'agit non seulement de regrouper des adeptes fidèles, mais également d'améliorer les ventes. Les coureurs utilisant Nike + sont plus susceptibles d'acheter des produits Nike. On estime ainsi que 40 % des membres de Nike + qui n'achetaient pas Nike auparavant ont fini par devenir clients de la marque.

Cela me rappelle une histoire à propos d'une visite du président américain John F. Kennedy au centre spatial Cap Canaveral dans les années 60. Au cours de la visite, Kennedy tomba sur un gardien du site et lui demanda, «Que faites-vous, ici?». L'homme lui répondit, «Je gagne ma vie». Le président rencontra un second gardien et lui posa la même question. Ce dernier répondit, «M. le Président, je contribue à ce que l'on parvienne à envoyer un homme sur la Lune». Ce sentiment d'unité n'a pas de prix pour une campagne.

Ouvrez-vous à vos clients et réclamez leur contribution

Les campagnes qui font le plus de buzz ont une caractéristique commune, la collaboration, à savoir, demander aux gens de s'impliquer. Pour développer de nouveaux produits et services, la chaîne de cafés Starbucks s'est servie de la production participative avec beaucoup de succès. Le portail en ligne «My Starbucks Idea» a posé la question, «Qui mieux que vous sait ce que vous attendez de Starbucks? Dites-le-nous. Quelle est votre idée pour Starbucks?» Rien que la première année, 75 000 idées ont été soumises, dont 25 mises en œuvre. Cette ouverture vers l'extérieur en matière de développement des produits a non seulement fait de Starbucks l'une des marques les plus admirées sur Facebook, mais également amené 25 idées conformes aux concepts défendus par le groupe cible. Imaginez le coût s'il avait fallu trouver ces idées par les canaux traditionnels de recherche et développement, avec les analyses nécessaires pour confirmer la validité de ces idées auprès du groupe cible ! Starbucks a magnifiquement associé une opération marketing séduisante à une innovation en matière de produit, sans parler des nombreux avantages induits.

Ci-contre «Care for our Planet», Levi's, BBDO
West, San Francisco (voir page 104)

DEVENIR UN MICRO-INVESTISSEUR SOCIALEMENT RESPONSABLE

Le financement participatif (ou la microfinance) se sert de la contribution individuelle afin de financer des projets tels que des opérations d'associations caritatives ou la création d'un album de musique. Vous pouvez, par exemple, donner à Kiva 25 $ pour un projet caritatif qui vous plait et récupérer votre mise s'il porte ses fruits.

La contribution de vos clients est plus précieuse que la recherche

La production participative est également un excellent moyen de favoriser le succès d'une campagne. En invitant les personnes à se joindre au projet dès le début, vous pouvez tester différents concepts avant de vous engager totalement et bâtir ainsi une certaine dynamique. Les gens ont tendance à être bien plus passionnés pour des campagnes lorsqu'ils ont eu leur mot à dire lors de la phase de conception, que pour celles qui leur sont servies. Si, par exemple, votre campagne a pour but de diminuer l'utilisation des sacs en plastique, il pourrait être judicieux de leur demander leur avis au lieu de mener les recherches traditionnelles. Il pourrait s'avérer qu'ils souhaitent tout simplement l'interdiction de ces sacs en plastique, sentiment qui prend de l'ampleur dans certains pays.

Il existe des initiatives passionnantes. Fiat Brésil a amené la production participative dans une nouvelle dimension en impliquant non seulement des clients dans les premières phases de la campagne, mais également en les invitant à participer à tout le processus de construction d'une voiture – des séances de remue-méninges initiales au produit fini ainsi qu'au marketing. Le nom de la voiture, la Mio (« à moi » en italien), met en lumière les avantages de la production participative – lorsque vous faites partie intégrante d'un processus, vous vous l'appropriez et vous estimez que votre contribution est importante. La voiture est autant la vôtre que celle de Fiat. Le slogan de la campagne dit, « Cette voiture est vraiment la vôtre ». Quelle relation plus forte peut-on attendre d'une campagne ?

Soyez ambitieux en matière de collaboration

Le fabricant de jeans Levi's s'est lancé dans une énorme mission qu'il ne pouvait remplir seul : transformer toute une ville. Sous le message séduisant, « Nous sommes tous des ouvriers », l'entreprise a contribué à faire renaître la ville sidérurgique de Braddock, en Pennsylvanie, dont les habitants, majoritairement ouvriers, avaient connu une période difficile. Bon nombre avaient perdu leur emploi suite à la délocalisation à l'étranger de la production. Cette campagne était non seulement destinée à aider Braddock, mais également à faire de sa renaissance un symbole d'espoir dans tous les États-Unis. Le maire de la ville, John Fetterman, a ainsi dit, « Le niveau de services qu'elle apportera pour les 30 à 40 ans qui viennent est inestimable ». Cela pourrait ressembler à de la bonne vieille philanthropie, mais la société Levi's ne se contentait pas de distribuer de l'argent, elle a conforté sa position sur le marché via une augmentation des ventes dans sa collection Work Wear pour hommes. La cause et la marque y ont toutes deux gagné.

Créez différents niveaux de collaboration

Il est important de savoir susciter la collaboration par le biais de tâches progressives. Dans n'importe quelle équipe ou groupe, il y aura toujours des personnes plus impliquées que d'autres, de celle qui suit le mouvement au véritable activiste. Avec l'initiative Product Red, cause marketing sous licence, les suiveurs peuvent se sentir membre du club rien qu'en achetant un produit. L'activiste peut contribuer, non seulement avec de l'argent, mais également en donnant de son temps via la participation à des concerts et aux Nuits RED, en regardant le documentaire sur les séropositifs The Lazarus Effect, entre autres choses. Demander aux gens de donner de leur temps est énorme et quiconque le fait doit toujours penser à répondre à la question : qu'est-ce que cela leur apporte ?

Exploitez la tendance à la consommation collaborative

Les propriétaires de biens matériels n'ont jamais été aussi nombreuses de toute l'histoire de l'humanité. Cela offre à votre marque l'occasion de proposer des solutions durables. Les consommateurs moyens ont

tellement de biens – vêtements, micro-ondes, consoles de jeux, sacs de golf – qu'ils ont besoin d'un grenier, d'un sous-sol, voire de cabanes pour stocker tout ça. On jette beaucoup d'objets et la plupart des produits ne durent même pas un an. D'autres produits sont à peine utilisés. Dans la plupart des foyers américains, vous pouvez trouver une perceuse, mais en moyenne, elle n'est utilisée que 15 minutes sur toute sa durée de vie. Quel gâchis ! C'est pour cette raison que les gens commencent à se demander, «En ai-je vraiment besoin ?».

Novatrice, l'initiative «Common Threads» a été lancée par Patagonia en 2011, avec le slogan, «Le produit le plus écologique est celui qui existe déjà». Il s'est agi d'encourager les consommateurs à faire preuve de modération. Yvon Chouinard, fondateur et propriétaire de Patagonia, explique cet effort : «Ce programme demande d'abord aux consommateurs de ne pas acheter quelque chose s'ils n'en ont pas besoin. S'ils en ont besoin, nous leur demandons d'acheter un produit qui durera longtemps, de réparer ce qui casse et de réutiliser ou revendre ce qu'ils ne portent plus. Et finalement, il faut recycler ce qui est vraiment usé.» C'est également connu sous le nom des cinq R de la durabilité : réduire, réutiliser, recycler, réparer et repenser. Pour approfondir cet effort, Patagonia a conclu un partenariat avec eBay et ouvert une boutique qui vend des produits Patagonia d'occasion.

L'Internet facilite ces nouveaux modèles de consommation et des sites Web tels que NeighborGoods, Freecycle et Neighborrow – et en France, lebonechange.com, sharinplace.fr, par exemple – mettent en relation emprunteurs et prêteurs qui échangent et partagent produits et services. Il existe de nombreuses autres initiatives similaires. Les sites d'échange d'outils de bricolage semblent pousser comme des champignons. Nombre de marques, telles que BMW et l'agence de location de voitures SIXT, proposent un service de partage de véhicules, DriveNow, dans plusieurs villes d'Allemagne. Elles y voient un bénéfice et, contrairement à d'autres programmes du même genre, DriveNow vous permet de

déposer la voiture où vous le souhaitez. Même concernant les produits incontournables mais éphémères de l'univers de la mode, il existe des modèles collaboratifs tels que Rent The Runway. Les marques ont une occasion unique d'encourager un comportement collaboratif ou un mode de consommation de cet acabit. Et vous pourriez participer à ce mouvement, par le biais de produits existants à réutiliser, partager, prêter ou de nouveaux produits à inventer.

Plus on est de fous, plus on rit

Aujourd'hui, les marques prêtes à franchir la frontière de la concurrence traditionnelle sont de plus en plus nombreuses. Elles sont prêtes à œuvrer ensemble à la résolution de problèmes dont elles ne peuvent venir seules à bout. Au cœur de ce phénomène se situe l'opération Product (Red), destinée à rassembler entreprises et consommateurs afin de vaincre le VIH et le SIDA. Les marques rejoignant le programme, comme Apple, maquillent littéralement leurs produits en rouge afin de montrer leur soutien. Pour chaque produit vendu, une certaine somme est reversée en faveur de la cause. Le recours pertinent au rouge est un avantage pour les entreprises qui peuvent ainsi facilement signaler leur responsabilité sociale, ainsi que pour les consommateurs, qui marquent ainsi leur soutien et le signalent à leurs pairs. Imaginez la première phrase d'un dialogue : pourquoi as-tu un iPod rouge ? Ce que je préfère chez les produits Red, c'est qu'ils parviennent à mettre les entreprises autour d'une table au lieu de lutter les unes contre les autres. Si plus d'entreprises œuvrent ensemble à la découverte de meilleures solutions, l'impact généré peut changer le monde.

Ensemble, on va plus loin

La mise en place de campagnes collaboratives judicieuses et la proposition d'idées fortes ou de produits destinés à la communauté ne sont pas des tâches réservées au directeur marketing ou au département responsabilité sociale de l'entreprise. C'est une véritable philosophie d'entreprise, entretenue aussi bien en interne qu'en externe. La plus grande entreprise du monde, Wallmart, qui évolue dans la grande distribution, travaille de concert avec des fournisseurs afin de réduire la quantité de sucre, de sel et d'acides gras trans dans ses produits. Elle a lancé le Personal Sustainability Project, qui consiste à encourager ses employés à vivre sainement, par exemple arrêter de fumer et faire du sport.

Un mouvement impliquant tout le monde, des gouvernements aux acteurs de premier plan dans le monde des affaires, en passant par les consommateurs, se fait sentir à l'échelle de la planète. Le message est que nous souhaitons résoudre ces problèmes en prenant part à la mise en place des solutions. Il vous incombe désormais de rassembler ces forces. Je terminerai l'introduction à ce chapitre par un proverbe africain : «seul on va plus vite, ensemble on va plus loin».

Interview
HANNAH JONES

Hannah Jones, acteur majeur de l'univers des marques et de la durabilité, est vice-présidente en charge du développement durable et de l'innovation chez Nike. Sa contribution a été révolutionnaire, puisqu'elle a poussé le géant de l'Oregon vers un avenir durable. Parlons d'abord d'elle et de ce qui l'a incitée à intégrer le monde des affaires – elle a étudié la philosophie et travaillé dans les médias avant d'entrer chez Nike.

« J'ai senti qu'il y avait quelque chose à apporter dans les affaires, à savoir opérer un changement et aider les entreprises à se pencher différemment sur leur impact environnemental et social. » C'est cette motivation personnelle qui rend Hannah Jones si puissante dans son secteur d'activité. « Je suis profondément inquiète de notre relative incapacité à modifier nos modes de vie, nos économies et le fonctionnement de nos communautés face à des ressources naturelles limitées, au changement climatique et à l'injustice sociale. À mes yeux, il est vraiment urgent de changer les choses, mais je trouve que les systèmes politiques nous déçoivent. »

Quand nous abordons sa vision de l'avenir – car, soyons honnêtes, les prochaines années ne s'annoncent pas de tout repos –, Hannah Jones entrevoit une lueur d'espoir. **« Je suis une optimiste pessimiste. Je crois toujours en notre capacité à changer et à innover, mais le temps qu'il nous faudra pour nous réveiller et changer de comportement me préoccupe grandement. Je crains qu'il faille une énorme catastrophe pour que nos systèmes réagissent. »** Je suis d'accord avec elle : un effondrement mondial n'est pas la source de motivation que nous espérons voir naître.

Nous avons ensuite parlé des responsabilités concernant ce problème. Qui doit prendre le taureau par les cornes ? Le grand public, les gouvernements ou les marques et entreprises ? Là encore, il va falloir que nous nous associions pour affronter les problèmes à venir. **« Je pense que la responsabilité de la mise en œuvre du changement de système est collective. Les entreprises vont devoir dissocier leur croissance des ressources naturelles limitées. Mais, pour ce faire, elles ont également besoin des consommateurs, des gouvernements et de la société civile. Notre vraie responsabilité est donc de parvenir à collaborer très différemment et d'actionner les leviers que nous contrôlons le mieux. »** Le message est donc le suivant : si nous faisons tous de notre mieux, nous pouvons changer les choses. Hannah Jones décrit sa vision personnelle. **« Une seule action peut changer les choses, mais cette action variera en fonction de votre position, de ce que vous faites et de la vie que vous menez. Mais si je devais ressortir deux choses, ce serait l'usage de notre vote et notre façon de consommer. Il est essentiel que chacun se serve de son pouvoir personnel afin d'envoyer un signal sur ses intentions. »**

Nous avons ensuite abordé le sujet épineux du scandale sur les conditions de travail chez Nike dans les années 90. Hannah Jones a admirablement admis l'existence de ce problème et parlé sans ambages. C'est l'expression de l'esprit combatif de Nike et la volonté de transparence de la marque. « C'était le début de notre aventure, un démarrage douloureux. Les accusations d'exploitation d'enfants sous-payés étaient les plus visibles, mais il existait bien d'autres problèmes de fonctionnement dans l'entreprise, de la recherche de fournisseurs à la conception des produits, en passant par le transport et la vente. Ces attaques nous ont fragilisés. Et, malgré notre vulnérabilité et le malaise ambiant, ce fut une bénédiction. Nous nous sommes interrogés sur nous-mêmes. Cela nous a fait changer de comportement, modifier notre écoute et notre façon de collaborer. Il s'est ensuivi un changement radical et de grande ampleur qui devait révolutionner notre activité. »

Cette volonté d'avoir une activité plus durable, de prendre la tête du marché du sport et d'être numéro un mondial en matière de vêtements de sport est tempérée par le besoin pragmatique de collaborer afin d'améliorer l'avenir de l'humanité. Quand on l'interroge sur les concurrents de Nike, Hannah Jones répond, « Nike est toujours sur l'offensive. Notre P.-D.G. exige toujours que nous évaluions notre succès par rapport à notre potentiel et non à nos concurrents. De toute façon, en matière de durabilité, nous gagnons ou perdons ensemble. Notre intention est donc d'œuvrer en collaboration avec les autres acteurs de notre secteur d'activité à la mise en place de ce changement… Il y a un temps pour la concurrence, mais en matière de durabilité, la lutte s'interrompt. Ces problèmes sont bien plus importants que Nike. Pour que le modèle actuel, basé sur l'exploitation des ressources naturelles, devienne obsolète, il faudra que tout le secteur s'y mette… Si nous parvenons à montrer qu'une entreprise qui réussit peut également défendre la durabilité, cela contribuera peut-être à rallier d'autres acteurs de notre domaine d'activité. »

Hannah Jones a poursuivi en parlant de collaboration et de générosité. « Nous estimons qu'il incombe à l'entreprise de se servir de l'influence de sa marque afin de tendre vers un avenir durable. L'un des symboles et moteurs de l'ancienne économie était les brevets. Vous aviez vos secrets, qui constituaient votre atout face à la concurrence. Nous savons qu'aujourd'hui, ce n'est souvent plus vrai. Nike croit qu'il est de son devoir de partager autant que possible ses produits novateurs en matière de durabilité, afin de contribuer à accélérer l'innovation. Voilà pourquoi nous avons créé GreenXchange et publié 400 de nos brevets. Voilà pourquoi nous avons diffusé notre Apparel Environmental Design Tool dans tout notre secteur d'activité… Un an plus tard, dix entreprises sont impliquées, dont Google, Best Buy, IDEO et Yahoo. Des "collaboratoires", qui réunissent universitaires, entreprises, ONG et particuliers, ont vu le jour afin de commencer à mettre à profit les produits novateurs. »

Concernant la durabilité et la publicité responsable, Hannah Jones ne les considère pas comme du ressort du marketing. À ses yeux, elles influent sur toute la structure d'une entreprise. Dans ce modèle, transparence et durabilité ne sont pas négociables. « Cela va au-delà de la collaboration avec le département marketing – la structure Sustainable Business and

Quand on se met à nu, il vaut mieux être irréprochable.

Innovation (SB & I) est intégrée à tous les aspects de l'activité de Nike. Et ça marche dans les deux sens : l'équipe marketing de la marque s'intègre étroitement afin de développer le travail de SB & I. Nike Better World, le premier message sur le travail de la structure SB & I de Nike à l'attention des consommateurs, en est la parfaite illustration… Il s'agit de parler de nos engagements à nos clients. Pour prospérer dans un univers où les ressources sont limitées, où les gens, les gouvernements et les systèmes sont très connectés, où la durabilité est un impératif et non un choix, où la transparence est nécessaire, nous estimons que l'innovation est incontournable, une innovation perturbatrice, radicale, stupéfiante. Ce type d'innovation ne saurait être qu'interne, mais réclame le meilleur de ce que nous possédons, des partenariats et collaborations improbables, ainsi qu'une démarche ouverte avec la clientèle Nike… Nike réfléchit à la façon dont nous communiquons avec le consommateur et au dialogue que nous souhaitons instaurer avec lui. Nous réfléchissons à l'authenticité dont doivent être empreints nos contacts avec lui et au reflet du travail exécuté. Nous ne parlons donc pas de publicité responsable ou de marketing vert. Montrer nos références en termes d'écologie ne nous intéresse pas. Ce que nous souhaitons, c'est converser de façon à provoquer le changement et bâtir un réel mouvement. » Une telle vision des choses, avec une grande entreprise qui admet sa responsabilité et souhaite inspirer le changement, me convainc qu'ensemble, nous parviendrons à surmonter la crise actuelle.

Hannah Jones m'a livré une dernière réflexion et cela aurait été un crime de ne pas la partager. « La transparence est le nouveau phénomène inévitable. Mais pour citer Don Tapscott, "Quand on se met à nu, il vaut mieux être irréprochable". »

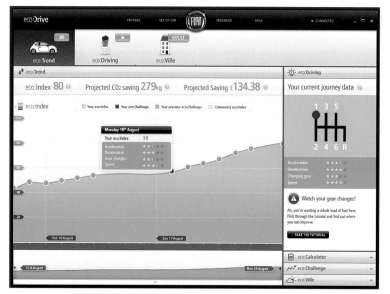

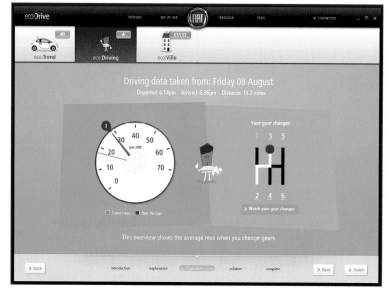

FIAT
AKQA, Londres
ECO:DRIVE

Fiat a toujours eu la réputation de construire des voitures rapides et nerveuses présentant le plus faible taux d'émission de CO_2 d'Europe. Le problème de Fiat était ensuite de communiquer cette démarche écologique à de jeunes consommateurs branchés numérique. La recherche a montré que nombre de consommateurs se sentaient considérés comme la source du problème, bien que, dans la majorité des campagnes, les conducteurs ne jouaient pas les premiers rôles. Fiat a donc lancé eco:Drive.

Eco:Drive a permis aux propriétaires d'un véhicule Fiat d'utiliser une clé USB pour transférer sur leur ordinateur des données recueillis grâce à 32 capteurs situés sur leur voiture. Ils pouvaient ensuite analyser leur conduite et accéder à des didacticiels sur la façon d'économiser du carburant.

Actuellement, plus de 53 000 conducteurs utilisent eco:Drive et ont économisé à eux tous 3,8 tonnes de CO_2. En outre, les conducteurs ont économisé plus de 3,7 millions d'euros de carburant. La société Fiat en a également tiré parti, puisqu'elle a remporté 12 récompenses et fait l'objet de plus de 7 000 articles de presse grâce à eco:Drive, soit l'équivalent de plus de 12 millions d'euros en communication.

En simplifiant une masse d'informations et en facilitant la compréhension et le changement de comportement des conducteurs, Fiat a mis en place un vecteur de collaboration afin de rendre le monde meilleur, opération gagnante pour toutes les parties prenantes

> *C'est complètement différent du processus de conception traditionnel entièrement secret.*
>
> PETER FASSBENDER, DIRECTEUR DU CENTRE DE CONCEPTION DE FIAT

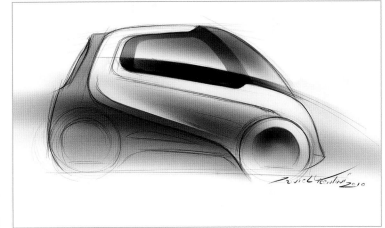

FIAT
AgenciaClick Isobar,
Rio de Janeiro
MIO

Première mondiale, Fiat Brésil a ouvert au public tout son processus de production – de la conception à la fabrication. Les consommateurs ont été impliqués dans le projet et révélé ce qu'ils souhaitaient trouver dans une voiture. L'équipe de conception de Fiat a construit cette voiture en suivant les idées émises. En permettant aux consommateurs de collaborer, la marque a non seulement construit une voiture qui plaisait à ces derniers, mais a également engagé des conversations pertinentes avec ses clients, qui se poursuivent encore.

En septembre 2011, plus de 2 millions de personnes ont visité le site Web de la Fiat Mio, près de 50 000 commentaires ont été postés et plus de 10 000 idées provenant de 160 pays ont été déposées. Ces résultats, sans précédent dans l'industrie automobile, montrent à quel point les gens aimeraient s'impliquer aux côtés des marques dans le processus de conception des produits.

Fin 2010, le premier concept de la Mio a été dévoilé lors du salon automobile de São Paulo, ainsi que le travail de tous les participants au projet. On ignore si Fiat finira par fabriquer en série cette voiture, mais cet exercice d'exposition de la marque et de collecte d'informations a parfaitement fonctionné. Fiat a pu apprendre de première main ce que recherchent les consommateurs dans une voiture, tout en permettant à ceux-ci de se sentir partie intégrante de la marque. Sans surprise, l'environnement était un élément essentiel aux yeux des participants – la Fiat Mio est un véhicule respectueux de l'environnement qui fait seulement 2,5 mètres de long. Elle est donc légèrement plus courte que la célèbre Smart Fortwo.

LAFA
Ester, Stockholm
QUE VONT DEVENIR CES 100 000 PRÉSERVATIFS ?

LAFA (le programme de prévention du SIDA du comté de Stockholm) souhaitait sensibiliser l'opinion au nombre croissant de cas de SIDA à Stockholm ainsi que modifier la perception du préservatif et prévenir la maladie. Plutôt que de mettre l'accent sur les aspects négatifs – si vous ne mettez pas de préservatif, vous pouvez avoir un enfant non désiré, attraper une MST ou mourir –, ils se sont concentrés sur les côtés positifs. Cette campagne a admis que le sexe était amusant, d'une manière qui n'était pas vulgaire, sexiste ou sordide.

100 000 préservatifs numérotés ont été distribués gratuitement et leurs détenteurs incités à partager en ligne l'expérience de leur utilisation afin d'accroître le sentiment que l'employer est agréable et non une pratique gênante qui coupe tous les effets.

Le retour fut énorme. Le blog relatant les histoires a reçu plus de 110 000 visiteurs originaires de Stockholm (soit deux fois plus que les objectifs fixés pour cette campagne). 37 % du segment cible ont dit avoir une image plus positive du préservatif. En juillet 2009, les cas de chlamydia avaient diminué de 13 % par rapport à l'année précédente.

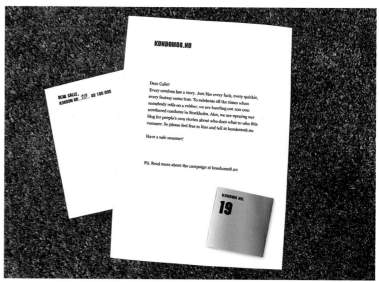

MCDONALD'S
Leo Burnett, Sydney
DES PLATEAUX TRÈS NATURE

Afin de diminuer la quantité de détritus autour de ses restaurants, McDonald's a décidé de placer le problème dans les mains du client. Plutôt que de proposer la traditionnelle feuille de papier McDonald's sur ses plateaux, la marque a choisi de présenter dessus différentes scènes sur le thème de l'environnement. Il s'agissait concrètement de montrer le résultat si on jetait les déchets dans la nature. Ce message exprimait instantanément les dégâts que les détritus peuvent causer à l'environnement.

Le but de McDonald's était de réduire la quantité de déchets autour de ses restaurants et, par là-même, de diminuer le nombre de plaintes de la part des riverains. En collaborant avec ses clients, la marque a réussi sur les deux tableaux, avec 25 % de plaintes en moins.

Il est toujours payant de garder à l'esprit que nombre de produits sont plus nuisibles dans les mains du consommateur que dans celles du producteur.

LEVI'S
BBDO West, San Francisco
**PRENDRE SOIN
DE NOTRE PLANÈTE**

Levi's a lancé l'étiquette « Care for our Planet » après avoir pris conscience que les clients étaient responsables d'une grande partie de l'impact de ses produits sur l'environnement. Cette étiquette, placée à l'intérieur des vêtements, incitait non seulement le client à opter pour un lavage à basse température et à faire sécher l'article en question sur une corde à linge, mais également à faire don de ses vêtements usagés à l'association Goodwill, qui se charge ensuite de les revendre dans ses boutiques afin de contribuer au financement de programmes de formation des personnes handicapées et de services de recherche d'emploi. Cette initiative est heureuse à deux points de vue : elle encourage l'utilisateur final à utiliser moins de ressources et à prolonger la durée de vie de ses vêtements.

Sachant que près d'un million de tonnes de vêtements se retrouvent dans des sites américains d'enfouissement de déchets chaque année, Levi's s'est dit qu'il restait du chemin à faire. Il est dommage de penser que des vêtements en excellent état pourrissent et occupent de la place dans des sites d'enfouissement alors que des gens sont dans le besoin. Cette initiative responsable montre que Levi's est non seulement à la page en matière de mode, mais également sur le plan de la préservation de la planète.

En impliquant ses clients et en leur faisant sentir qu'ils font partie de la solution sans les culpabiliser, Levi's a mis en place une solide stratégie de marque. Faire en sorte qu'un client appartienne au cercle de votre marque est un excellent moyen de renforcer les associations positives tout en faisant le bien.

En tant qu'entreprise, Levi Strauss & Co. s'engage à intégrer la durabilité à toutes ses activités.

JOHN ANDERSON,
P.-D.G. DE LEVI STRAUSS & CO.

LEVI'S
Wieden+Kennedy, Portland
NOUS SOMMES TOUS OUVRIERS

Dans cette campagne de Levi's, l'entreprise revient à son créneau original : du prêt-à-porter robuste pour les personnes ordinaires actives. Confronté aux batailles de l'Amérique ouvrière, Levi's a décidé de prendre une cité sidérurgique en difficulté et de la remettre sur pieds avec l'aide des locaux. Bienvenue à Braddock, Pennsylvanie.

Levi's a investi dans la ville afin de contribuer à sa résurrection et a pris comme mannequins des habitants pour sa nouvelle gamme de tenues de travail. Levi's a trouvé une position inattaquable dans l'éternelle quête de crédibilité à laquelle se livrent de nombreuses marques. Cette entreprise utilise non seulement des gens ordinaires, mais rappelle également à chacun les origines de la marque.

Ce rappel historique afin de trouver une histoire authentique est un moyen très puissant de créer une excellente publicité qui dit la vérité aux consommateurs tout en faisant le bien.

Les histoires racontées dans le cadre de cette campagne sont des récits sincères et personnels de la vie que l'on mène dans la Rust Belt (ceinture de la rouille), à savoir ces États industrialisés américains, aujourd'hui en proie à la pauvreté et au chômage. Quelle meilleure position que celle de Levi's pour montrer son engagement envers le monde ouvrier ?

GARNIER
Lodestar Um, Bombay
**UN JOURNAL IMPRIMÉ
INTÉGRALEMENT AVEC
DU PAPIER RECYCLÉ**

Afin de sensibiliser la jeunesse indienne, en constante augmentation, aux problèmes environnementaux, Garnier a lancé le premier journal au monde fait d'un papier 100 % recyclé en partenariat avec *Times of India*. Cette campagne encourageait les jeunes Indiens à suggérer des idées écoresponsables sur un site Web dédié. Pour chaque idée proposée, Garnier achetait 10 kg de papier usagé. Ce papier a ensuite servi à l'impression d'une édition spéciale du *Times of India*, parue lors de la journée mondiale de l'environnement en 2010.

En encourageant les jeunes à collaborer avec Garnier et le *Times of India*, la marque de cosmétiques leur a permis de prendre les choses en main et de participer activement à la mise en place de la solution. Le public cible a été sensibilisé aux problèmes environne-mentaux (4,1 millions de jeunes ont participé à cette campagne) et la notoriété de Garnier a augmenté de 80 %. L'entreprise a appliqué cette recette dans d'autres pays afin de sensibiliser les gens aux problèmes écologiques et favoriser la collaboration de leurs segments cibles.

Mais surtout, plus de 5 000 idées ont été soumises, ce qui a permis le recyclage de 50 tonnes de papier – soit l'équivalent de 1 200 arbres.

ENTEGA
DDB, Berlin
**DES BONHOMMES DE NEIGE
CONTRE LE RÉCHAUFFEMENT
CLIMATIQUE**

Entega est le deuxième plus gros fournisseur allemand d'énergie verte, mais demeure plutôt méconnu. Son défi consistait à favoriser une visibilité nationale et à faire connaître sa philosophie avec un budget modeste leur interdisant d'utiliser les médias traditionnels.

Ils ont donc choisi de surprendre en encourageant les gens à venir faire des bonhommes de neige afin de sensibiliser le grand public au réchauffement de la planète. L'appel a été très bien entendu puisque 20 000 personnes sont venues faire des bonhommes de neige et collaborer avec Entega. L'entreprise a ainsi pu expliquer son activité et parler des problèmes engendrés par le réchauffement de la planète.

L'événement a eu un tel succès que le gouvernement allemand a autorisé la conservation de ces bonhommes de neige pendant tout l'hiver, alors que leur durée de vie était initialement de trois jours. Résultat, cette opération a été relayée dans tous les médias allemands et Entega a vu le nombre de visiteurs uniques sur son site Web augmenter de 300 %. C'est une campagne en tous points remarquable. Le public a donné de son temps en faveur d'une cause tout en œuvrant à mettre sous les feux de la rampe une marque se battant pour cette même cause.

ELECTROLUX
Prime and United Minds, Stockholm
DES ASPIRATEURS À L'AIR MARIN

Une initiative novatrice d'Electrolux a permis de fabriquer cinq aspirateurs totalement fonctionnels à partir de détritus en plastique rejetés par la mer. Le but de l'opération était de mettre en lumière l'énorme problème de pollution affectant nos mers et océans et de mettre l'accent sur le manque de plastiques recyclables. Ces cinq appareils ont été construits sur la base de l'aspirateur Electrolux UltraOne Green, constitué à 70 % de plastiques recyclables, l'objectif étant de sensibiliser l'opinion à la pollution par les déchets plastiques, mais également de faire connaître l'UltraOne Green.

Electrolux a collaboré avec les équipes de nettoyage locales afin de créer ces aspirateurs, représentant la mer du Nord, l'océan Indien, la Méditerranée, le Pacifique et la mer Baltique.

Selon Electrolux, cette campagne a déjà touché plus de 250 millions de personnes et la marque espère faire encore mieux grâce à une tournée de ces aspirateurs dans le monde entier. En militant pour une cause en synergie avec son secteur d'activité, Electrolux a créé une campagne très efficace. Ses produits nettoient votre maison, Electrolux se soucie de l'état des océans et œuvre à les débarrasser de leurs déchets. Cette initiative prouve également qu'ils joignent le geste à la parole. S'ils s'étaient contentés de libeller un chèque pour obtenir une déduction fiscale, l'impact aurait été bien moindre.

En construisant un nombre limité d'UltraOne avec des déchets en plastique, tels que les bouteilles croquées par les requins, puis en les exposant, nous espérons attirer l'attention sur un problème urgent tout en mettant sur le devant de la scène le thème du plastique recyclable.

CECILIA NORD, VICE-PRÉSIDENTE EN CHARGE DU DÉVELOPPEMENT DURABLE CHEZ ELECTROLUX

COMPASSION

COMPASSION

Pourquoi cherchez-vous à rendre le monde meilleur ?

Le glacier Häagen-Dazs utilise «les meilleurs ingrédients et les plus purs» pour obtenir des crèmes glacées, des sorbets et des yaourts glacés d'une qualité indiscutable. Passionnée par son activité, cette entreprise a lancé sa campagne «Help the Honey Bees» afin de sauver les populations d'abeilles qui ne cessent de diminuer, et de conserver ainsi les ingrédients originaux de leurs recettes. Si le nombre d'abeilles diminue, la pollinisation décroîtra elle aussi et le risque d'une pénurie des ingrédients, si importants pour Häagen-Dazs, devient plus important. Vendre de la crème glacée n'est donc pas si éloigné de sauver les abeilles.

Alignez votre passion sur votre compassion

Pour Häagen-Dazs, l'adéquation entre sa passion, ses produits et la cause des abeilles était claire. On peut donc considérer leurs efforts comme sincères. Leur passion va bien avec leur compassion et traduit une démarche appropriée. Être perçue comme une entreprise passionnée renvoie à vos convictions profondes si vous voulez que vos clients aient le sentiment que vous faites bien ce que vous dites. Veillez donc toujours à aligner vos produits, votre marque et votre passion sur votre compassion, sous peine que votre discours sonne faux. Maintenant, réfléchissez un instant à Paris Hilton. Est-ce que son soutien pour la lutte contre le cancer du sein a l'air sincère ?

Dans son ouvrage *Commencer par le pourquoi*, Simon Sinek invite à commencer par répondre à une question fondamentale : pourquoi êtes-vous dans ce business ? Sa théorie montre que les marques et leaders qui réussissent communiquent différemment des autres organisations. Ils communiquent avec leur cœur, partagent le pourquoi, leur vision, leur philosophie et leur passion avant de donner des faits concrets et d'asséner leur *Unique selling proposition* (USP), leur argument publicitaire majeur, comme s'ils avaient conscience de faire partie d'un plan bien plus large.

Sinek affirme qu'en tant que consommateurs, nous n'achetons pas ce qu'une entreprise fabrique mais la raison pour laquelle elle commercialise ce produit. Prenons l'exemple d'Häagen-Dazs : il existe des centaines de marques de glace. À mes yeux, il n'est donc pas étonnant que le «pourquoi» soit plus important que la glace proprement dite. Si vous comprenez que les consommateurs attendent de la marque qu'elle se… démarque pour le bien des gens et de la planète, cela changera simplement votre manière de vendre et de positionner vos produits. Ce sont dans les années 1940 que le concept d'argument publicitaire unique (Unique selling proposition) est né. Mais lorsque les marques de dentifrice sont passées de trois à trois cents, cette notion d'argument publicitaire unique s'est diluée. C'est ainsi que dans les années 60, une transition s'est opérée, de l'argument publicitaire unique à l'argument émotionnel de vente, lequel a contribué, à mon avis, au développement des marques.

Aujourd'hui, sur ce nouveau marché de la responsabilité, j'estime que vous devriez penser à ce que j'appelle l'argument publicitaire

«Grrr», Honda, Wieden+Kennedy, Londres
(voir pages 127)

compassionnel (*Compassionate Selling Proposition*) : votre atout de différenciation réside désormais dans votre aptitude à changer la vie d'autrui, votre faculté à prouver que vous vous souciez non seulement des gens, mais aussi de ce qui leur importe. Voilà une manière pour les marques de montrer qu'elles ont un cœur.

Lorsqu'une marque devient plus responsable, les consommateurs la récompensent en lui témoignant une plus grande affection. Il s'agit de sortir du lot grâce à vos valeurs et croyances, même si vous êtes le seul sur le créneau en question. Posez-vous donc la question suivante : pourquoi voulez-vous que votre business rende le monde meilleur ?

Ci-contre : «Problem Playground», Honda, Wieden+Kennedy, Londres (voir pages 124-125)

LA VENTE ÉMOTIONNELLE

«Dans un monde complexe, c'est l'émotion qui régit le comportement. Les émotions sont un facteur du comportement économique, plus déterminant que la rationalité.»
Dr Daniel Kahneman, prix Nobel d'économie

Détestez quelque chose, changez quelque chose

Quand Honda travaillait sur sa nouvelle gamme de moteurs diesel, en 2003, il ne s'agissait pas de fabriquer un moteur de plus. L'ingénieur responsable du développement des moteurs, Kenichi Nagahiro, allait travailler chaque matin avec une philosophie très claire en tête : je dois changer les choses que je déteste… comme les diesels. Il en a résulté le nouveau moteur diesel 2, 2 i-CTDi, connu pour ses performances, son silence et sa propreté et non pour ce que l'on attend habituellement d'un moteur diesel. Le film publicitaire d'animation original «Grrr», avec son morceau entraînant Hate something, change something, reflétait la croyance déterminée de Nagahiro qu'il ne s'agissait pas d'un moteur diesel de plus. Honda ne vendait pas un moteur mais une passion et de la compassion pour le monde : il souhaitait également changer ce qui allait mal. C'est une philosophie à laquelle je peux croire en tant que consommateur et que je souhaite partager. La publicité «Grrr» est devenue l'une des publicités virales les plus réussies des dix dernières années, vue par des millions de personnes. Cela aurait-il été le cas si Honda avait communiqué sur les atouts de son moteur et son caractère moins gourmand ? Honda a ensuite réalisé d'autres campagnes, telles que «Problem Playground», qui s'attaquaient aux problèmes environnementaux avec une vision et des croyances fortes basées sur la vie et sa préservation. J'aime cette approche. Il s'agit de montrer son implication plutôt que de vanter ses capacités à rendre le monde meilleur, ce qui, pour la plupart des constructeurs automobiles, semble un peu exagéré ! Je ne doute pas des intentions compassionnelles de Honda, car leur action est empreinte de valeurs, de convictions et d'une attitude visant à améliorer le monde.

Faites en sorte que votre message «sonne» juste

De récents travaux scientifiques sur le cerveau ont montré que les messages diffusés par des marques transmettant la passion et l'émotion plutôt que des faits avaient plus de chance de déclencher un achat ou une décision en leur faveur. Pourquoi ? Parce que les messages empreints d'émotion touchent une structure du système limbique appelée amygdale, qui régit les sentiments tels que la confiance, la loyauté, la peur, le désir et, surtout, la prise de décision, mais pas le langage. Les messages factuels sont, pour leur part, reçus par la zone rationnelle du cerveau, à savoir le cortex préfrontal. Voilà pourquoi lorsque des campagnes font appel à notre rationalité avec des messages tels que «faites des économies de carburant», il nous est plus facile d'expliquer notre processus de décision avec des mots. Par contre, face à un message émotionnel, on donne simplement comme explication, «ça semble bien». La raison est que l'amygdale ne perçoit pas le langage. C'est pour cela que les marques passionnées et compassionnelles ont plus de succès. Elles ciblent directement la zone du cerveau, responsable de la prise de décision, même sans le savoir.

Trouvez votre réponse à la question «Pourquoi ?»

Si vous n'êtes pas en mesure de répondre à la question cruciale «Pourquoi ?» – peu de personnes en sont capables – réfléchissez à la manière de changer progressivement la teneur de votre message, de la révélation d'éléments factuels à l'expression de votre compassion. Votre marque est comme une personne, avec ses failles, ses occasions manquées et ses possibilités ignorées, comme vous et moi en somme. Considérez cela comme une crise de la quarantaine et prenez le temps de trouver un joli banc face à la mer sur lequel vous installer afin de réfléchir sérieusement. Si votre marque n'est pas très connue, considérez cela comme un avantage. Si votre réputation est ternie, pensez à la chanson entraînante de Honda Hate something, change something. Lorsque le détaillant britannique Marks and Spencer a fait face aux critiques et à la baisse de son chiffre d'affaires il y a dix ans, il est parvenu à modifier progressivement son mode de fonctionnement. Nike a été très critiqué à cause des conditions de travail déplorables de ses fournisseurs à la fin des années 80 et au début des années 90, puis s'est amélioré : démarche qui leur a peut-être donné une longueur d'avance sur la concurrence et leur permet, aujourd'hui, de figurer en tête du mouvement des entreprises responsables.

DE L'INTÉRÊT PERSONNEL À L'INTÉRÊT COMMUN

Vous n'êtes pas une marque compassionnelle uniquement parce que vous faites le bien. Sinon, nombre de marques résoudraient leurs problèmes de responsabilité sociale en faisant un chèque à une association caritative. Vous devez vous efforcer de prouver aux gens que vous œuvrez dans leur intérêt, et non dans celui de votre marque.

La compassion fait-elle vraiment partie de l'ADN de votre entreprise ?

Volkswagen n'a pas la réputation d'être une entreprise verte et compassionnelle, mais, à l'instar de Honda, elle a lancé des initiatives vertes avec compassion et succès. La campagne « The Fun Theory » avait pour but de présenter la technologie Bluemotion de Volkswagen et affirmait : « Chez VW, nous pensons que bien agir doit être amusant ». Les consommateurs ont adoré. C'était un message d'une grande fraîcheur sur un marché encombré, ayant l'objectif de changer les choses pour tout le monde mais d'une manière divertissante. Cependant, VW Europe a récemment eu des ennuis à cause de ses actions de lobbying anti-changement climatique et de la lenteur de ses progrès en matière de rendement énergétique des moteurs. Greenpeace a mené une campagne contre eux en utilisant comme slogan, « Rejoignez la rébellion afin de détourner VW du côté obscur de la Force ! ». La référence de Greenpeace au côté obscur de la force des films Star Wars est peut-être un enseignement à tirer pour VW : les intentions ne suffisent pas toujours. Veillez à ce que votre vision compassionnelle soit ancrée dans la réalité et n'oubliez pas de progresser étape par étape.

Je ne veux pas d'émissions de CO_2 plus faibles, je veux une planète en meilleur état

Une étude mondiale menée en 2010 par Edelman, l'agence de relations publiques, a montré que la majorité des consommateurs achète des produits de marques ayant des convictions et dont l'ADN comprend une dimension sociétale. Cette étude a révélé que, sur le plan mondial, 86 % des consommateurs estiment qu'une entreprise doit mettre au moins sur un pied d'égalité les intérêts de la société et ses propres intérêts. C'est l'occasion pour les marques de traduire l'objet de leur passion en compassion. Si l'activité que vous menez ou les changements que vous souhaitez opérer ne vous passionnent pas, comment espérer que l'on vous suive ? Si vous n'êtes pas capable de répondre à la question « Pourquoi voulez-vous que votre business contribue à rendre le monde meilleur ? », vos intentions ne sembleront peut-être pas aussi profondément ancrées que celles des autres marques. Si votre passion ne se traduit pas en compassion, votre communication risque d'être perçue comme de l'écoblanchiment. Plus vous véhiculerez de compassion, plus on vous appréciera. En tant que consommateurs, nous ne sommes pas aussi rationnels que nous voulons bien le croire. La science a prouvé que nous prenons la majorité de nos décisions sur la base de notre instinct et de nos émotions et non de faits purs et durs. Autrement dit, je ne veux pas acheter une voiture qui émet simplement 133,7 g/km, je recherche une marque qui aspire à améliorer le monde.

« The Fun Theory », Volkswagen, DDB, Stockholm (voir page 120)

Interview
ALEXANDRA PALT

C'est une erreur de croire que le «green» est un facteur d'augmentation des ventes. Pour autant, les marques responsables ont le vent en poupe.

Alexandra Palt a rejoint le groupe L'Oréal en 2012 comme directrice du développement durable. D'origine autrichienne et juriste de formation, Alexandra s'est investie depuis le début de sa carrière dans la défense des droits de l'homme (Amnesty international, IMS-Entreprendre pour la Cité, la HALDE, Haute Autorité de Lutte contre les Discriminations et pour l'Égalité). C'est par son envie d'apprendre le français et de mieux connaître notre culture qu'elle est arrivée à Paris il y a une quinzaine d'années… et qu'elle y est restée. Son entrée chez le n° 1 mondial de la beauté, présent en 2014 dans 130 pays avec un portefeuille international de 32 marques complémentaires pour un CA de 22,53 milliards d'euros, lui a permis de rejoindre ses deux objectifs : travailler dans un cadre international ct promouvoir le développement durable et la RSE. En effet, elle se retrouve à piloter un programme mondial, baptisé «Sharing Beauty With All», avec des objectifs très ambitieux à l'horizon 2020, que ce soit dans le domaine de l'innovation (100 % des produits du groupe devront démontrer un impact social ou environnemental positif), dans le domaine de la production (réduction de 60 % de l'empreinte environnementale par rapport à 2005… tout en touchant 1 milliard de nouveaux consommateurs !) ou encore dans le domaine de la consommation, puisque tous les consommateurs des marques du groupe se verront, d'ici 2020, offrir la possibilité de faire des choix de consommation responsable…

Pourtant, quand on demande à Alexandra de parler de communication sur les actions de développement durable de L'Oréal, on est un peu surpris… surtout lorsque l'on sait que le groupe est le 1er annonceur français : **«Nous faisons très peu de communication sur le développement durable ! À part notre rapport d'avancement "Sharing Beauty With All" qui est destiné à rendre compte de nos engagements et résultats à nos parties prenantes, on alloue peu de budget pour communiquer sur ce volet, en tout cas au sens ancien et classique du** terme (par la publicité, l'édition de plaquettes, etc.). Ce que nous voulons, c'est transformer notre entreprise pour la rendre plus durable, plus responsable. Le terme même de développement durable est compliqué : libellé comme tel, il n'intéresse que peu, les consommateurs. »

Alors, bien sûr, on commence à argumenter. Oui, il faut d'abord faire, mais communiquer c'est aussi important : les consommateurs se plaignent dans les études de manquer d'informations sur la stratégie RSE des entreprises, sur la façon dont sont fabriqués les produits qu'ils achètent. De plus, les études montrent aussi une perte de confiance dans le discours des entreprises, en particulier sur le développement durable. Il y a donc un besoin de plus de transparence et d'informations. Une argumentation qu'Alexandra agrée, au moins partiellement : « Notre vision du développement durable chez L'Oréal, c'est premièrement de faire, deuxièmement d'être transparents pour ceux qui veulent savoir et troisièmement d'intéresser le consommateur à ces sujets… sans lui parler de développement durable! Bien sûr que les consommateurs s'intéressent de plus en plus aux sujets liés au développement durable. Mais notre expérience montre qu'ils ne souhaitent pas forcément que cela soit mis en avant. C'est particulièrement vrai dans le cas des produits dits de luxe, comme ceux de la marque YSL, par exemple : la mention des émissions de CO_2 sur le packaging ne serait sans doute pas adaptée. En termes de communication sur le développement durable, notre vision est que chaque marque trouve ce qui intéresse ses consommateurs et ait un discours très aspirationnel. »

C'est alors que l'on rappelle à Alexandra le lancement de l'expérimentation de l'affichage environnemental en France, une première mondiale… qui a été reprise par l'Europe pour être généralisée. Sa réponse est claire : « Bien sûr, nous avons participé à cette expérience. Nous l'avons fait avec la marque Garnier Ultra Doux. Notre retour d'expérience, c'est qu'il faut simplifier pour être lisible et compréhensible. À chacune de nos marques de trouver sa manière d'engager la conversation avec ses consommateurs. Par exemple, Biotherm, qui est liée à l'eau dans son ADN même, a lancé une plateforme Internet "Biotherm water lovers" sur son site corporate (www.biotherm.fr). Cette plateforme montre l'engagement de la marque pour la préservation des eaux de la planète et de la vie aquatique, à la fois dans ses process d'innovation et de production, mais aussi dans son dialogue avec ses consommateurs pour les inciter à des modes de consommation plus responsables. Sur sa page Facebook, Biotherm a créé une animation : "Dans la salle de bain Biotherm. Quel consommateur d'eau êtes-vous ?" qui permet d'évaluer sa consommation et indique des écogestes pour la diminuer. Par ailleurs, la plateforme informe les consommateurs sur les opérations de financement à l'échelle locale et mondiale, de projets qui contribuent à

la protection des eaux du globe à commencer par ceux de l'ONG Mission Blue : Biotherm finance, grâce à des opérations de produit-partage sur des éditions limitées, la création de "Points Espoir" ou d'espaces marins protégés assez grands pour reconstituer le cœur bleu de la planète. »

Autre sujet adressé à un groupe comme L'Oréal, la communication responsable, c'est-à-dire sa responsabilité en matière de publicité avec des questions comme : Quelle représentation des hommes et des femmes ? Quelle influence sur les imaginaires ? À cette question Alexandra répond d'abord en juriste : « Nous sommes signataire de la charte sur la publicité et le marketing responsable de Cosmetics Europe, de la charte d'engagement volontaire sur l'image du corps ou encore de la charte de communication responsable de l'UDA. Ces engagements aident L'Oréal à travailler pour s'améliorer en continu sur ces sujets : la communication responsable fait d'ailleurs partie des sujets clés rassemblés dans les "Fondamentaux du contrôle interne" du Groupe. » Pour implémenter ces engagements, le groupe a commandité en 2013 une étude sémiotique sur l'image de la femme véhiculée par les publicités des marques Lancôme, Garnier, Vichy, et L'Oréal Paris. Elle a été l'occasion pour Alexandra d'organiser une session parties prenantes sur le sujet : « Cette session a été particulièrement instructive, car elle nous a permis de questionner, avec les ONG et experts invités, le portrait des femmes dessiné par chacune des marques. »

Enfin, dernier sujet de discussion avec Alexandra, la vision du groupe sur l'évolution du marché des cosmétiques, en particulier sur l'émergence rapide du segment du bio : « Le bio reste une niche qui, contrairement à ce que l'on peut penser, n'a pas beaucoup augmenté. Les études dont nous disposons démontrent que c'est une erreur de croire que le "green" est un facteur d'augmentation des ventes. Pour autant, les marques responsables ont le vent en poupe, en particulier chez les jeunes générations. Nous avons d'ailleurs dans notre portefeuille The Body Shop, marque mythique créée par Anita Roddick, avec une vision alternative basée sur des valeurs fortes (lutte contre les tests sur les animaux, promotion du commerce équitable, etc.) dont nous souhaitons qu'elle reconquière son statut de marque leader sur ce créneau».

CORONA
JWT, Madrid
**UN HÔTEL CONSTRUIT
À PARTIR DE DÉCHETS**

En 2008, Corona a lancé le projet *Save the Beach*, destiné à préserver une plage européenne par an. Son objectif était de créer le buzz afin de rappeler aux gens que s'ils ne nettoient pas derrière eux, toutes les plages d'Europe risquent d'être remplies de détritus.

Corona a donc construit un hôtel à partir de déchets, ce qui était une première mondiale. L'établissement a ouvert ses portes à Rome, puis un autre est sorti de terre à Madrid, en utilisant 12 tonnes de déchets récoltées sur diverses plages européennes. Après avoir passé la nuit dans l'hôtel, les clients pouvaient raconter leur expérience à Corona. L'idée a reçu un certain écho et fait l'objet d'une couverture médiatique dans 180 pays. Le top model danois Helena Christensen y a même séjourné et a fait part de ses impressions.

Bière associée à la fête sur les plages, Corona a renforcé sa notoriété, bien au-delà d'un ou deux nettoyages de plage. Cette campagne montre sa compassion pour l'environnement et repose sur une idée suffisamment forte pour faire parler d'elle dans le monde entier.

La philosophie de cet hôtel est de montrer les dégâts que nous infligeons à la mer et au littoral… Nous vivons à l'ère des ordures et courons le risque de devenir nous-mêmes des déchets. Souhaitons-nous vraiment vivre dans ce monde ?

H. A. SCHULT, ARTISTE QUI A CONÇU CET HÔTEL

HAAGEN-DAZS
Goodby, Silverstein & Partners,
San Francisco
AIDEZ LES ABEILLES

Quand un Américain moyen mange, une bouchée sur trois est directement liée à la pollinisation des abeilles.

HELPTHEHONEYBEES.COM

Avec sa campagne « Help the Honey Bees », Häagen-Dazs défend une cause adaptée à son offre, excellent moyen de faire le bien tout en soignant sa notoriété.

Cette campagne est sur le thème du syndrome de l'effondrement des colonies d'abeilles. Les abeilles disparaissent mystérieusement laissant des ruches vides. En dehors du miel, Häagen-Dazs utilise des fruits pollinisés par les abeilles. La démarche de la marque est donc parfaitement logique. Elle a montré son engagement en créant un site Web riche en informations, une crème glacée spéciale dont le fruit de la vente revient à la cause des abeilles, ainsi qu'un comité pour les abeilles (composé

d'entomologistes et de spécialistes du syndrome d'effondrement des colonies d'abeilles). Ce problème a été abordé au Congrès américain, conséquence directe des efforts de la marque.

En soutenant une cause en synergie avec ses produits, Häagen-Dazs fait le bien tout en renforçant son offre aux consommateurs. Chaque marque peut trouver une cause à soutenir. Les associations caritatives axées sur l'alimentation et l'eau trouveront sans doute toujours des financements, mais qui va sauver les abeilles ?

Nature needs honey bees. We all do. After all, they're responsible for pollinating one third of all the foods we eat, like the cherries and pears that make our all-natural ice cream so delicious. But they're disappearing at an alarming rate. Learn how to help at helpthehoneybees.com
Häagen-Dazs® Vanilla Honey Bee

honey, please don't go

Häagen-Dazs
made like no other®

hd ♥ hb
Häagen-Dazs loves Honey Bees

VOLKSWAGEN
DDB, Stockholm
THE FUN THEORY

Comment faire en sorte que les gens changent de comportement et agissent bien, surtout quand cela demande un peu plus d'efforts que d'habitude ? La réponse est de rendre cela amusant. C'est précisément ce que Volkswagen a fait en Suède. Grâce à quatre réalisations publiques, ils ont montré que l'on peut faire le bien en s'amusant, que conduire une voiture respectueuse de l'environnement n'est pas nécessairement ennuyeux. Pour commencer, « The Fun Theory » a installé un escalier-piano, un conteneur à verre-machine à sous et la poubelle la plus profonde du monde. Puis une campagne virale a été lancée sur YouTube. L'escalier piano, installé à une station de métro très fréquentée, jouait des notes à chaque fois qu'il était emprunté, essayant ainsi de dissuader les personnes de prendre l'escalator ou l'ascenseur. Le conteneur-machine à sous transformait la dépose de bouteilles en verre en jeu. La poubelle la plus profonde du monde émettait un son de chute vertigineuse (style dessin animé) à chaque fois que quelqu'un mettait un détritus dedans.

La quatrième réalisation était un radar-loterie, réalisé dans le cadre d'un concours pour la campagne « The Fun Theory », qui demandait aux consommateurs de soumettre leurs idées pour bien agir de manière la plus amusante. Un radar au fonctionnement tout à fait classique recensait les conducteurs passant devant sous la vitesse limite. Une partie de l'argent récolté grâce aux contraventions pour excès de vitesse était donnée à une personne, tirée au sort, passée devant ce radar en respectant la vitesse limite. Cette idée amusante a eu un impact positif, puisque la vitesse moyenne sur cette route a baissé de 15 %.

Naturellement, cette approche passionnée fut également bonne pour les affaires, car la part de marché de Volkswagen sur le segment écologique des voitures est passée de 8 % à 14,7 %, soit une augmentation de 87 %. Et, pour couronner le tout, les ventes de Passat EcoFuel ont augmenté de 106 %. La part de marché globale de Volkswagen Suède est passée de 10 % à 13 %. Alors, comment envisagez-vous d'exploiter la dimension ludique dans vos campagnes pour encourager vos consommateurs à bien agir ?

THE ZIMBABWEAN
TBWA\Hunt\Lascaris, Johannesburg
**LA CAMPAGNE
À UN TRILLION DE DOLLARS**

Le journal *The Zimbabwean* est né en 2005 quand des journalistes ont été exilés du Zimbabwe pour avoir critiqué le régime du Président Mugabe. Le journal était fabriqué en dehors du pays afin d'éviter l'intervention du gouvernement, mais en 2008, ce dernier a appliqué à tous les journaux faits à l'étranger un droit de douane pour les produits de luxe de 55 %, dans l'espoir de faire couler *The Zimbabwean*. Afin que le peuple zimbabwéen puisse lire ses colonnes et connaître la vérité, le journal a dû être subventionné par des personnes vivant hors des frontières du Zimbabwe.

Plutôt que d'expliquer les raisons compliquées de l'effondrement du Zimbabwe, le journal a choisi de se servir de la conséquence la plus concrète de la mauvaise gestion de Mugabe, à savoir le dollar zimbabwéen, devenu sans valeur à cause de l'inflation. En imprimant sur des billets zimbabwéens (dont des coupures de 100 trillions ou milliards de milliards de dollars), les journalistes ont pu montrer dans quel état se trouvait le monde. Des trillions de dollars ont été ainsi donnés au grand public et les tout premiers panneaux d'affichage en argent ont vu le jour (cela restait malgré tout meilleur marché que d'imprimer sur du papier classique).

La semaine ayant suivi le lancement de la campagne, on a enregistré 2 millions de connexions sur le site Web du *Zimbabwean*, déclenchant une prise de conscience de la crise financière que connaissait le pays. Depuis, le droit de douane a été levé, mais le journal continue d'être fabriqué à l'étranger, puis acheminé par camion dans le pays afin d'éviter la censure du gouvernement zimbabwéen.

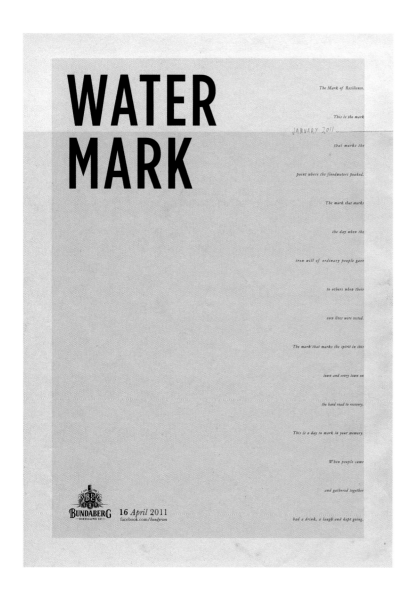

BUNDABERG RUM
Leo Burnett, Sydney
WATERMARK

À la suite des inondations ayant frappé le Queensland australien en décembre 2010, la marque de rhum Bundaberg Rum, acteur majeur de cet État, a apporté son aide. Une fois les opérations de nettoyage terminées dans leur distillerie (située dans le Queensland), l'entreprise a créé le rhum Watermark, une édition limitée qui est partie en l'espace d'une semaine, avant une seconde ruée peu de temps après.

Afin de promouvoir le rhum et remonter le moral des 4,5 millions d'habitants du Queensland victimes des inondations, l'entreprise Bundaberg s'est rendue dans les 16 villes les plus touchées et a tracé dans les pubs une marque symbolisant le niveau de la crue (*watermark*, en anglais). Pour le lancement de Watermark, ils ont également organisé un festival de musique dans chacune de ces 16 villes, les festivités démarrant le 16 avril à midi.

Marque étroitement liée à sa région, Bundaberg a fait preuve d'un dévouement et d'une compassion indéniables envers le Queensland. Le produit de la vente de l'édition Watermark a servi à reconstruire le Queensland, ce qui a beaucoup fait pour la réputation de Bundaberg Rum.

Quand Watermark a été commercialisée, les gens ont fait la queue pendant plus de 96 heures pour l'acheter (plus que pour la sortie de l'iPad).

LEO BURNETT

HENKEL, LE CHAT
Sidièse, Paris
LAVONS MIEUX

Plateforme de marque
« Lavons mieux » pour Le Chat

En 2014, Henkel déployait une nouvelle plateforme de marque innovante sur le lavage et les meilleurs comportements éco-citoyens. Henkel a souhaité relancer « Le Chat Eco-Efficacité » avec une large campagne de communication grand public. C'est l'agence de communication Sidièse qui a accompagné la réflexion de la marque pour concevoir une démarche de communication globale et co-construite.

Pour sensibiliser le grand public sur les impacts du lavage et promouvoir les meilleurs usages, la marque a mis en place des ateliers de travail entre experts et consommateurs sur leurs perceptions des enjeux sociaux, environnementaux et économiques. L'objectif : élaborer les meilleurs messages pour une communication efficace, plus connectée aux attentes de la société et des consommateurs.

Cette campagne a été déployée sur différents canaux. Le premier : le site Web lavonsmieux.com qui permet de découvrir la démarche de la marque, de retrouver les vidéos d'experts et d'obtenir des conseils pratiques à mettre en application pour que les gestes quotidiens du lavage soient efficaces, économiques et plus respectueux de l'environnement.

Une mini série (*Les Brèves de Hublot*) a été diffusée sur le site Internet (saison 1 en avril 2014). Elle tord le cou aux idées reçues de façon ludique et décomplexée. Encore une preuve que communication responsable peut rimer avec humour. Un dispositif *in store* a également accompagné la campagne afin d'aller directement à la rencontre des consommateurs et de leur donner des solutions pour « Laver mieux ».

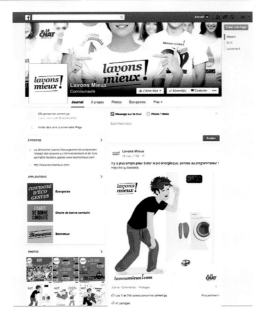

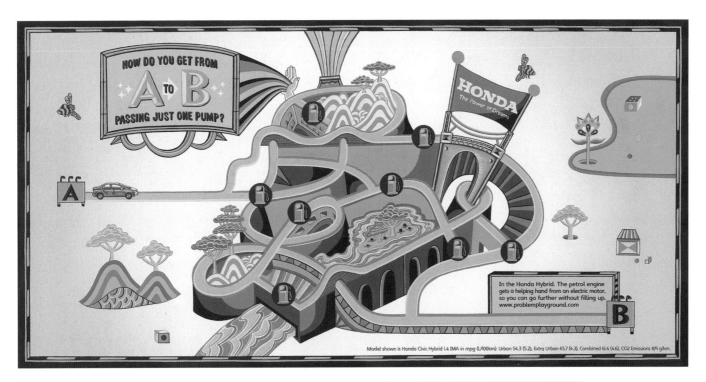

HONDA
Wieden+Kennedy, Londres
PROBLEM PLAYGROUND

Afin de promouvoir ses voitures hybrides et ses efforts en matière de durabilité, Honda a lancé la campagne « Problem Playground » (cour de récréation à problèmes). Les spots TV mettent en scène des ingénieurs de la marque qui font des puzzles géants et créent une structure à base de Rubik's cubes résolus. Nous constatons alors qu'ils savent très bien résoudre les problèmes, le tout en prenant beaucoup de plaisir. Cette campagne est également soutenue par un site Web qui aide les consommateurs à découvrir les initiatives de Honda et, entre autres choses, à apprendre à calculer les économies que leur ferait réaliser une voiture hybride.

Un slogan de leur spot TV résume parfaitement l'attitude positive de Honda : « Quand vous aimez résoudre des problèmes, chaque nouveau problème n'est-il pas un parfait terrain de jeu ? ». Assumer la mission consistant à résoudre la crise climatique n'est pas une mince affaire. Avec son attitude positive et volontaire, Honda opte pour un positionnement d'engagement et de confiance.

HONDA
Wieden+Kennedy, Londres
GRRR

Est-ce que la haine peut être bonne ? Est-ce que la haine peut entraîner un changement positif ? Honda nous a posé cette question et a découvert que la réponse était « oui ». Quand Kenichi Nagahiro, l'ingénieur responsable du développement des moteurs et inventeur du célèbre moteur V-Tec, a annoncé au marché européen l'arrivée du nouveau moteur diesel de Honda, il a dit une chose qui, avec le temps, allait générer un nouveau mouvement : « Je hais les diesels ».

Honda a pris cela à cœur et en a fait sa philosophie. Et si la haine pouvait

constituer une force positive ? La haine de Nagahiro pour les moteurs diesel – leur bruit et leurs émissions – le poussa à améliorer le moteur diesel de Honda en le rendant de meilleure qualité, plus propre et plus silencieux. C'est ainsi qu'est née la campagne « Grrr », avec son accroche entendue par de nombreuses personnes, « *Hate something, change something* » (Haïssez quelque chose, changez quelque chose).

Cette campagne ne portait pas simplement sur les moteurs, mais sur la façon dont les gens sont capables de changer ce qu'ils n'aiment pas. Elle est

sortie du lot – les publicités de voiture qui ne montrent aucun véhicule sont rares – et a repoussé les limites de la publicité automobile. Preuve de son succès universel, la chanson du film est passée à la radio et a fait l'objet d'une sonnerie de portable téléchargeable. Et, preuve de l'excellent accueil réservé à cette philosophie, au Royaume-Uni, un centre de désintoxication l'a même intégrée à son programme de traitements.

NIKE
Wieden+Kennedy, Portland
UN MONDE MEILLEUR

Nike Better World est le terme générique de Nike pour désigner tous ses projets visant à faire le bien. Cela inclut un spot publicitaire TV réalisé à partir de pubs Nike recyclées, des maillots de football fabriqués avec des bouteilles de plastique recyclées et le programme GreenXchange de la marque, dont le but est de partager entre entreprises des idées et brevets axés sur le développement durable.

L'initiative Considered Design est associée à Nike Better World. Elle place la marque à la pointe des produits de sport basés sur la performance dont l'impact sur l'environnement est faible grâce à une diminution des déchets lors des phases de conception et de fabrication, ainsi qu'à l'utilisation de matériaux respectueux de l'environnement et à la suppression des produits toxiques. Par exemple, rien qu'en 2011, Nike espérait exploiter l'équivalent de plus de 440 millions de bouteilles en PET (en polytéréphtalate d'éthylène), provenant du flux des déchets ménagers.

Des trois grandes marques mondiales de sport, Nike semble être la spécialiste de la responsabilité sociétale et de l'innovation, afin de contribuer à la performance tout en préservant l'environnement. Ils ont traduit leur passion de la victoire en compassion afin d'améliorer le monde. Des chaussures conçues pour les pieds des Américains à la remise à neuf des terrains de basket de New York, Nike a pris le parti d'être une marque qui se soucie non seulement de votre corps, mais également de tous les aspects de votre vie.

Si une marque spécialisée dans le sport est capable d'afficher son engagement et d'aller au-delà du credo consistant à courir plus vite, être plus fort et battre l'adversaire, l'espoir que des marques puissent contribuer à améliorer le monde est réel. Avec toutes ces initiatives, Nike parvient également à jeter le gant aux autres marques de sport. Relèveront-elles le défi ?

TIDE
Saatchi & Saatchi, New York
LES DOSES DE L'ESPOIR

Tide fabrique de la lessive et, en cas d'urgence, son programme « Loads of Hope » (doses d'espoir) se rend dans les régions frappées par une catastrophe et aide les gens dans un domaine que la marque maîtrise parfaitement : laver des vêtements. Une laverie automatique mobile capable de faire 300 lessives par jour est envoyée sur place. Les vêtements sont lavés, séchés et pliés gratuitement afin que les familles puissent se concentrer sur des choses plus importantes.

Aux États-Unis, l'équipe du programme Loads of Hope s'est rendue à la Nouvelle-Orléans après le passage de l'ouragan Katrina en 2005, à Bâton-Rouge suite à l'ouragan Gustave en 2008 et même à Haïti après le séisme de 2010. Début 2011, Tide avait à son actif plus de 49 000 lessives et aidé plus de 35 000 familles.

Cet engagement est très fort. En apportant une chose simple, dans son domaine d'activité, Tide ne fera jamais des promesses qu'elle ne peut pas tenir ou n'apportera jamais une contribution très éloignée de la marque. Utiliser les valeurs de votre marque et faire le bien peut être parfois plus efficace que de rallier une cause très étrangère à votre domaine de prédilection.

> *Quand des familles sont frappées par une catastrophe, elles sont souvent incapables de satisfaire leurs besoins les plus élémentaires : nourriture, eau, gîte et vêtements propres. Disposer de vêtements propres est intimement lié à l'identité et aide les victimes à retrouver un peu de leur vie quotidienne.*

SAATCHI & SAATCHI

CRÉATIVITÉ

6.

CRÉATIVITÉ
Et si…?

Le pouvoir d'une grande idée

Je crois fermement au pouvoir de transformation des idées : les grandes idées, les idées courageuses et même les idées effrayantes. L'histoire est jalonnée de quelques grandes idées qui nous ont marqués : religion et capitalisme, par exemple. Certaines idées, telles que la ligne dure du communisme, ont fini par doucement disparaître, tandis que d'autres, comme le capitalisme, se sont fragmentées pour donner de nouvelles idées. Aujourd'hui, la création et le contrôle des idées ne sont pas réservés à un petit groupe : religieux, hommes politiques ou riches. Si vous avez une grande idée, Internet vous permet de la partager avec le monde entier pour un retour instantané. Internet est un outil permettant aux marques de présenter leurs idées.

Si votre idée est suffisamment ambitieuse, vous avez la possibilité de toucher des milliards de personnes. Si votre idée est suffisamment audacieuse, vous serez peut-être en mesure de changer l'essence même de la consommation. Aux États-Unis, lors du Black Friday (le vendredi suivant Thanksgiving, qui marque le début des soldes), Patagonia a lancé une série de publicités imprimées mettant au défi le consumérisme déchaîné avec un titre disant «N'achetez pas cette veste ! ». Ces publicités avaient pour but de faire réfléchir les consommateurs avant d'acheter et de les inciter à plutôt mettre des vêtements déjà présents dans leur garde-robe. Dans le secteur du marketing, nous n'inventons pas des médicaments, nous ne créons pas de nouvelles sources d'énergie, mais nous pouvons exploiter notre créativité et nos techniques de communication afin de planter la graine du changement dans l'esprit du public et lui montrer l'avenir durable qui se profile, s'il souhaite nous suivre.

VOYEZ LES CHOSES EN GRAND, IMAGINEZ LA PAIX DANS LE MONDE

Le réalisateur et acteur Jeremy Gilley avait un objectif semblant impossible à atteindre : une journée internationale de la paix. Le combat qu'il a livré pendant trois ans a porté ses fruits en 2001 quand les Nations Unies ont officiellement déclaré le 21 septembre, Journée internationale de la paix. Un documentaire est venu illustrer ses efforts, dont l'apogée s'est situé le jour où les deux camps du conflit afghan ont déposé les armes pendant une journée.

Remettez en cause vos idées en vous demandant : «Et si…?»

Les grandes idées ébranlent le statu quo. Soyez curieux et commencez votre quête en vous demandant «et si…?». Cette question vous obligera à ignorer les règles établies, à défier la sagesse populaire et à imaginer l'impossible. Forcez-vous à ne jamais cesser de vous informer. Rien n'est trop stupide et tout est possible. L'équipe à l'origine de la campagne «Replay» de Gatorade a osé poser ces questions. Celle, plutôt bizarre, à l'origine de l'idée était la suivante : «Et si Gatorade était une chaîne de sport et non une marque de boisson?» Il en a résulté une série télé dans laquelle des hommes, désormais âgés d'une trentaine d'années, rejouaient un match de football disputé une première fois quand ils étaient au lycée et qui s'était soldé par un match nul décevant.

Si vous ne posez pas les bonnes questions, vous ne trouverez jamais les bonnes réponses. Et si bien agir devenait plus amusant? La réponse pourrait être la campagne «The Fun Theory» de VW. Et si les gens pouvaient voir les vrais effets des antirétroviraux? La réponse est le film Selinah, qui met en scène la convalescence miraculeuse d'une femme séropositive grâce aux antirétroviraux. L'idée parfaite pourrait bien se trouver parmi les 100 «et si». Il n'existe pas de formule magique de la

Ci-contre «Xylophone», NTT Docomo Drill, Tokyo
(voir pages 152-153)
Ci-dessus «Replay», Gatorade, TBWA\Chiat\Day,
Los Angeles (voir page 146)

«La voix», Reporters sans frontières, Publicis,
Bruxelles (voir page 151)

«Le pouvoir du vent», Epuron Nordpol, Hambourg
(voir page 145)

créativité, mais se montrer curieux et remettre en cause les modes de
pensée bien ancrés aide particulièrement. C'est la même chose dans
n'importe quel autre secteur d'activité posant une question audacieuse,
ce qu'a fait Apple en se demandant «Et si la musique était véritablement
numérique?». La réponse fut l'iPod, qui a complètement révolutionné
l'industrie de la musique.

La créativité pour se démarquer

Dans la mesure où la concurrence pour se montrer plus responsable est
de plus en plus acharnée, la créativité est le seul moyen de sortir du lot.
Selon une étude de l'Institute of Practicioners in Advertising (IPA) et de
Thinkbox, les publicités remportant des prix de créativité sont 11 fois
plus efficaces. Janet Hull, la directrice de l'IPA, l'explique très bien : «Les
campagnes très créatives augmentent l'efficacité : plus vous êtes créatif,
plus votre investissement porte ses fruits. Et l'efficacité de ces
campagnes créatives est en train de s'accroître. Une plus grande
créativité entraîne un engagement supérieur de la part des clients.
L'importance de produire un contenu surprenant ou stimulant n'est donc
pas à négliger. » Les avantages de la créativité sont si évidents et les
exemples si nombreux qu'ils ne sauraient être ignorés.

Soyez celui qui résout les problèmes

Au-delà de vos fonctions de directeur artistique ou marketing, vous devez
être avant tout capable de résoudre des problèmes. Si vous parvenez à
passer de la sensibilisation à la résolution concrète du problème, la valeur
ajoutée est réelle et les résultats sont tangibles. Cela revient à passer du
discours à la solution. Et c'est précisément l'effet que recherchait WWF en
militant pour une diminution du nombre d'impressions via la création d'un
nouveau format de document, le fichier .wwf, qu'il est impossible
d'imprimer. Ils ont pris le mal à la racine pour en venir à bout, tandis que
d'autres campagnes anti-impression ont sombré dans l'oubli avec
l'affaiblissement de l'écho médiatique. L'application mobile de Toyota,
«A Glass of Water» répondait à la même approche en rendant visible au
conducteur sa consommation de carburant. L'être humain modifie son
comportement s'il perçoit l'importance de la démarche. L'innovation

sociale ou environnementale, si elle se situe au cœur du modèle
économique de l'entreprise, est d'une valeur inestimable et montre que
les supports traditionnels ne sont pas toujours la réponse et très rarement
la solution.

Défiez les médias

Tout est communication. Si vous vous penchez sur l'industrie sœur de la
publicité, le design, vous constatez que cette activité a devancé la
publicité à certains égards, en se chargeant très tôt de sauver le monde
et en élargissant la notion même de design. Par exemple, que vous
conceviez une brosse à dents ou une ville, il s'agit dans les deux cas de
«design». Vous devez effectuer les mêmes processus et faire preuve
d'une grande endurance afin d'assurer une vision globale du projet,
dont tous les éléments sont ou peuvent être de la communication. Pour
continuer à rester adapté à la vie des consommateurs, vous devez
évoluer, surtout quand la construction de relations par le biais des
médias traditionnels devient de plus en plus difficile et coûteuse. Lors
de la campagne Earth Hour de WWF, les monuments les plus célèbres
au monde ont été transformés en plateforme de communication
lorsque l'on a éteint leur éclairage, afin de sensibiliser l'opinion à la
cause du changement climatique. Cette action spectaculaire a été
massivement relayée par la presse.

La question «Et si…?» peut également vous aider à transformer
n'importe quoi en support et en possibilité. Lors de la campagne de
collecte de fonds pour Guide Dogs Australia, la réponse à la question
«Et si…?» a été de vendre un parfum afin que l'on puisse sentir votre
don à la cause : ainsi, une personne aveugle pouvait savoir olfactivement
que vous la souteniez. La créativité permet de trouver des solutions là où
d'autres n'ont rien vu, ni senti.

Utilisez comme modèle le marché responsable

L'historique de la fabrication des produits est de plus en plus au cœur
des relations avec les consommateurs. Le mode de fabrication d'une
télévision et les matériaux qu'elle renferme sont aussi importants que

UN CASIER DE BOUTEILLES DE COCA SAUVE DES VIES

ColaLife est une organisation qui a trouvé une idée vraiment révolutionnaire : Coca-Cola dispose du plus grand réseau de distribution en Afrique. Pourquoi ne pas l'utiliser pour livrer des médicaments vitaux aux villages reculés ? Un projet-pilote est en cours en Zambie dont vous pouvez suivre l'avancement sur le site www.colalife.org.

l'histoire que vous racontez dans vos publicités. C'est l'occasion de se montrer créatif et de rechercher des idées dans de nouveaux endroits, de la façon dont le produit est fabriqué à celle choisie par les consommateurs pour s'en débarrasser. Cette approche demande également énormément de curiosité : on doit s'interroger sur le produit ou l'entreprise, comme le fait l'anthropologue qui étudie une tribu indigène. Aucune réponse ne va de soi. L'entreprise de l'industrie éolienne Vestas a émis l'idée de considérer le vent comme un « ingrédient » en étudiant puis en communiquant sur le cycle de vie et l'historique des produits. Grâce à cette démarche judicieuse, WindMade est devenu un label et l'entreprise a facilité la vie des consommateurs qui peuvent choisir un produit fabriqué grâce à une énergie renouvelable et non un produit à l'historique obscur, probablement né grâce à un combustible fossile ou à l'énergie nucléaire. Vous aurez peut-être besoin de nouvelles connaissances pour poser la bonne question et, avec un peu de chance, ce livre contribuera à mettre en lumière les pièges et possibilités dans le cadre de cette révolution responsable. De la même façon que notre secteur d'activité commence lentement à maîtriser les supports numériques, la responsabilité sociétale des entreprises passe aussi par une longue courbe d'apprentissage : plus vite vous l'adopterez, plus vite vous creuserez l'écart sur vos concurrents.

Les bonnes campagnes apportent de bonnes réponses

Les réponses à la question « Et si… ? » sont multiples. Servez-vous de cette question comme d'un outil pour voir les choses en plus grand. Comme le montrent les exemples ci-dessus, les grandes campagnes proposent des réponses très pertinentes. La créativité des publicitaires a permis à Coca-Cola de vendre ses produits dans les coins les plus reculés du monde, mais imaginez tout le bien qui pourrait être fait si ce talent et ce sens des affaires servaient à éduquer les femmes africaines en matière de prévention des maladies et d'hygiène élémentaire ou à apprendre aux consommateurs des pays industrialisés à se montrer plus responsables et à penser développement durable. À vous maintenant de répondre à cet appel en faisant preuve d'une créativité visant à améliorer le monde.

L'une des méthodes ingénieuses de ColaLife
pour distribuer des médicaments

Interview
DAVID DROGA

David Droga est actuellement l'un des plus éminents acteurs du secteur de la publicité. Avec Droga5, il a créé une agence indépendante qui rafle toutes les récompenses et repousse les limites de l'efficacité de la publicité responsable. Cet Australien, dont la mère est une activiste écologique et le père a le sens des affaires, m'a dit que ce dernier avait toujours voulu diriger le monde et sa mère souhaité le sauver. J'ai pu voir en lui ces deux traits de caractère au cours de notre conversation.

David Droga est indubitablement un homme passionné. Il évolue dans la sphère de la publicité depuis plusieurs décennies mais travaille toujours d'arrache-pied. Comme le savent nombre de personnes travaillant dans ce secteur d'activité, le métier de publicitaire est une passion qui se vit non-stop. David Droga se sert de cette passion pour repousser les limites du potentiel mais également de l'essence même de la publicité. Des initiatives telles que le Tap Project (page 80) et Million (page 185) montrent une profonde compréhension de la communication, mais également en quoi le talent des publicitaires peut servir à rendre le monde meilleur.

Le Tap Project, en particulier, est très proche des convictions de David Droga en termes d'impact et de portée. «Cela dépasse vraiment la publicité traditionnelle à mes yeux. Cela correspond à ce que je désire atteindre : oui, nous sommes une entreprise génératrice d'idées, notre créneau est le marketing et la création de marques, mais il s'agit pour nous d'utiliser notre créativité pour faire le bien ou, comme je le dis toujours, en ayant un but. [Il s'agit] de dépasser le caractère jetable de la publicité et de [prouver] que c'est l'envergure de l'idée et non la taille du budget qui est primordiale aujourd'hui.»

David Droga m'a dit que l'un des moments dont il est le plus fier est son passage à Cannes en 2011 et de constater que le Tap Project a été

Si les marques souhaitent jouer un véritable rôle dans la société, elles doivent lui apporter leur contribution.

adopté dans d'autres pays, au sein desquels d'autres agences se montraient créatives d'une manière qu'il ignorait complètement. « Ça n'avait rien à voir avec ce que je faisais, mais je suis fier que cette idée nous dépasse, dépasse le concept initial et se retrouve dans d'autres pays, sous la forme d'une chose concrète, sincère, potentiellement incroyable… de voir d'autres agences la considérer comme une occasion de se montrer très créatives… J'en suis plus fier que de tous les grands prix remportés et de tout le reste – non pas que je renie ces grands prix… Le Tap Project a fait beaucoup de bien à notre moral et à notre éthique en tant qu'agence, mais aussi à notre fierté personnelle, par exemple, quand nous parlons de notre activité lors d'un dîner. C'est incroyable. Cela renforce ma conviction, selon laquelle toutes les grandes idées sont ancrées dans le quotidien et coulent de source. »

En gardant ces initiatives à l'esprit, David Droga considère que le secteur de la communication a un rôle primordial à jouer, non seulement pour diffuser des messages positifs, mais également pour apporter, sur la durée, sa pierre à l'édifice. « Le monde est conscient de sa contribution, de ce qu'il fait. L'industrie est consciente des messages qu'elle envoie, de l'empreinte qu'elle laisse et les marques souhaitent faire de leur mieux. Le pouvoir de réflexion, la puissance stratégique collective, ainsi que toute la volonté et l'énergie de notre secteur d'activité peuvent générer des transformations. Je sais que nous huilons les rouages du capitalisme, et plutôt sacrément bien, mais l'imagination et la créativité vont faire partie des armes pour changer le monde. J'en suis persuadé. Parmi les plus gros problèmes à gérer, certains seront résolus par des scientifiques et des docteurs, Dieu merci, mais, concernant d'autres soucis, nous pouvons apporter notre modeste contribution, à hauteur ne serait-ce que d'un ou deux pour cent, en les abordant d'une manière originale, même si ça n'a rien d'impressionnant. »

Pour David Droga, tout est une question d'honnêteté et d'action. Marques et entreprises doivent joindre le geste à la parole afin d'être acceptées par les nouveaux consommateurs avertis. « Si les marques veulent jouer un véritable rôle dans notre société, elles doivent apporter leur contribution à son bon fonctionnement. Maintenant, je ne dis pas que tout est du ressort des marques, mais si vous profitez des femmes au foyer et des mères, vous devez jouer un rôle et apporter quelque chose à leur vie… Le business a profondément évolué : les principes demeurent les mêmes, mais on est passé du discours aux actes. Et c'est sur ces derniers que vous serez jugé. Il n'est pas question qu'une entreprise spécialisée dans les sodas doive venir à bout de la lèpre à elle seule, mais pour rayonner au niveau international, vous savez que… Le problème, ce sont les gouvernements. Ils ont énormément d'argent mais font plaisir aux électeurs. Il faut qu'on les voie agir une fois tous les quatre ans, tandis

que le consommateur vote tous les jours. Chaque fois qu'il achète un produit, il vote, en quelque sorte. Les marques doivent donc s'efforcer d'apporter quotidiennement une plus grande contribution au monde. »

David Droga a une vision ambitieuse, voire démesurée pour Droga5, mais sa motivation et sa détermination sont indéniables. « Je veux bâtir l'entreprise créative la plus influente au monde. Je sais que ça paraît ridiculement ambitieux de dire ça, mais c'est mon but. Par influente, j'entends d'une taille susceptible d'opérer un changement, d'apporter notre contribution aux différents secteurs économiques, d'installer des marques, de garantir des changements sociaux, de faire le bien socialement, d'influer sur la culture pop, toutes ces sortes de choses. Je souhaite que nous soyons en mesure de provoquer des changements positifs, quel que soit le domaine dans lequel nous intervenons [et] je veux que nos idées survivent aux budgets médias… Je désire que nous soyons les meilleurs pour améliorer les choses. » Vu le palmarès de Droga5 – quatre prix Titane à Cannes (le plus grand nombre de prix Titane jamais remportés à Cannes par une agence), voilà un cheval sur lequel il faudrait être bien stupide de ne pas parier.

En ce qui concerne la publicité responsable proprement dite, David Droga a présenté ses opinions. Il suggère de commencer par se poser les questions suivantes : « Pour quelle raison votre marque existe-t-elle, au-delà de la volonté de gagner de l'argent ? Quelle est sa place dans le monde ? L'important n'est pas simplement ce que vous dites. Que fait votre marque ? Quel est le langage corporel de votre marque ? C'est ce que je dis toujours. Ses actes plus que son discours… J'adore dire ceci : depuis 50 ans, notre secteur d'activité a eu pour vocation de fabriquer du papier cadeau. C'est toujours le cas, mais nous commençons également à influer sur ce qui se trouve dans la boîte. Et ça me passionne vraiment. »

Je reprends le défi de David Droga et vous pose la question, « Qu'allez-vous mettre dans cette boîte ? »

La stratégie de communication était basée sur l'idée que la Suède a des millions de mauvais conteurs. Tous les enfants adorent quand leurs parents leur racontent des histoires. Mais une bonne histoire est difficile à improviser. Elle se dilue facilement pour devenir un méli-mélo de princesses, de bâtonnets de poisson et de choses qui sont arrivées au travail ce jour là.

DDB

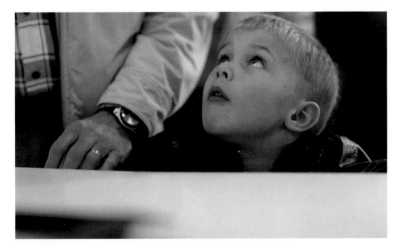

MCDONALD'S
Prime PR and DDB, Stockholm
BOOK HAPPY MEAL

Cela fait des années que le Happy Meal de McDonald's est une aubaine pour l'entreprise en termes de marketing, avec des films et des jouets associés au menu qui exploitent tout le pouvoir d'influence des enfants. Et si le jouet qui accompagne le Happy Meal était un livre, un objet capable d'inciter enfants et parents à se rapprocher et non quelque chose qui s'oublie au bout d'un ou deux jours et qui se retrouve à la poubelle ?

En Suède, McDonald's a répondu à cette question en lançant le Book Happy Meal en 2009. Soutenue par la famille royale suédoise et dotée d'un site Web sur lequel les parents pouvaient créer leurs propres histoires loufoques à raconter à leurs enfants, cette campagne est allée bien au-delà de la distribution de petits jouets bon marché. Comme pour toutes les promotions lancées chez McDonald's, l'opération Book Happy Meal a dû prouver que le jeu en valait la chandelle et parvenir à un nombre de ventes au moins égal à ce qu'avaient réussi les autres programmes Happy

Meal pendant l'année. La bonne nouvelle, c'est que cette campagne est devenue le meilleur Happy Meal mis en place en Suède en 2009.

À une époque où nombre de pays se montrent critiques envers les Happy Meals — ils ont été interdits à San Francisco, par exemple —, la campagne a prouvé qu'ils pouvaient encore faire le bien. Outre la promotion des ventes, elle est parvenue à dynamiser la sphère de l'édition suédoise – 920 000 livres ont été distribués, représentant un bond de 26 % de l'édition pour enfants. En outre, l'opération a touché 10 millions de personnes à travers les médias, soit plus que toute la population suédoise… ce qui prouve que faire le bien avec créativité peut attirer l'attention.

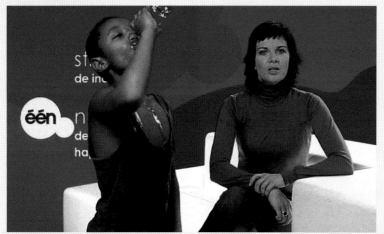

STUDIO BRUSSEL
Mortierbrigade, Bruxelles
UN GARÇON NOIR ASSOIFFÉ

Quand Studio Brussel, l'une des plus grandes stations de radio de Belgique, a souhaité communiquer sur leur opération caritative annuelle, Music for Life, ils ont sollicité un garçon noir. Pour mettre l'accent sur le fait que toutes les 15 secondes un enfant meurt d'une maladie contractée par manque d'eau potable, ils ont décidé d'utiliser les verres d'eau que l'on voit dans les émissions en direct. Sur la chaîne de télévision flamande la plus regardée, le garçon noir débarquait précipitamment sur le plateau, avalait d'un trait l'eau dans le verre du présentateur, puis repartait en courant. Aucun des présentateurs ne savait qu'il allait être interrompu de la sorte.

Cette idée s'est très vite propagée, les gens se passant le mot, « As-tu vu le garçon noir assoiffé à la télévision ? ». Elle a circulé sur Internet et les images sont passées sur YouTube, des blogs et des sites de marketing. Une fois l'excitation et la curiosité à son apogée, il ne restait plus qu'à informer le grand public de la cause associée aux intrusions du garçon : Music for Life.

La campagne a été d'une efficacité incroyable. En l'espace de 6 jours, les dons pour favoriser l'accès à l'eau potable ont atteint la somme de 3,3 millions d'euros, prouvant ainsi qu'il n'y a pas besoin d'avoir des idées coûteuses pour récolter beaucoup.

DUNLOP
Dentsu Razorfish, Tokyo
LA ROUTE MUSICALE

Au Japon, Dunlop Falken Tyres a trouvé un moyen très novateur d'inciter les conducteurs à ralentir : ils ont construit une route qui joue un air de musique lorsque vous l'empruntez à une certaine vitesse. En creusant des rainures à intervalles bien précises, ils ont modifié la hauteur du son émis au passage du véhicule. Et, judicieusement, ils ont paramétré le tronçon pour que l'air s'entende lorsque les voitures roulent à 40 km/h.

En rendant le quotidien ludique, Dunlop s'est assuré que les automobilistes auraient le temps de prendre conscience qu'en roulant doucement, en toute sécurité, ils pouvaient vivre une expérience enrichissante. Gratifier les gens d'un retour positif (la joie d'un morceau « joué » par la route) pour l'adoption d'un bon comportement au lieu de les réprimer avec une amende pour excès de vitesse, a créé une association plus solide au profit de la conduite prudente et de la marque Dunlop proprement dite.

Une fois sa renommée acquise, cette route a été empruntée par les touristes se rendant dans la Préfecture de Nagano, simplement pour vivre cette expérience. Le nombre d'accidents a diminué et, dans le même temps, Dunlop a vu sa marque bénéficier d'une dimension positive. Tout le monde y a trouvé son compte.

THE WILD BIRD SOCIETY
Beacon Communications, Tokyo
LA VOIX DES OISEAUX MENACÉS

Afin de sensibiliser le grand public à la menace pesant sur certains oiseaux au Japon, la Wild Bird Society a sorti une édition limitée de disques vinyles sur lesquels figurent les cris de quatre espèces d'oiseaux en voie de disparition : la grue du Japon, l'albatros, la cigogne et le bruant auréole. Leurs cris ont été mixés sur des morceaux de danse contemporains et les vinyles mis en vente dans les magasins de disques branchés de Tokyo.

Le résultat a été très positif, car des DJ locaux ont commencé à mettre les disques dans les clubs de Tokyo. En outre, le produit de la vente de ces disques a été intégralement reversé à la Wild Bird Society. Cette utilisation créative d'un support montre qu'une bonne idée porte toujours ses fruits et que, dans le même temps, la publicité peut porter sur toutes sortes de choses.

Cake a associé un poisson plutôt triste (le lieu jaune ou colin) à un grave problème environnemental, puis opté pour une approche humoristique. Colin est un prénom plutôt sophistiqué en français, tandis qu'en anglais, c'est un prénom très répandu. La combinaison de l'information «garanti d'origine», d'un certain humour et d'un langage superbement imagé sur l'emballage en édition limitée a garanti une semaine de couverture médiatique nationale et internationale, de débats et de bouche-à-oreille.

CAKE

SAINSBURY'S
Cake Group, Londres
**PRENEZ SOIN
DES LIEUS JAUNES**

Afin de booster les ventes d'une espèce de poisson durable et d'informer les consommateurs de ses références en matière de commerce responsable, Sainsbury's a rebaptisé cette espèce. Le lieu jaune, pêché de manière responsable et à la chair excellente, n'est pas très connu et ne se vend pas toujours très bien, même si Sainsbury's est le détaillant qui en écoule le plus au Royaume-Uni.

Avec une pique ironique envers l'obsession des Britanniques pour la cuisine française, le lieu jaune a été rebaptisé «colin» (à prononcer avec un accent français). L'emballage a également été modifié et le produit mis en rayon dans 30 magasins dans tout le Royaume-Uni. Ce repositionnement a entraîné une augmentation de 68 % des ventes de lieu jaune dans tous les magasins Sainsbury's pendant l'opération.

Cette campagne a non seulement permis de communiquer sur les initiatives de pêche durable de l'enseigne, mais a également permis aux médias britanniques d'aborder l'obsession nationale pour la gastronomie française, transformant ce thème en réaffirmation de la fierté nationale. Pas mal pour un poisson !

Il a suffi d'une offre incroyable et d'un habillage à demi crédible pour convaincre les New-Yorkais de révéler de manière ridicule toutes sortes d'informations très personnelles.

CRISPIN PORTER + BOGUSKY

MICROSOFT
Crispin Porter + Bogusky, Boulder
LES ARNAQUES INFORMATIQUES

Afin de mettre en lumière les fonctions de sécurité du nouvel Internet Explorer 8 (IE8), Microsoft a créé trois fausses organisations : une banque (The Greater Offshore Bank & Trust), The Inheritance Store et une association caritative pour un « prince » nigérian. En communiquant pour faire en sorte que les consommateurs croient avoir à faire à de vraies entreprises ou associations, Microsoft est parvenu à récupérer toutes sortes d'informations sensibles personnelles. Chaque entretien était filmé en caméra cachée afin de montrer aux personnes à quel point il est facile de se faire escroquer.

IE8 proposant des fonctions de sécurité uniques pour le Web par rapport aux autres navigateurs, c'était le moyen idéal de montrer comme l'avidité peut faire paraître viable une proposition, pourtant trop belle pour être vraie. Microsoft a ainsi sensibilisé de manière créative le grand public aux atouts d'IE8, tout en rappelant qu'il faut être vigilant en matière de sécurité sur la Toile et en prouvant la vulnérabilité des informations personnelles, que vous utilisiez ou non IE8.

EPURON
Nordpol+, Hambourg
LE POUVOIR DU VENT

Comment montrer le pouvoir du vent sans céder à l'évidence et créer une publicité qui attire l'attention des consommateurs en diffusant un message positif sur l'énergie éolienne ? La société Epuron y est parvenue en personnifiant « le vent » sous les traits d'un homme solitaire, incapable d'établir le moindre rapport avec les gens (il n'arrête pas de faire tomber les chapeaux de leur tête et de retourner les parapluies). Epuron nous montre que le vent peut être profitable quand la situation est adaptée.

Plutôt que de prêcher l'utilisation de l'énergie éolienne ou d'essayer de culpabiliser les consommateurs, cette publicité offre en fait une expérience agréable. Ce n'est pas le type de publicité qui perturbe votre vie et exige toute votre attention – elle est en fait à la frontière entre divertissement et publicité. Elle est tellement bien que vous avez envie de la montrer à vos amis.

Cette publicité créée par Epuron fonctionne si bien que vous ressentez de l'affection pour cet homme. L'agence est également parvenue sans problème à personnifier une force naturelle intangible. La fin est surprenante et ne peut que vous faire sourire. Grâce à l'histoire racontée, un sujet traditionnellement aride devient un outil extrêmement efficace pour informer les publics sur l'énergie éolienne.

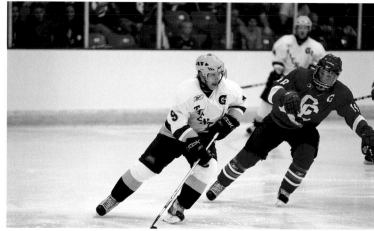

GATORADE
TBWA\Chiat\Day, Los Angeles
ON REJOUE LE MATCH

Que se passe-t-il si vous réunissez un groupe de gars, maintenant âgés de 35 ans, ayant joué les uns contre les autres au lycée ? C'était la question posée par Gatorade pour leur projet « Replay ». Partant du principe que chaque sportif a en tête un match pour lequel il aurait souhaité une issue différente, Gatorade a entraîné deux équipes qui avaient joué pour la dernière fois en 1993.

Cette campagne a non seulement renforcé l'engagement de Gatorade envers les valeurs de sportivité et de compétition, mais a également encouragé des hommes de cette tranche d'âge à être plus actifs. Ces anciens joueurs se sont entraînés pendant 90 jours et nombre d'entre eux ont perdu plus de 12 kg. Certains ont vu leur santé s'améliorer tellement qu'ils ont ensuite pu se passer de leur traitement contre le cholestérol ou l'hypertension.

Cette campagne a non seulement été bénéfique pour le grand public, mais également pour Gatorade : ses ventes régionales ont fait un bond de 63 %. Elle a également figuré dans les premiers rangs des histoires 2009 de CNN, générant une couverture rédactionnelle (pas de la publicité) pour plus de 3 millions de dollars pour des dépenses médias de 225 000 $, soit un retour sur investissement de 14 000 %. « Replay » est devenue une série documentaire à la télévision pour 90 millions de foyers et montre toute la puissance d'une grande idée

Every day entire forests die for paper.

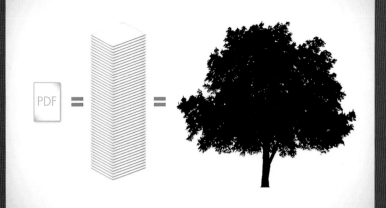

SAVE AS WWF, SAVE A TREE

WWF
Jung Von Matt, Hambourg
LE FORMAT DE FICHIER .WWF

Le World Wildlife Fund (WWF) a trouvé un excellent moyen de dissuader les gens d'imprimer des documents en lançant une application téléchargeable qui permet d'enregistrer des documents sous le format de fichier wwf. Avec l'extension « .wwf », le fichier devient un pdf non imprimable. Vous contribuez aussi à faire passer le message environnemental de non-impression en envoyant un fichier wwf. Une fois le document enregistré au format wwf, son icône change (arbre vert + logo WWF) et une page expliquant le but de la campagne aux personnes la découvrant est ajoutée à la fin.

En incitant les gens à faire passer le message, vous leur permettez d'avoir le sentiment qu'ils apportent leur pierre à l'édifice — cette application a été téléchargée plus de 50 000 fois. Le WWF est vraiment allé au fond du problème : si vous ne pouvez pas imprimer un document à cause de la nature même du fichier, vous serez attentif à l'objectif de l'opération, alors que les autres campagnes contre les impressions ont souvent perdu de leur impact au fil du temps.

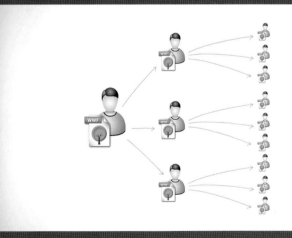

Selinah has AIDS

She agreed to be filmed every day for 90 days
So that her story might help others

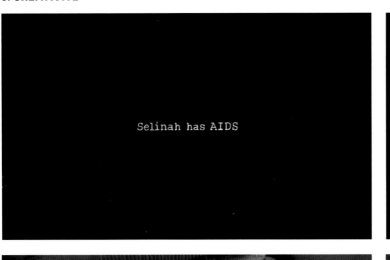

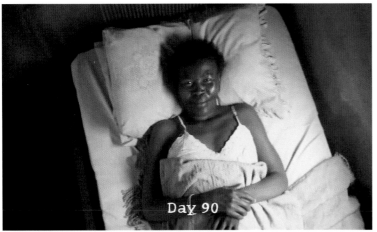

Day 90

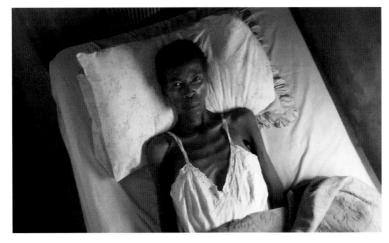

Day 1

The effects of AIDS can be reversed

Help us provide the treatment
that can give someone a second chance

THE TOPSY FOUNDATION
Ogilvy, Johannesburg
SELINAH

La Fondation Topsy est une association caritative sud-africaine qui fournit des antirétroviraux et s'occupe des malades du SIDA. Son but était de créer un spot publicitaire pour la télévision qui raconterait son action, expliquerait l'importance des antirétroviraux pour les personnes atteintes du SIDA et inciterait à faire des dons. Topsy a réalisé un spot simple, mais très émouvant en montrant l'« effet Lazare » (référence biblique) : le fait que les antirétroviraux peuvent en quelque sorte « ressusciter » les malades du SIDA, en leur permettant de recouvrer complètement la santé en 90 jours seulement.

Un documentaire montre en accéléré l'évolution sur 90 jours d'une femme, Selinah. Squelettique au départ, elle finit par retrouver la santé et avoir des joues rebondies, ainsi qu'un sourire contagieux.

Suite à cette campagne, la Fondation Topsy a vu augmenter de 52 % le nombre de consultations de patients, mais aussi celui des bénévoles désireux d'aider les malades du SIDA. En outre, conséquence directe de la diffusion du spot, les dons au profit des orphelins du SIDA ont connu une hausse. Cette campagne a également servi d'outil éducatif dans un grand nombre d'hôpitaux et a été diffusée lors du sommet mondial sur le SIDA qui s'est tenu à Vienne en 2010.

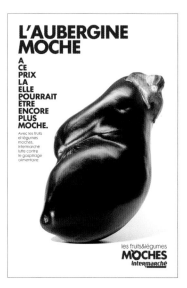

INTERMARCHÉ
Marcel, Paris
FRUITS ET LÉGUMES MOCHES

A priori, c'est une réflexion de bon sens : pourquoi se débarrasser de fruits et de légumes parfaitement consommables juste parce qu'ils ont l'air… naturels ? Malheureusement, il s'agit là d'un problème largement répandu. Les chiffres de l'Organisation des Nations unies pour l'alimentation et le développement en attestent : si environ 40 % des fruits et des légumes sont jetés aux ordures, c'est d'abord parce qu'ils ne correspondent pas aux codes esthétiques en vigueur.

Afin de mettre un terme à ce gaspillage absurde, la chaîne de grande distribution Intermarché a lancé une campagne tournant en dérision ce que nos canons de beauté peuvent avoir d'aberrant. L'idée : offrir 30 % de réduction sur des fruits et légumes moins beaux. Des soupes et des jus élaborés à partir de ces produits ont également été mis en vente afin de prouver que leur apparence importe peu lorsqu'on les cuisine. Comme l'une des affiches le rappelait, non sans ironie : « Une carotte moche, c'est une jolie soupe. »

En moyenne, 1,2 tonne de ces aliments « hors du commun » a été vendue dans chaque magasin – preuve qu'Intermarché a su faire évoluer le regard et les comportements des consommateurs. Depuis, des campagnes et des initiatives similaires ont vu le jour dans toute l'Europe tandis qu'en France, des enseignes comme Auchan et Monoprix ont suivi l'exemple de leur concurrent. Nous tenons là une illustration concrète de ce qui se produit lorsqu'on ose penser différemment et faire d'un produit comme les fruits l'objet d'une campagne autour de la « beauté véritable ». En nous amenant à développer des sentiments vis-à-vis de ces fruits et de ces légumes cabossés, cet ingénieux renversement donne au propos une dimension supplémentaire. Prendre deux idées incongrues pour les associer : voilà comment se manifeste la véritable créativité. Imaginer un monde sans gaspillage n'est pour l'heure qu'un doux rêve. Malgré tout, cette campagne constitue une étape décisive en ce sens.

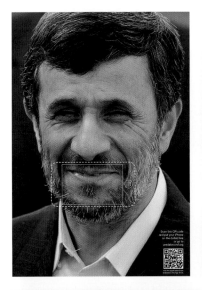
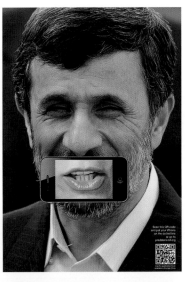

REPORTERS SANS FRONTIÈRES
Publicis, Bruxelles
LA VOIX

Grâce à l'utilisation inventive d'un flashcode et d'un smartphone, ces publicités imprimées dénonçant trois chefs d'état rejetant la liberté de la presse (Mouammar Kadhafi, Mahmoud Ahmadinejad et Vladimir Poutine), permettaient d'accéder à des fonctionnalités très novatrices. En utilisant un smartphone, vous pouviez entendre la « vraie histoire » sur ces hommes politiques. Le flashcode menait à un site Web sur lequel l'internaute pouvait placer son smartphone sur la bouche d'un des hommes politiques. Un enregistrement vidéo montrait alors une bouche parlant à sa place.

La vidéo est celle d'un journaliste relatant ce qui se passait vraiment en Lybie, en Iran ou en Russie, mettant ainsi en lumière l'importance de la liberté de la presse. Sans connaître la situation d'un pays, il est impossible d'agir à l'international. Après avoir visionné ce film, les internautes étaient redirigés vers un site traitant des problèmes de liberté de la presse dans le monde entier et offrant les informations nécessaires pour que le grand public prenne conscience de l'enjeu. On invitait également les internautes à donner à Reporters sans frontières, afin de militer pour la liberté de la presse aux quatre coins du monde. La créativité de ce dispositif et l'utilisation inventive des nouvelles technologies les rendent attachantes, mémorables et permettent d'agir facilement en conséquence.

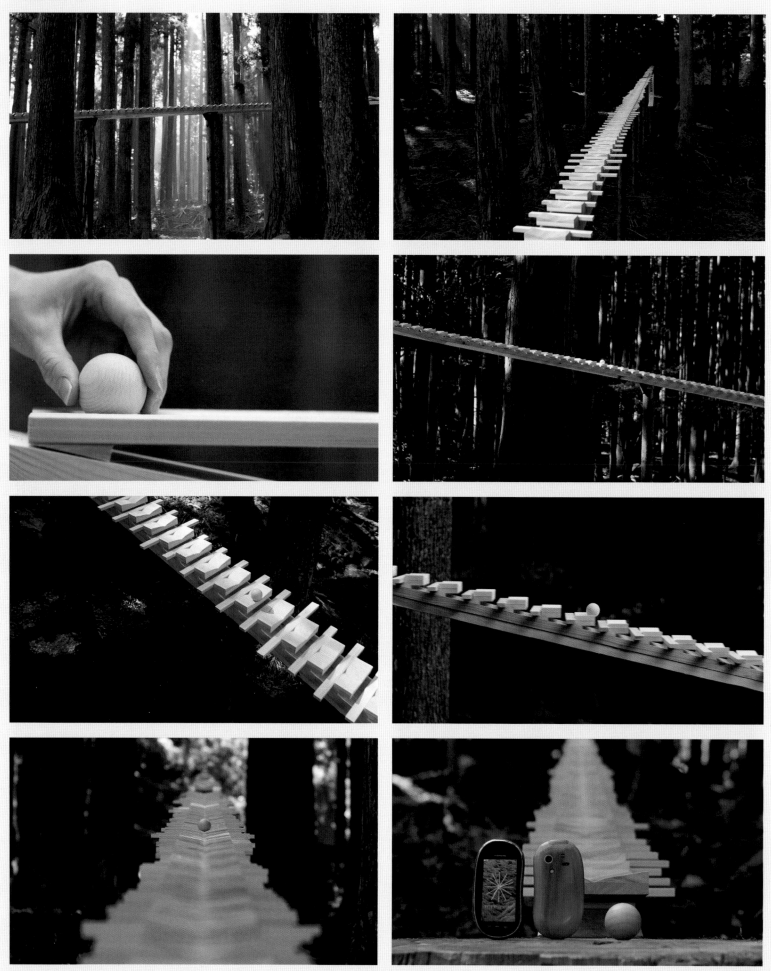

NTT DOCOMO
Drill, Tokyo
XYLOPHONE

Pour le lancement de son nouveau
téléphone doté d'une coque en bois,
NTT Docomo a construit un xylophone
géant installé sur une colline boisée et
réalisé avec du bois prélevé dans des
forêts gérées de manière durable. Une
boule dévalait la pente, jouant les notes
de la cantate 147 de Bach à chaque fois
qu'elle touchait un morceau de bois,
et ce jusqu'en bas. Ce xylophone a été
entièrement construit à la main par des
artisans japonais et le film réalisé sans
aucun trucage visuel ou audio.

En créant quelque chose de simple et
de magnifique, NTT Docomo a offert aux
consommateurs un film splendide
rappelant la beauté de la nature. Le
téléphone est lui-même un objet design
et rappelle également qu'il est important
de rester en contact avec la nature.

TOYOTA
Saatchi & Saatchi, Stockholm
UN VERRE D'EAU

Toyota souhaitait soutenir l'éco-conduite
et a suggéré aux automobilistes de
conduire comme s'ils avaient un verre
d'eau sur leur tableau de bord. S'ils sont
capables de conduire sans renverser une
goutte d'eau, à savoir tout en douceur,
sans accélérer ni freiner trop fort, ils
peuvent économiser jusqu'à 10 % de
carburant.

Plutôt que d'encourager l'idée
loufoque de réellement conduire avec un
verre d'eau à bord, Toyota a lancé
l'application « A Glass of Water » pour
iPhone. Elle se sert de l'accéléromètre de
l'iPhone pour imiter le mouvement d'un
vrai verre d'eau. Les utilisateurs peuvent
suivre leur progression et connaître la
quantité renversée. Cette information est
ensuite téléchargée sur le site web de
Toyota afin qu'ils puissent comparer leurs
résultats à ceux des autres utilisateurs.

En défiant les automobilistes de
conduire à la fois de manière économique
et en toute sécurité, Toyota est parvenu
à les pousser à se montrer responsables.
Cette démarche profite non seulement au
consommateur, mais renforce également
l'idée que Toyota est une marque qui se
soucie de l'impact environnemental de
ses véhicules. Preuve que faire le bien
est bon pour les affaires, l'enquête,
menée après le lancement de cette
application, a montré que le nombre de
personnes ne possédant pas de Toyota
mais envisageant d'en acheter une a
augmenté de 150 %.

CONTAGION

CONTAGION

Quel est l'enjeu ?

Grâce à Internet et à une interconnexion mondiale accrue, les marques ont la capacité de toucher un nombre de personnes sans précédent, mais c'est également une responsabilité immense. Un Tweet sur une mauvaise initiative d'une marque peut se répandre comme une traînée de poudre et déboucher sur une explosion de plaintes de la part de personnes réclamant justice. Internet est véritablement démocratique et offre le pouvoir ultime aux individus. Les consommateurs d'aujourd'hui, dotés d'un pouvoir sans précédent, se considèrent comme des cocréateurs. Ils sont plus enclins à vérifier sur la Toile la qualité d'un produit et à recueillir des informations fournies par d'autres consommateurs qu'à faire confiance à une publicité. Pour les marques, c'est une occasion unique de s'ouvrir, de favoriser les échanges et de provoquer un engagement plus marqué envers elles, au lieu de se contenter de diffuser des messages.

Les bonnes nouvelles font vite le tour

Les bonnes nouvelles se répandent vraiment vite. Si vous soutenez une cause ou si votre marque a un objectif qui lui tient vraiment à cœur, les gens sont alors plus susceptibles de s'impliquer. En 2010, l'étude « GoodPurpose » d'Edelman a révélé que 66 % des consommateurs du monde entier sont prêts à recommander un produit ou un service associé à une bonne cause et 64 % se sont déclarés prêts à partager des opinions et des expériences positives, contre 33 % seulement disposés à sanctionner une marque en révélant des expériences négatives ou en refusant d'acheter ses produits. Pas étonnant que nombre de campagnes pour une cause se développent très bien sur les réseaux sociaux, tel que le projet « Pepsi Refresh ».

Le secret de la contagion

La théorie du « point de bascule » de Malcolm Gladwell, qu'il illustre dans son ouvrage *Le Point de bascule*[1], décrit comment une poignée de personnes bien connectées sont capables de déclencher une vague de changement. D'autres, tels que Seth Godin, disent que ce n'est pas l'apanage de quelques-uns, mais l'affaire de vous et moi et de quiconque en mesure de lancer une tendance. Puis il y a les intermédiaires et les agences de médias sociaux avec leurs recettes du succès et promesses de médias conquis et d'économies de coûts. Mais au final, qui peut vraiment prévoir un succès retentissant ? Il est difficile de faire confiance à ceux qui affirment en être capables, mais il existe une vieille solution toute simple : le pouvoir de l'histoire, de la narration. La seule chose qui change, c'est la boîte à outils et le média.

Voir les choses en grand

« Alors, qu'est-ce qui se joue dans votre histoire ? » est la question que n'importe quel producteur de Hollywood vous poserait en vous fixant, comme pour vous analyser à travers ses lunettes reposant sur le bout de son nez. Montrer ce qui est en jeu est absolument crucial : vous devez

---

1 *The Tipping Point : How Little Things Can Make a Big Difference*, Back Bay Books, janvier 2012.

ÊTES-VOUS PRÊT À MENER LA DANSE ?

« Les tribus ont besoin de leadership. Il y a parfois un seul leader, parfois plusieurs. Les gens recherchent des liens, la croissance et la nouveauté. Ils veulent du changement. Il n'existe pas de tribu sans leader – et un leader a toujours une tribu. »
Seth Godin

Ci-contre « Mort numérique », Keep a Child Alive TBWA\Chiat\Day, New York (voir page 169)

«La grille», Nike, Wieden+Kennedy et AKQA,
Londres (voir page 168)

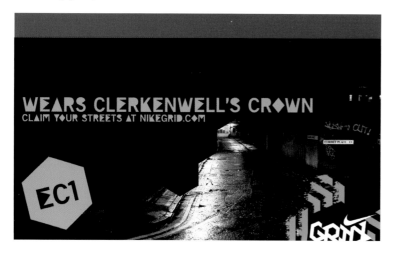

«L'histoire d'une petite fille», Nanhi Kali,
StrawberryFrog, New York (voir page 162)

offrir à autrui une raison de lutter. S'il n'existe aucun enjeu, pourquoi votre public se soucierait-il de ce qui se passe ? Pourquoi se donnerait-il la peine de faire circuler l'histoire ? Réfléchissez à un enjeu : l'honneur ? la santé des enfants ? notre planète ? l'amour ? La police du Grand Londres a soumis un enjeu crucial dans sa campagne anti-arme blanche : vous êtes la vedette d'une histoire interactive dans laquelle emporter un couteau est une question de vie ou de mort, la VÔTRE. Cette campagne anti-arme blanche mise en ligne sur YouTube, était destinée aux jeunes et a été visionnée plus de 2,5 millions de fois.

La campagne «Keep a Child Alive» était également une question de vie ou de mort. La mort de célébrités, qu'il s'agisse de la princesse Diana ou de Michael Jackson, a toujours été médiatisée et la campagne a joué là-dessus. Alicia Keys, la musicienne et cofondatrice de cette initiative, a demandé à d'autres célébrités de sacrifier leur vie numérique afin d'en sauver une, bien réelle, lors de la journée mondiale pour la lutte contre le SIDA. Des artistes faisant partie du gratin tels que Pink, Usher, Elijah Wood et David La Chapelle, entre autres, ont mis un terme à leur vie numérique : cela impliquait pour eux de ne rien poster sur Facebook ou Twitter tant qu'un million de dollars n'avaient pas été récolté pour cette cause. Cette campagne a non seulement généré un buzz monumental, mais également permis de lever 1 million de dollars en six jours seulement.

Faites en sorte que votre histoire bouscule les conventions

Au début des années 60, le jean est devenu le symbole du féminisme et de la femme moderne. Ce mouvement était associé à une solide histoire. Porter ce pantalon en coton était une déclaration à l'intention du sexe opposé : vous voyez, nous sommes vos égales. Le jean était un symbole qui a ébranlé le statu quo : l'enjeu était énorme. Dans le même ordre d'idée, Dove est parvenue à relier les femmes et les filles du monde entier grâce à sa «Campagne pour la vraie beauté», car cette entreprise

a osé raconter quelque chose de différent et défier les canons de la beauté en vigueur dans la publicité. «Évolution» de Dove est l'un des films viraux ayant connu le plus de succès, avec des millions de vues, parce qu'il révèle les mauvais tours de l'industrie de la beauté.

Faites en sorte que votre histoire ou produit se répande

Les excellentes histoires portent sur des gens, mais les histoires qui se répandent véritablement sont celles qui rapprochent les gens. À l'instar de la grippe, les grandes histoires sont capables de toucher toute une population, passant d'une personne à l'autre. Il suffit de regarder les tous premiers mythes ou récits religieux qui sont à l'origine de la création d'un engouement, d'un mouvement, d'une tribu, d'un tissu de personnes de même sensibilité qui affichent la même croyance. Dans le paysage numérique actuel, vous disposez de nouveaux outils facilitant le partage. Il faut simplement chercher une façon de rendre votre idée «sociale» ou, autrement dit, une manière de rassembler les gens. En fait, la plupart des supports numériques ont intégré à leurs fonctions ce sens du partage, à travers le bouton «Partager» ou la section «Commentaires». Un simple clic de la part de votre public et votre histoire est accessible à des centaines de personnes – un individu ayant en moyenne 128 amis sur Facebook. La campagne «How hetero are you ?» a réussi, via Twitter, à propager une histoire, à défier les préjugés sur l'homosexualité (voir page 166). Outre les histoires, il est possible de faire proliférer des produits et, comme je le dis dans l'introduction, «la roue du Bien» contribue à orienter le marché de grande consommation vers la durabilité. Reebok (propriété d'Adidas) a relevé le défi consistant à proposer des tennis à 1 $ sur le marché indien, pays dans lequel les deux tiers de la population ont un revenu très faible. Cette chaussure est encore en cours de développement, mais le but est de les fabriquer localement et de manière durable, en offrant à des personnes n'ayant pas de chaussures ou des chaussures de mauvaise qualité, de quoi mieux se chausser.

RENDEZ-VOUS UTILE

« Je pense qu'une marque doit vraiment prendre part à la vie des gens. Pour ce faire, un des moyens les plus connus consiste à proposer du divertissement, mais il en existe bien d'autres. Ce qui a de plus en plus de succès aujourd'hui, c'est de se rendre utile. »
Andreas Dahlquist, vice-président et directeur exécutif de la création
chez McCann Erickson, à New York

Mettez le partage au cœur de votre action

Au lieu d'ajouter le partage comme ingrédient de votre campagne, vous pouvez rendre celle-ci plus contagieuse en le plaçant au cœur de votre activité. C'est précisément ce qu'a fait l'association caritative Nanhi Kali avec sa judicieuse campagne de marketing en ligne « L'histoire d'une petite fille » (voir page 162). Pour découvrir la partie suivante de l'histoire, les gens devaient donner une certaine somme d'argent. On vous demandait également indirectement de faire connaître cette histoire à vos amis. Le jeu WeTopia sur Facebook est un autre exemple. Les joueurs peuvent créer et gérer leurs propres villages et faire un don réel pour n'importe quel achat virtuel. Lorsqu'un achat d'arbres ou de vitamines est réalisé, par exemple, l'une des associations caritatives partenaires du jeu offre la même chose à sa cause. Vous vous amusez donc tout en faisant le bien sur le plan social.

Soyez utile

Pour que les gens fassent connaître votre campagne, vous souhaiterez peut-être la rendre utile ou faire en sorte qu'elle améliore leur vie. Vous serez récompensé de cet effort. Qui refuserait de partager quelque chose d'utile avec ses amis ? La campagne « La grille » de Nike a réussi à inciter les gens à pratiquer plus régulièrement la course à pied, en rendant leur vie plus ludique. Les coureurs devaient choisir l'une des 48 zones postales londoniennes et courir en passant par des points de contrôle : celui qui parcourait le plus de chemin pendant la durée du jeu remportait le plus de points. Les participants partageaient immédiatement leurs résultats en ligne avec leurs amis. Ces types de campagnes durent souvent longtemps et contribuent à bâtir concrètement une communauté.

Le pouvoir de connexion

La contagion ne se limite pas à l'univers du virtuel. Historiquement, le mouvement de libération des femmes a affiché une force impressionnante, bien avant l'avènement de Twitter. Les histoires se répandent essentiellement via le bouche-à-oreille : la Toile a simplement accéléré et facilité le processus, avec un pouvoir de démultiplication stupéfiant. Des histoires qui mettaient autrefois des mois, voire des années, à se répandre peuvent parcourir le monde en quelques minutes et atteindre des millions de personnes à travers le globe. Nombre des problèmes actuels peuvent être résolus grâce à la communication, comme apprendre aux gens à économiser les ressources et mieux faire comprendre la nécessité d'une bonne hygiène. Les marques ont une faculté unique, celle d'encourager la modification des perceptions et pratiques pour le meilleur (ou pour le pire). Osez vous engager pour un enjeu qui vous dépasse, montrez-vous et rassemblez les gens. L'histoire sombre mais bien réelle de notre planète bleue qui doit faire face à la surpopulation et à une guerre des ressources, aura peut-être une fin heureuse. Les enjeux sont énormes.

Interview
ROB SCHWARTZ

Rob Schwartz est président de la création monde chez TBWA\Chiat\Day à Los Angeles et a participé à deux campagnes engagées, parmi les plus intéressantes réalisées dernièrement : le projet « Pepsi Refresh » et « Replay » de Gatorade. Il m'a fait le plaisir de dégager un peu de temps dans son agenda et a répondu à mes questions quelque part entre les États-Unis et la Chine. C'était la première fois que je réalisais une interview à 10 000 mètres d'altitude.

Les propos de Rob Schwartz sur la publicité et la responsabilité sociétale révèlent qu'un changement important s'annonce dans notre secteur d'activité. Ce qu'il y a de très intéressant, c'est cette mutation de la perception de la publicité : d'un outil de marketing autonome à l'un des nombreux points de contact d'une approche marketing holistique. Cela ne concerne pas le discours des marques, mais plutôt tout ce qu'elles font, leurs actions et leur attitude. Lorsque je l'ai interrogé sur le fait que les consommateurs attendent des marques des campagnes plus sociétales, il a répondu ceci : « **Je ne pense pas que les consommateurs attendent nécessairement de la part des marques des campagnes, mais plutôt des actions plus au fait des problèmes sociétaux.** »

On parle là d'honnêteté et cela va au-delà du lieu commun « joindre le geste à la parole ». Les marques doivent bien agir en permanence. « **L'honnêteté est la meilleure politique. Toujours.** » C'est bien loin du cliché sur les publicitaires, considérés comme des bonimenteurs qui se fichent des conséquences et aux yeux desquels une seule chose importe : fourguer leur produit. Il a cité le P.-D.G. de PepsiCo, Indra Nooyi, « **Si vos affaires doivent être florissantes, vous devez également faire le bien.** »

C'est une chose qu'il s'est évertué à faire dans le cadre du projet « Pepsi Refresh » (pages 188-189), Pepsi se retirant de la liste des annonceurs du Super Bowl après plus de 20 ans de présence. Cela s'est avéré, de son propre aveu, un coup de maître : « **Au final, le buzz a plus porté sur Pepsi que sur n'importe quelle marque présente au Super Bowl, en raison de ce retrait courageux. C'était vraiment un risque payant.** » Parlons de cette campagne très commentée pour avoir choisi de ne pas en être. Le projet « Pepsi Refresh » a rapporté 20 millions de dollars pour des projets portant sur des problèmes sociaux, avec des résultats tangibles auxquels les gens pouvaient croire, détail important pour n'importe quelle campagne dans ce domaine. « **Les campagnes visant à faire le bien portent le mieux leurs fruits quand il existe un réel besoin et un moyen indéniable pour une marque d'influer sur le cours des choses. "Pepsi Refresh" a permis aux gens de se faire entendre, les a rassemblés pour prendre connaissance des problèmes et partager des solutions.** »

Quand nous avons abordé la campagne « Replay » de Gatorade, nous nous sommes retrouvés à parler du choix du support et de l'importance

Je ne pense pas que les consommateurs attendent nécessairement de la part des marques des campagnes, mais plutôt des actions plus au fait des problèmes sociétaux.

de poser les bonnes questions. « Et si Gatorade était une chaîne de sport et non une marque de boisson ? Vous posez une question différente, mais vous obtenez la même réponse. » C'est ce point de vue unique qui a permis à TBWA de créer la campagne « Replay » de Gatorade (page 146), de raconter des histoires d'excellente qualité, d'aider les gens à améliorer leur santé et d'encourager les téléspectateurs à en faire de même. Il est intéressant de noter que cela a d'abord été une émission de télévision avant de devenir une publicité – autre preuve que la publicité n'est plus perçue comme ce support perturbateur et ennuyeux.

Il y a toujours eu une place dans l'esprit des consommateurs pour la bonne publicité, celle qu'ils apprécient. Et il est aujourd'hui plus facile que jamais de la partager. « Pas de problème pour des gros budgets, mais il vaut mieux des idées géniales. Et j'estime que l'idéal, ce sont des idées géniales avec une audience importante à la télévision. Les gens parlent toujours des publicités qu'ils aiment et en font part à leur entourage. Les spots télé circulent sur Facebook et Twitter. » Rob Schwartz comprend le pouvoir des idées car il s'agit vraiment d'un carburant dans le secteur de la publicité. Dans le même temps, ces idées doivent être soutenues par d'excellentes histoires. « L'enseignement essentiel à tirer de la campagne "Replay" de Gatorade était la façon de raconter une histoire. La "renaissance" des sportifs est un conte universel et intemporel. Voilà pourquoi les gens l'adorent. En tant qu'êtres humains, nous aimons les intrigues basées sur la renaissance. D'où toutes les suites du film Rocky, ce film qui parle de la renaissance d'un boxeur. »

La portée de la publicité et la valorisation des marques augmentent et cela signifie que les agences de publicité doivent commencer à revoir la conception de leur offre. « Il existe également une place pour les événements originaux sponsorisés par des marques, qu'il s'agisse de spectacles ou d'événements en direct. Nous estimons que tout ce que fait une marque est de la communication… Votre guide d'utilisation doit être aussi sympa que votre spot télé. » À propos des médias sociaux, Rob Schwartz met en garde contre le fait de les considérer comme la panacée pour résoudre tous vos problèmes de publicité. « Les médias sociaux sont super, mais associés à d'autres choses. Il faut également la télévision. Chaque média entraîne les autres. Et n'oubliez pas que les gens tweetent en regardant la télévision, de manière simultanée et non après coup… Je pense que le mieux, c'est de considérer les médias sociaux, non pas comme une intrusion, mais comme des éléments de conversation. L'une de mes règles d'or est : "Écoute avant de tweeter". » Quand nous avons abordé le web et la façon d'exploiter l'instantanéité qui le caractérise, Rob Schwartz a dit, « Il y a tellement d'excellents contenus sur le Web qu'il est judicieux pour des marques de créer un "fond pour les mêmes" : mettre de côté, dans le budget, de l'argent afin de créer des partenariats ou inventer des choses avec les créateurs du Web. » Quand l'entretien a porté sur la publicité responsable et les inévitables accusations d'écoblanchiment qui ne cesseront d'exister, Rob Schwartz a dit une chose qui me donne de l'espoir. « J'ai le sentiment que l'écoblanchiment est le slogan officiel des cyniques. Le monde est détraqué. Les gens peuvent se montrer égoïstes. Tout ce qui les secoue et les pousse à sortir de leur bulle est bon. » Au final, toute bonne action entreprise par une marque vaudra toujours mieux que l'inaction. En même temps, pour ce qui est de rendre le monde meilleur, Rob Schwartz mise sur le partenariat entre les marques et les consommateurs. « Les deux vont de pair. Une marque n'existe pas sans consommateurs. Et le monde sera bien moins séduisant si aucun choix ne s'offre aux consommateurs. Les marques occupent une position unique. Elles peuvent combler des fossés, là où les gouvernements baissent les bras. Et si chaque marque faisait un peu le bien, cela ferait considérablement avancer les choses. » Je suis totalement d'accord.

NANHI KALI
StrawberryFrog, New York
L'HISTOIRE D'UNE PETITE FILLE

Dans de nombreuses régions d'Inde, les naissances des petites filles ne sont pas désirées ou sont considérées comme un problème. Ce sentiment d'infériorité peut les suivre à l'âge adulte et les faire plonger dans la prostitution ou l'asservissement. Des vidéos YouTube interactives décrivent la vie de Tarla.

Pour voir le déroulement complet de l'histoire et permettre le déblocage de nouveaux chapitres, il faut atteindre certains paliers de dons. Ce principe s'apparente à la vie réelle, en ce sens que des petites filles comme Tarla ne peuvent avancer dans leur vie sans l'aide des autres. Grâce à une utilisation novatrice de YouTube, ces histoires se racontent avec fluidité, Tarla passant de l'une à l'autre pour finir par bénéficier de toute une éducation.

Le ton personnel employé, ainsi que la nécessité pour les internautes d'effectuer des dons pour avancer font toute la différence. Bien entendu, les dons à une association caritative permettent toujours de changer les choses, mais le fait de voir le scénario se dérouler ainsi, grâce aux vidéos interactives, rend la démarche bien plus concrète et gratifiante.

/// ///

L'histoire de Tarla n'avance que grâce aux dons des internautes qui permettent de débloquer de nouveaux chapitres des vidéos YouTube, tout comme chaque petite fille aidée par Nanhi Kali a la possibilité de poursuivre son éducation grâce à la générosité des donateurs.

STRAWBERRYFROG

/// ///

TAKE THE KNIFE

DON'T TAKE THE KNIFE

THE METROPOLITAN POLICE
Abbott Mead Vickers BBDO, Londres
CHOISISSEZ VOTRE FIN

En 2011, la police du Grand Londres a lancé une campagne contre les crimes par arme blanche. Comme pour les aventures au scénario interactif de YouTube, les internautes avaient la possibilité de regarder des vidéos en se mettant dans la peau d'un adolescent et devaient faire un choix dès le début de l'histoire : prendre un couteau ou le laisser à la maison. Ces vidéos interactives montraient les conséquences des actes de l'adolescent. Quelles que soient les décisions prises, si vous emportez le couteau, ça se termine mal. 21 films ont été tournés, avec 10 fins différentes.

L'exploitation novatrice et inattendue des fonctions de YouTube a permis à la police du Grand Londres de s'assurer du succès de l'opération avec des résultats tangibles : un taux de clics sur les bandes-annonces des vidéos virales de 2,1 %, alors qu'il est généralement de 0,2 % sur les bannières à succès. Cette campagne a obtenu près de 3 millions de vues sur YouTube.

DOVE
Ogilvy, Toronto
ÉVOLUTION

Le spot viral «Évolution» de Dove montre qu'il est possible de faire ressembler une femme ordinaire à un top model grâce à la puissance de Photoshop et aux fonctions de retouche numérique. Dove a recréé les conditions présentes sur un plateau professionnel, avec des coiffeurs, des maquilleuses, des photographes, des techniciens s'occupant de la lumière et d'autres chargés des retouches. Le grand public a ainsi pu constater tout le travail nécessaire pour arriver à ce résultat.

Les réactions ont été très nombreuses et ont permis de dynamiser la «Campagne pour la vraie beauté» de Dove, qui reposait sur le principe que les mères influent plus que tout sur l'estime de soi de leur fille. La cible était donc ces mères et le but était qu'elles fassent en sorte que leur fille se sente bien.

En permettant aux mères et aux filles d'avoir le sentiment que les produits de beauté Dove sont faits pour elles, quelle que soit leur apparence, la marque a renforcé leur estime de soi. La société Dove s'est en même temps repositionnée en revisitant habilement la notion de beauté, devenant la marque destinée aux personnes qui ne prétendent pas ressembler à des top models (et qui le peut?). Dove a non seulement contribué à redonner confiance à ses clientes, mais également vu ses ventes augmenter de 10 % deux années de suite. Qui a dit que faire le bien n'était pas bon pour les affaires?

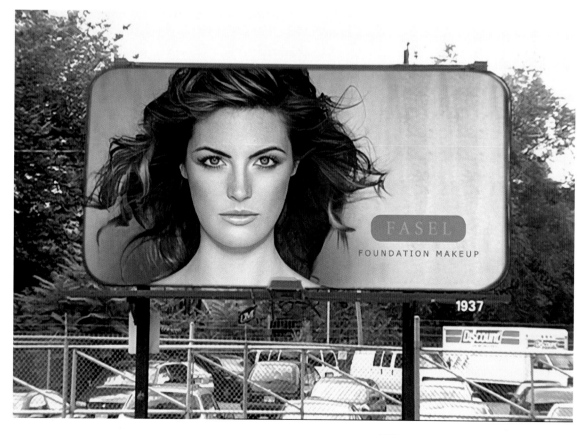

STADSMISSION
Garbergs, Stockholm
DES BANNIÈRES SDF

Cette campagne novatrice, réalisée par Stadsmission pour le compte d'une petite association caritative s'occupant des sans-abri à Stockholm, incitait les gens à héberger des bannières SDF sur leur site Web. Une fois accueillies, ces bannières comptabilisaient la durée de l'hébergement, changeant lentement de couleur, emmagasinant de la chaleur à chaque clic. Cette démarche poussait les visiteurs des sites à l'interaction et déclenchait des visites sur le site de Stadsmission.

Au bout d'un mois, plus de 400 sites Web avaient hébergé des bannières. Cela a débouché sur 36 millions de contacts et trois fois plus de dons par rapport à l'année précédente. Ce genre d'idée ne demande qu'à être partagé et mérite de devenir contagieux par sa simplicité et sa pertinence. Les résultats ont prouvé que le jeu en valait la chandelle.

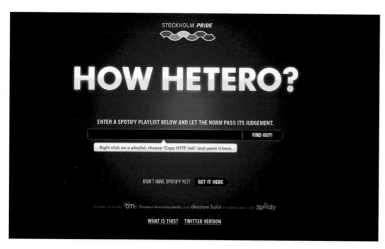

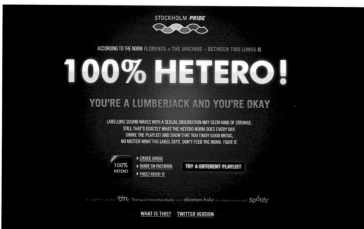

STOCKHOLM PRIDE
Akestam Holst, Stockholm
**QUEL EST VOTRE DEGRÉ
D'HÉTÉROSEXUALITÉ?**

Afin de sensibiliser l'opinion aux droits des homosexuels et à la façon dont ces derniers sont stigmatisés, Stockholm Pride a ouvert un site Web baptisé « How Hetero », qui permet aux internautes d'envoyer pour analyse leur nom d'utilisateur Twitter. Le site Web passe ensuite au crible tous les Tweets de l'utilisateur et cherche des mots susceptibles de le considérer comme homosexuel ou hétérosexuel.

Le résultat peut être intégré au site Web de l'utilisateur, partagé via Facebook ou Twitter, permettant au site de se faire connaître via les réseaux sociaux. En mettant en cause l'hétérosexualité normative et le langage employé par les homosexuels ou les hétérosexuels, ce site Web fait réfléchir les internautes à ces sujets d'une manière amusante et les incite à se pencher sur leur opinion en matière d'homosexualité. Espérons que cela augmente la tolérance des personnes, constatant qu'elles peuvent être moins hétéros qu'elles ne l'imaginaient.

FONDATION HARIRI
Leo Burnett, Beyrouth
KHEDE KASRA

Au Liban, les femmes sont traitées avec moins d'égards que les hommes, et l'égalité des sexes est loin d'être acquis pour la plupart des gens. La violence familiale est répandue et les femmes sont même discriminées au regard de la loi. Par exemple, en cas de divorce, si les enfants ont plus de neuf ans, la mère en perd immédiatement la garde. La Fondation Hariri s'est servie de la structure de la langue arabe afin de remettre en question cette situation.

En arabe, il existe deux accents écrits : l'un pour s'adresser aux hommes et l'autre pour s'adresser aux femmes. Par défaut, c'est l'accent masculin qui est utilisé dans toutes les communications publiques et sur tous les canaux de communication. La Fondation Hariri s'est rendue compte qu'en délivrant des messages directement destinés aux femmes, avec l'accent correspondant, il était possible de rendre celles-ci plus fortes. Un panneau d'affichage mobile et interactif ainsi que des affiches ont été utilisés afin de faire passer ce message. Ces supports se sont avérés très efficaces, la campagne étant reprise par la blogosphère libanaise et encourageant même le gouvernement libanais à ouvrir le débat sur l'égalité des femmes au sein de la société libanaise. L'apogée a été le soutien public de la ministre de l'Éducation libanaise (première dans le monde arabe) et a encouragé les femmes à s'impliquer. Élément le plus intéressant, cette campagne s'est servie de la langue comme support – qu'y a-t-il de plus contagieux que la parole et la communication proprement dite ?

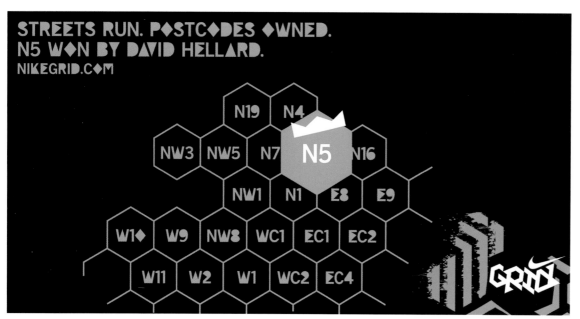

STREETS RUN. POSTCODES OWNED.
N5 WON BY DAVID HELLARD.
NIKEGRID.COM

NIKE
Wieden+Kennedy
and AKQA, Londres
LE RÉSEAU

Nike souhaitait convaincre une nouvelle génération de coureurs âgés de 17 à 22 ans. Grâce à une utilisation novatrice des cabines téléphoniques de Londres, l'entreprise a transformé les rues de la capitale anglaise en grille de jeu interactive. Les coureurs devaient pointer au niveau de certaines cabines téléphoniques afin de valider leur progression sur 40 zones postales. Après s'être inscrits en ligne, il leur suffisait de composer leur code personnel et de courir d'une cabine téléphonique à l'autre. Chaque tronçon leur permettait d'engranger des points et d'obtenir des points de bonus grâce à leur vitesse, leur endurance et leur connaissance des rues. Plus ils effectuaient de tronçons en 24 heures, plus ils accumulaient de points, le vainqueur étant la personne parvenue à gagner le plus de points. Sur la base du concept Nike+, cette campagne des plus ludiques encourageait les gens à courir. Le droit à fanfaronner pour les vainqueurs et les badges à gagner incitaient à participer à la course d'une manière unique et authentique. La dimension sociale de cette campagne était également révolutionnaire, puisque les participants pouvaient interagir avec Nike et œuvrer ensemble vers la victoire. Les résultats parlent d'eux-mêmes, avec plus de 125 courses enregistrées à l'heure, 74 % des participants appartenant à la tranche d'âge visée et 20 000 kilomètres parcourus en tout.

ELIJAH WOOD IS DEAD

ELIJAH SACRIFICED HIS DIGITAL LIFE TO GIVE REAL LIFE TO MILLIONS OF OTHERS AFFECTED

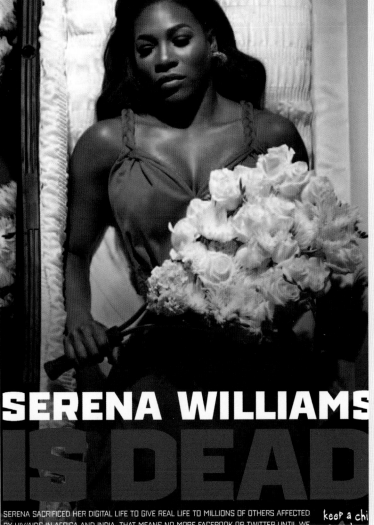

SERENA WILLIAMS IS DEAD

SERENA SACRIFICED HER DIGITAL LIFE TO GIVE REAL LIFE TO MILLIONS OF OTHERS AFFECTED BY HIV/AIDS IN AFRICA AND INDIA. THAT MEANS NO MORE FACEBOOK OR TWITTER UNTIL WE

KEEP A CHILD ALIVE
TBWA\Chiat\Day, New York
MORT NUMÉRIQUE

Merci du fond du cœur à vous tous, fans, amis et artistes qui avez rejoint cette cause. Tous les dons effectués pour nous aider à atteindre notre objectif sont une véritable source d'inspiration et je suis très touchée par votre soutien.

ALICIA KEYS, KEEP A CHILD ALIVE

Afin de sensibiliser l'opinion et surtout lever des fonds pour assurer des traitements contre le SIDA en Afrique et en Inde, Keep a Child Alive (association caritative créée par Alicia Keys et Leigh Blake, célèbre travailleur humanitaire), en association avec des célébrités mondiales, a créé la campagne « Digital Death ». Des célébrités, telles que Lady Gaga, Justin Timberlake, Alicia Keys, Usher, Ryan Seacrest, Kim Kardashian et Elijah Wood, sont toutes mortes numériquement en gardant le silence sur Facebook et Twitter.

La seule façon de les « ressusciter » était de « racheter leur vie » en se rendant sur un site Web pour faire un don. Une fois la somme d'un million de dollars atteinte, ces célébrités reprenaient leur vie numérique et pouvaient de nouveau échanger avec leurs fans.

La somme a été atteinte en seulement six jours, les fans donnant en tout 500 000 $ et le milliardaire de l'industrie pharmaceutique et philanthrope, Stewart Rahr, versant l'autre moitié.

Cette utilisation inventive du « chantage créatif » a permis à Keep a Child Alive de sensibiliser plus de 30 millions de followers sur Twitter. Dans le même temps, d'autres utilisateurs de Twitter ont été incités à mourir numériquement, puisque plus de 3 600 personnes en ont fait de même et ont ainsi renforcé la portée de cette campagne.

COCA-COLA
Publicis e-dologic, Tel Aviv
LE ROI DU RECYCLAGE

Dans sa volonté d'accroître le nombre de bouteilles en plastique recyclées en Israël, Coca-Cola a utilisé le service Facebook Lieux. L'entreprise a téléchargé sur Facebook Lieux les données de géolocalisation de 10 000 conteneurs dans tout le pays et incité les internautes à poster des photos d'eux en train de jeter leurs bouteilles de Coca en plastique. Celui ou celle qui jetait le plus de bouteilles se voyait décerner le titre de roi ou reine du recyclage.

En se servant des réseaux sociaux et de l'élan que ces derniers sont capables de produire, Coca-Cola a généré un effet boule de neige en matière de recyclage. Si des personnes voient leurs amis avoir un comportement responsable, généralement elles l'adoptent également. Cette campagne a fait le bien en incitant les gens à recycler et en leur révélant l'emplacement des conteneurs près de chez eux, mais a également fait augmenter les ventes de Coca-Cola en Israël et renforcé sa réputation d'entreprise responsable. Que demander de mieux ?

Nous recherchons en permanence des moyens d'associer, d'une manière simple et intuitive, les expériences réelles et numériques des gens. Dans cette campagne, nous y sommes parvenus pour une bonne cause, également essentielle, et ça nous comble de bonheur.

PUBLICIS E-DOLOGIC

FRANCE NATURE ENVIRONNEMENT
Albert Gamotte, Paris
RENDEZ-MOI MON AIR

Pour alerter l'opinion publique sans être moralisateur tout en l'invitant à se renseigner sur les solutions, mais aussi pour la forcer à constater l'importance de la question de la qualité de l'air, France Nature Environnement a mis en place « Rendez-Moi Mon Air ».

Relayée par un dispositif 360° (cartographie et sensibilisation de blogs, diffusion réseaux sociaux, activation par e-mail des bénévoles de l'ONG…), l'opération visait à faire prendre conscience de la dangerosité et de la réalité de la pollution par un dispositif visuel et ludique. Un cube de toile blanche a été disposé sur le toit d'un immeuble parisien et un message y a été apposé avec une colle spéciale. En quelques jours, la pollution s'y est fixée et a permis d'afficher le message : IRRESPIRABLE. Plus de 3 000 photos prises en une semaine ont été collectées dans une vidéo TimeLapse. La vidéo a été directement reprise et commentée en Une des grands médias nationaux (presse Web et papier nationale et régionale, télé, radio, newsletters à fort tirage…) ainsi que dans le reste de l'Europe. Elle a totalisé plus de 50 000 vues en une dizaine de jours et continue à être reprise dans les médias en illustration de chaque pic de pollution, 2 ans plus tard.

GÉNÉROSITÉ

8.

GÉNÉROSITÉ

Pourquoi vous devriez donner plus
pour recevoir plus ?

Soyez désintéressé

La générosité est bien plus qu'un geste philanthropique, c'est une attitude. Vous avez le choix : être généreux ou égoïste. En tant que marque, soit vous allez au-delà de la réglementation publique pour jouer un rôle dans la vie des gens, soit vous vous contentez du comportement de mâle dominant type, à savoir «je suis le meilleur, le plus costaud et le plus rapide». Mais les consommateurs s'attendent à ce que vous renvoyiez l'ascenseur. Une enquête, réalisée par Edelman en 2010, a révélé que 86 % des consommateurs dans le monde estiment qu'une entreprise doit veiller, au moins à parts égales, à son intérêt et à celui de la société. La générosité doit transparaître dans votre état esprit, votre attitude et vos actes, en allant au-delà des cadeaux gratuits accompagnant l'abonnement à un magazine. Vous devez vous donner du mal, consacrer du temps ou donner de l'argent pour sortir du lot et faire en sorte que les gens se sentent uniques. La générosité est désintéressée et les récompenses multiples.

Bonifiez la vie des gens

Les rôles sont inversés : pour une fois, c'est vous qui donnez quelque chose, là où avant vous demandiez aux gens de vous consacrer un peu de leur temps, d'acheter ou de donner. Vous entamez la relation par un geste de gentillesse, tel qu'ouvrir la porte à un inconnu. De petits gestes, comme le Wi-Fi gratuit chez McDonald's, peuvent tout changer : ils améliorent subitement la vie d'autrui. Il peut s'agir de mettre de la couleur là où il y avait du béton gris, comme dans le programme «Let's Colour» de Dulux, ou de donner le sourire et d'amuser avec «The Fun Theory» de Volkswagen. Grâce au projet «Million», Samsung et Verizon ont judicieusement affiché leur générosité à travers des récompenses, données à des étudiants dont les résultats s'amélioraient, qui allaient de minutes de communication supplémentaires à des réveils par des célébrités. Des initiatives similaires sont désormais en cours dans d'autres pays.

La générosité peut également être simplement marrante. Vous souvenez-vous de la publicité pour Cadbury dans laquelle un gorille joue à la batterie *In the Air Tonight* de Phil Collins ? Cette publicité, qui n'en était pas vraiment une, visait juste à divertir et non à interrompre un programme pour vendre quelque chose. C'est en soi très généreux. Si vous ne l'avez pas encore vue, allez sur YouTube, elle va vous faire sourire.

Soyez séduisant et généreux

Dans son ouvrage *The Generous Man*[1], le scientifique danois, Tor Nørretranders, affirme que sur le plan de l'évolution, plus l'action entreprise est généreuse ou difficile – comme partager un repas ou réaliser une œuvre d'art – plus son auteur est sexy. Un exemple dans la

1 *The Generous Man : How Helping Others is the Sexiest Thing You Can Do* (Da Capo Press, 2006)

Ci-contre «Let's Colour», Dulux, Euro RSCG,
Londres (voir page 182)

UNE GÉNÉROSITÉ GARGANTUESQUE

En 2010, Warren Buffet et la Bill & Melinda Gates Foundation ont donné le coup d'envoi de la plus grande campagne de collecte de fonds de l'histoire, The Giving Pledge. Plus de 69 milliardaires américains ont à ce jour promis de donner au moins la moitié de leur fortune. Dans le même temps, les Gates et Buffet essaient de rallier des milliardaires d'autres pays à leur cause.

nature ? Le plumage du paon est encombrant, ostentatoire et inefficace, mais attire pour les mêmes raisons les femelles. De prime abord, la générosité peut paraître contraire au bon sens dans les affaires, mais c'est précisément ça qui rend l'histoire d'une marque séduisante et convaincante. Vous faites un geste généreux et si vous parvenez à réussir malgré les inconvénients, vous paraissez plus fort. C'est l'histoire classique du héros qui surmonte tous les obstacles afin de sauver la princesse. En 2011, Coca-Cola est allé jusqu'à peindre en blanc ses cannettes rouges emblématiques afin de lever des dons et sensibiliser les gens au sort des ours polaires, en compagnie du World Wildlife Fund (WWF). Les ours polaires sont la pierre angulaire de Coca-Cola depuis les années 20, mais sacrifier les couleurs de la marque était apparemment trop : les clients confondaient le nouvel habillage avec le Coca Light et la marque a dû changer son fusil d'épaule. Elle a néanmoins versé 3 millions de dollars au bénéfice de la cause.

Consacrez du temps et soyez attentionné

Si vous apportez un petit plus à vos clients et si vous vous montrez généreux envers eux, vous les rendrez plus heureux. Ça se saura et vous attirerez plus de clients. Dans un premier temps, cela peut vous désavantager vis-à-vis de la concurrence et se montrer inefficace, mais vous en récolterez les fruits plus tard. Veillez à ce que chaque client se sente unique en lui offrant ce petit supplément de temps et d'attention, comme Chevrolet l'a fait en Colombie en offrant aux chauffeurs de taxi

VOUS AVEZ DÉJÀ ESSAYÉ DE METTRE UN LIT SUR UNE BICYCLETTE ?

IKEA Danemark a basé sa générosité sur des recherches montrant que 20 % de ses clients venaient dans ses magasins à bicyclette. Résultat, ils ont mis gratuitement à disposition des remorques pour bicyclette pour qu'ils ramènent chez eux leurs achats, ce qui est également bon pour l'environnement.

une formation (et en les rendant fiers), via le parrainage financier de leur propre université. Google a également donné de son temps et de son énergie en dotant 17 musées internationaux de sa célèbre fonction Street View, afin que les internautes puissent se balader dans les allées et apprécier les immenses collections qui y sont présentées. Allez sur Googleartproject.com et vous pourrez admirer en haute résolution *La Naissance de Vénus*, de Botticelli, dans la Galerie des Offices à Florence.

Soyez généreux dans vos actes et votre discours

Il est important que la générosité soit un état d'esprit dans chaque strate de votre organisation, de la façon de traiter les parties prenantes à votre offre de produits. Par exemple, Nike a fait de l'amélioration des pratiques durables au sein de son secteur d'activité une priorité, par le biais d'une initiative baptisée GreenXChange, destinée à orienter et partager des solutions et brevets entre entreprises. Cette initiative montre clairement l'incroyable transformation se produisant dans la sphère des affaires. Autrefois, l'un des actifs les plus précieux d'une entreprise était ses brevets, mais désormais Nike les met à disposition gratuitement et demande aux autres de lui emboîter le pas. Autre exemple, Facebook qui partage la technologie utilisée pour le fonctionnement de son centre informatique écoénergétique avec ses concurrents. La générosité n'est plus simplement une auréole désirable planant au-dessus d'une marque ou un geste de gentillesse, mais une idée prise très au sérieux dans nombre de conseils d'administration. Quand vous donnez, vous obtenez en retour. Comme le dit le sociologue Simon Sinek, lorsque ceux qui donnent ont besoin d'aide, ils peuvent s'attendre à recevoir, alors que ceux qui prennent sans rien donner en retour devront payer pour l'obtenir.

Le programme d'alimentation saine de Walmart mis en place aux États-Unis en est la parfaite illustration. Destiné à permettre aux Américains défavorisés d'acheter des produits alimentaires sains à moindre prix, ce programme a reçu la bénédiction de la Première dame, Michelle Obama. Certains critiques affirment qu'il s'agit d'un prétexte pour pénétrer de nouveaux marchés, mais Walmart crée de la valeur et en obtient en retour.

Rejoignez, vous aussi, la tendance *Random Acts of Kindness* (bonnes actions aléatoires)

Dans la plupart des cas, les entreprises font preuve de générosité dans le cadre de campagnes ou d'initiatives ponctuelles, sans que cela soit intégré dans les valeurs de leur marque. Une tendance émerge en ce moment, ce sont les *Random Acts of Kindness* (RAK – bonnes actions aléatoires), qu'une entreprise peut mettre en pratique par un petit geste de générosité envers des clients, existants ou potentiels. Par exemple, au Royaume-Uni, Interflora a lancé, via Twitter, une campagne consistant à donner des fleurs à des utilisateurs de ce réseau social dont elle estime qu'ils ont besoin qu'on leur remonte le moral. L'un des tweets de soutien du fleuriste dit, « Désolé d'apprendre que vous ne vous sentez pas bien – est-ce qu'un bouquet surprise compenserait cette baisse de régime ? ». Des campagnes similaires ont été adoptées par de nombreux acteurs, de la compagnie aérienne KLM à la société de cosmétique Biotherm. Pour une marque, c'est un excellent moyen d'ajouter un peu d'authenticité, de culot et de cœur afin de nouer des relations et de bonifier la vie de clients, fidèles ou nouveaux.

Renforcez le capital générosité d'autrui

Nous sommes tous conçus pour être généreux. Des études montrent que les personnes généreuses sont plus heureuses et ont plus d'amis. Il est également prouvé qu'un acte altruiste libère de la dopamine et de l'ocytocine dans le cerveau, augmentant ainsi notre bien-être. Donner est le plus beau des cadeaux. Pour la même raison, les gens souhaitent montrer qu'ils sont généreux, tendance baptisée « compassion ostentatoire ». Les rubans roses, épinglés au revers de tenues pour afficher son soutien à la lutte contre le cancer du sein, ou le port de chaussures ou vêtements Product (Red) en sont une brillante illustration. Lors de la planification de leurs activités, les marques devraient réfléchir à la façon de renforcer le capital générosité de leurs clients, en se montrant elles-mêmes généreuses, idée également abordée dans le chapitre Connexion. Lorsqu'elle levait des fonds pour son bateau Rainbow Warrior III, l'organisation Greenpeace a récompensé les

Le projet « Million », The New York City
Department of Education, Droga5, New York (voir
page 185)

Projet « Pepsi Refresh », Pepsi,
TBWA\Chiat\Day, Los Angeles
(voir page 188)

donateurs qui apportaient leur contribution sur son site Web en leur
délivrant un certificat et en inscrivant à bord leurs noms sur un mur dédié
de la salle de conférences, afin que leurs amis puissent voir cela en ligne.
La boucle est bouclée. Les marques généreuses sont plus sexy, rendent
les gens plus séduisants, attirent plus de personnes afin de changer les
choses.

C'est simple : plus vous donnez, plus vous recevez

L'espèce humaine a survécu parce qu'elle a évolué afin de coopérer et de
prendre soin des êtres dans le besoin. La même évolution semble se
produire dans les affaires : préférer les marques qui ont du cœur et qui
s'impliquent réellement aux côtés de leurs clients et de l'environnement.
La générosité peut faire la différence sur un marché encombré, comme
le montre le projet « Pepsi Refresh ». La générosité est un atout influent
pour une marque, cela permet d'attirer de nouveaux clients, fournisseurs
et partenariats et peut ouvrir les portes de nouveaux marchés, tout en
faisant le bien. Comme le montrent les nombreux exemples
d'entreprises généreuses dans le monde des affaires actuel, les plus
gentils survivent. En fait, faire preuve d'esprit de sacrifice sert ses
propres intérêts. Au final, plus vous donnez, plus vous recevez.

Interview
THIERRY LIBAERT

C'est un des grands experts français de la communication. Il est docteur en sciences de l'information et de la communication (université de Louvain).

Il a été professeur des universités au CELSA, à Sciences Po et à Louvain où il était directeur des enseignements de communication et où il a présidé le Laboratoire d'analyse des systèmes de communication d'organisation (Lasco – université Louvain-La-Neuve). Il a été vice-président du conseil paritaire de la publicité (2009–2012). Il est membre du conseil d'éthique de la publicité depuis 2014 et membre du comité économique et social européen… Parmi les nombreux ouvrages qu'il a publiés, citons *La communication verte*[1], dès 1992 ! Mais aussi *Communication et environnement : le pacte impossible* (PUF, 2010).

Justement, pour entamer la conversation avec Thierry, commençons par un *flash-back* de plus de 20 ans. Que s'est-il passé dans la communication responsable depuis 1992 ? La question tombe bien, car Thierry nous confesse : «Il n'y a pas très longtemps, j'ai relu mon livre paru en 1992 *La communication verte*… Deux choses m'ont frappé : d'abord, je n'y ai jamais employé le terme développement durable qui a pourtant été inventé en 1987. En faisant une recherche, je me suis aperçu que les toutes premières occurrences dans la presse ne remontaient réellement qu'en cette année 1992 après le sommet de la Terre à Rio en juin et que c'est cette grande réunion internationale qui a popularisé la notion. Par ailleurs, les premières campagnes sur le thème écologique concernaient essentiellement le marketing produit, pas la communication institutionnelle. En 1989, Henkel positionnait sa lessive Le Chat comme "lave le linge plus blanc et contribue à la

___
1 Il est désormais épuisé en librairie. On peut le télécharger sur le site de l'auteur : www.tlibaert.info

préservation de la planète". En fait, c'était juste une lessive sans phosphates… Mais ce positionnement a été un tel succès commercial (+ 5 points dans un marché aussi concurrentiel !) que d'autres grands groupes se sont lancés sur le créneau du "vert" (Gamme Maison verte de Reckitt & Coleman, Produits verts de Monoprix…). »

Effectivement, ces temps semblent bien révolus… Quelques échecs cuisants, un *greenwashing* qui a bien dégradé la confiance, une crise financière et économique qui n'en finit pas… et le *green* n'est plus un argument marketing, sauf pour des marques «spécialisées» : «Effectivement, vingt ans après, le *green marketing* marche encore pour certaines marques leaders, pour des marques de niches (comme Yves Rocher), mais c'est très difficile pour les autres. On sait maintenant qu'il existe une sorte de schizophrénie du consommateur, qui déclare être très concerné… mais qui est incapable de citer trois marques responsables qu'il aurait achetées (cf. une enquête du *Guardian*). »

D'ailleurs, les grandes campagnes corporate d'il y a un peu plus de dix ans (la vague est arrivée avec le Sommet de la Terre de Johannesburg en 2002), où les entreprises expliquaient qu'elles allaient sauver le monde, c'est bien fini aussi… La confiance est rompue : le discours développement durable ne passe plus. Comment expliquer cet échec alors que les problèmes de fond sont encore plus urgents à résoudre : «Le développement durable a été abordé par les entreprises comme un objet consensuel, une sorte de plus petit commun dénominateur permettant de s'adresser à tous leurs publics. Le paradoxe que j'ai soulevé dans mon livre *Communication et environnement, le pacte impossible*, c'est qu'en communiquant sur la RSE, les entreprises ne sont pas apparues comme vertueuses, mais comme responsables. Car quand on communique sur un sujet, on le fait apparaître. Du coup, plus il y a de messages sur le développement durable, moins le public a confiance dans les entreprises ! On a démontré scientifiquement que la communication sur la RSE ne protège pas des crises… mais les amplifie : on est dans le syndrome du bon élève qui a menti (ex : BP/Deepwater ; Danone/Lu et les licenciements boursiers). »

Devant un constat aussi noir, on ne peut pas ne pas demander à Thierry ce qu'il pense de l'idée que «si la communication est le problème, elle pourrait aussi être la solution… ». Les gens de communication et de marketing sont ceux qui connaissent le mieux les comportements des consommateurs : ne sont-ils pas les mieux placés pour faire changer les comportements ? Là encore l'analyse de Thierry reste critique : «Je ne crois pas que la pub puisse rendre vertueux. L'habillage éthique, responsable est dangereux. Les publicitaires répondent aux demandes de leurs clients, les annonceurs, qui sont dans le court terme… alors que les changements de comportement ne peuvent s'opérer que dans le long terme. Ce serait plutôt à l'État d'agir sur les comportements. En tout cas, il y a clairement un risque de déception pour les marques qui se mettraient en première ligne sur ce sujet. Si elles souhaitent quand même le faire, elles doivent alors mettre clairement leurs objectifs sur la table. Les travaux des psychosociologues américains sur les modèles de communication engageante pour changer les comportements (cf. *nudges*, par exemple) sont bien connus des universitaires et spécialistes français, mais pas des opérationnels. De plus, les organisations qui communiquent sur ces sujets ont plus des objectifs de réputation que d'efficacité. Ainsi, quand on analyse les campagnes des villes qui communiquent sur le tri des déchets, on se rend compte qu'elles sont plus faites pour promouvoir l'image de la ville, qui se positionne en "donneur de leçons", plutôt que pour vraiment agir sur les comportements et améliorer le taux de tri. »

Mais alors que serait une communication responsable selon Thierry ? « D'abord, responsable cela veut dire étymologiquement "qui répond de". Il faut donc assumer en amont du process de communication et bien s'assurer que l'on a fait avant de dire. Pour moi, les principes d'une communication responsable seraient :
– une communication plus humble. Surtout dans une période de crise, où les préoccupations développement durable des consommateurs sont moins en avant. Il faut sortir de la communication ostentatoire, accepter de justifier en permanence ce que l'on dit, être dans une relation égalitaire avec ses publics. Revenir à ce qu'Émile de Girardin, fondateur de *La presse* en 1836, recommandait : une publicité simple, franche, concise.
– une communication plus holistique. Il faut arrêter de cloisonner les différents publics. De toutes les façons, le digital rend impossible ce cloisonnement. Je dis toujours à mes élèves qui me demandent comment juger de la sincérité du discours d'une entreprise d'aller voir sur la rubrique financière de son site. Si le message sur le développement durable y est le même que dans le rapport dédié, c'est bon signe ! Sinon…
– une communication plus participative, qui intègre les parties prenantes, fondée sur l'échange où l'écoute redevient centrale. »

Y a-t-il un dernier conseil que Thierry, en tant qu'universitaire spécialiste de la communication, pourrait adresser aux opérationnels de la communication des entreprises et des marques pour les aider à retrouver la confiance des citoyens : « Nous sommes dans une période où les entreprises changent de plan de communication tous les ans, où l'horizon stratégique ne dépasse guère un an. Cela entraîne un tel zapping communicationnel (une année on communique sur la proximité, l'année d'après sur l'innovation, etc.) qu'il est impossible

pour une entreprise de convaincre de la profondeur de son engagement dans le développement durable. Il faut retrouver le temps long, revenir aux fondamentaux de la communication avec une vision sur trois ans. C'est ce que j'ai appelé la *Slow Communication*, en référence au mouvement *Slow Food*. »

Pour moi, les principes d'une communication responsable seraient une communication plus humble… plus holistique… plus participative…

COLOMBUS CAFÉ
Sidièse, Paris
**COLUMBUS CAFÉ FAIT
LE TOUR DE FRANCE**

À l'occasion de son 20e anniversaire, Columbus Café a pris les routes de France pour aller à la rencontre de ses consommateurs.

Columbus a laissé les clés à l'agence Sidièse pour concevoir un événement itinérant qui a visité dix grandes villes métropolitaines (Paris, Marseille, Toulouse, La Rochelle…). L'agence a proposé à la marque d'embarquer avec elle l'association Laurette Fugain pour un partenariat actif autour de la sensibilisation des jeunes au don de sang, de plaquette et de moelle osseuse. En faisant monter à bord un partenaire de cœur, Colombus Café a fait le pari de la générosité et de l'ouverture. L'ensemble du dispositif laissait une place importante à l'association qui a pu sensibiliser le plus grand nombre aux « Dons de vie ». Les bénévoles de l'association étaient sur chaque escale pour faire leurs animations et collecter des dons sur un espace entièrement dédié.

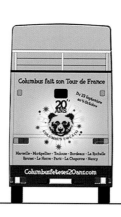

It's all about giving a little bit back. **Eco-conscious BlueMotion technology.**

Das Auto.

It's all about giving a little bit back. **Eco-conscious BlueMotion technology.**

Das Auto.

VOLKSWAGEN
Ogilvy, Le Cap
ESPACE PUBLICITAIRE OFFERT

Pour informer le grand public sud-africain de la sortie de sa nouvelle technologie BlueMotion, respectueuse de l'environnement et économe, Volkswagen a donné à des ONG locales de l'espace publicitaire au cœur de sa campagne presse. Cette publicité dans une publicité attire immédiatement l'attention, la démarche correspond à ce que nous trouvons en naviguant sur Internet, une fenêtre à l'intérieur d'une autre fenêtre.

Toutes les parties prenantes sont gagnantes. La société Volkswagen renforce sa réputation de marque citoyenne et les ONG à qui elle offre de l'espace publicitaire bénéficient d'une précieuse exposition. En Afrique du Sud, les espaces publicitaires sont vendus cher dans les magazines. En donner une partie à des associations caritatives, qui n'auraient jamais pu se les offrir, a beaucoup de sens. La technologie BlueMotion a pour vertu de respecter l'environnement et Volkswagen prouve qu'il s'agit d'une marque qui joint le geste à la parole.

DULUX
Euro RSCG, Londres
METTEZ DE LA COULEUR

Pour se repositionner sur le marché de la peinture, Dulux a lancé le projet « Let's Colour », visant à améliorer la vie des gens grâce à la couleur. Dans un combat mondial contre tout ce qui est gris et terne, la marque s'est engagée à peindre les rues, les maisons, les écoles et les places. Jusqu'à présent, le projet « Let's Colour » s'est rendu en Afrique du Sud, aux Pays-Bas, en Turquie, en France, en Inde, au Royaume-Uni et au Brésil, apportant de la couleur et du bonheur là où ils avaient disparu.

Grâce à de jolis films en accéléré, Dulux a montré comment sa peinture peut transformer les lieux les plus tristes en quelque chose d'enthousiasmant qui donne de l'énergie – uniquement avec de la couleur. Encore une fois, la preuve est faite que lorsqu'une marque s'associe à une initiative très proche (ou indissociable) de son offre de produits, les effets obtenus sont bien plus puissants.

Cette campagne s'est avérée très efficace puisque plus de 250 000 personnes ont regardé le film en ligne dans le mois ayant suivi son lancement. En donnant toute cette peinture, Dulux a réalisé une campagne visuellement stupéfiante qui, outre sa générosité, encourage le grand public à collaborer à grande échelle : un excellent exemple de publicité éthique !

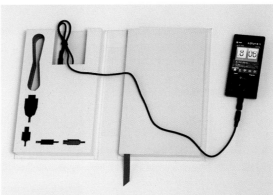

CELL C
Net#work BBDO, Johannesburg
L'AGENDA ÉCOLOGIQUE

L'opérateur de téléphonie mobile sud-africain, Cell C, a envoyé à ses plus gros abonnés et à tout son personnel travaillant en Afrique du Sud, un agenda écologique plein de conseils pour faire des économies d'électricité et adopter un mode de vie plus respectueux de l'environnement. Détail très intéressant, dans la couverture du livret se trouvait un chargeur solaire permettant aux clients de recharger leur téléphone grâce aux rayons du soleil.

Les 312 conseils pour adopter un style de vie écologique étaient présentés sous la forme de poèmes accompagnés d'illustrations. Il s'agissait, par exemple, d'inciter simplement les gens à éteindre leurs lumières et leurs appareils électroménagers et à dîner à la bougie. D'autres conseils étaient distillés à l'aide de pictogrammes représentant le nombre de kilomètres parcourus par an en voiture et le nombre d'arbres à planter afin de compenser les émissions de CO_2 du véhicule.

Cette démarche, à la fois simple et amusante, a permis à Cell C de montrer à ses clients qu'elle est une entreprise responsable, mais également généreuse. Avec un nombre suffisant de clients décidés à suivre ces conseils, l'opérateur pourrait également avoir un impact positif sur l'environnement.

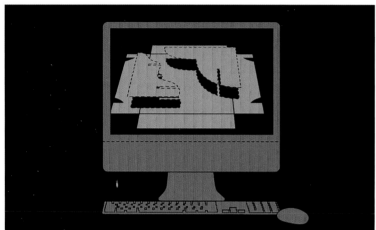

IKEA
Hubble Innovations, Berlin
ATTITUDE ÉCOLOGIQUE

En Autriche, IKEA a judicieusement montré comment réutiliser des emballages, jetés en temps normal. Difficile d'être plus en phase avec les valeurs de la marque ! Les clients étaient habitués à monter eux-mêmes leurs meubles, il était donc parfaitement logique de leur proposer de faire la même chose avec les emballages, afin de les réutiliser pour en faire de nouveaux objets (une chaise, par exemple…). IKEA a également lancé un concours dont le but était de soumettre des idées de produits à base de carton, les meilleures étant mises en œuvre.

Cette campagne a eu un tel succès qu'elle s'est répandue très vite dans toute la sphère du design, puis a été mise en place par IKEA dans le monde entier.

Tout le monde y a trouvé son compte. IKEA est parvenu à montrer ses références en matière d'écologie sans dépenser le moindre centime via des médias traditionnels, et les consommateurs ont trouvé une valeur ajoutée dans leurs achats, avec le sentiment en plus que l'enseigne est non seulement généreuse, mais également soucieuse de l'environnement. En outre, la planète profite d'une diminution de la production de déchets et de l'utilisation d'espaces d'enfouissement. Dans un monde où les emballages inutiles sont légion, c'est une bouffée d'air frais et les emballages ne sont plus seulement des objets à jeter.

> *Ce qui nous ravit dans cette idée, c'est qu'elle n'évoque pas simplement la dimension durable d'IKEA, mais qu'elle la prouve concrètement, et ce, sans avoir à utiliser de nouveaux composants. Nous sommes parvenus à véhiculer l'attitude d'IKEA en nous servant des éléments existants. Nous avons juste permis au client de les transformer en quelque chose d'utile. C'est tout IKEA, ça : les consommateurs ont joué aussi un rôle.*

DENNIS MAY, DIRECTEUR DE LA CRÉATION DE HUBBLE INNOVATIONS

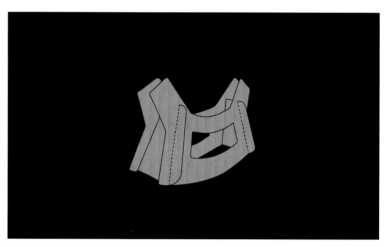

million

THE NEW YORK CITY DEPARTMENT
OF EDUCATION
Droga5, New York
LE PROJET MILLION

Après s'être penchés sur l'enseignement public du point de vue de l'offre et de la demande, Droga5 et le Dr Roland G. Fryer, célèbre économiste de Harvard, se sont rendus compte qu'il fallait revoir toute l'équation. Malgré l'augmentation de la dépense par élève, des classes moins chargées et une meilleure formation des enseignants, le système scolaire n'était pas plus performant qu'auparavant. Ils ont découvert que le problème ne provenait peut-être pas uniquement de l'offre (l'enseignement), mais également de la demande (les élèves). Ils estimaient qu'il fallait innover pour motiver les élèves.

En 2007, près de 3 000 élèves du système scolaire new-yorkais se sont vus offrir des téléphones (donnés par Samsung), préchargés (crédit communication offert par Verizon). Selon leurs performances scolaires (assiduité, notes et implication), on leur donnait du crédit pour appeler, envoyer des SMS, naviguer sur Internet et télécharger des contenus. En associant ce que recherchaient les élèves à leur activité en classe, la demande d'éducation est devenue réelle.

Cette méthode de motivation généreuse est un nouveau moyen de s'adresser aux jeunes, compris par ces derniers, et, en termes de résultats, cette campagne a eu un succès indéniable. 65 % des parents ayant autorisé leurs enfants à participer à l'opération ont dit qu'ils réussissaient mieux à l'école qu'avant le lancement du programme. En outre, plus de 75 % des élèves participants ont dit que cela avait eu un impact positif sur leurs études, au moins à l'un des trois titres suivants :

- Ils travaillaient plus dur
- Ils « étaient plus compétitifs d'une manière satisfaisante »
- Ils échangeaient plus avec les enseignants

Plus de 75 % des parents dont les enfants participaient à ce programme ont également remarqué au moins l'un des changements de comportement suivants chez leur enfant depuis le début de la campagne :

- Il consacrait plus de temps à ses devoirs
- Il était plus intéressé par certains cours
- Il avait de meilleures notes et/ou faisait plus de progrès
- Il étudiait plus avec ses amis

Cette campagne montre qu'avec des idées neuves, même les problèmes les plus épineux peuvent être résolus, avec de bons résultats à la clé pour toutes les parties prenantes. « The Million » a lancé un second programme à Oklahoma City lors de l'année scolaire 2010-2011, en espérant que d'autres états se mettent au diapason.

BCR
Rogalski Grigoriu, Bucarest
L'ÉCOLE DE L'ÉCONOMIE

En Roumanie, après la crise financière de 2008, la BCR, l'une des plus vieilles banques du pays, a ouvert l'« École de l'épargne » – initiative en ligne basée sur les médias sociaux et destinée à apprendre aux citoyens à faire des économies. Grâce à l'utilisation du « Super Lion », monnaie imaginaire reposant sur le leu (monnaie roumaine qui signifie « lion »), les consommateurs étaient incités à échanger et à apprendre à gérer correctement leur argent. Des cours interactifs étaient dispensés par « le proviseur » et des examens permettaient de tester l'acquisition des connaissances, un jeune couple remportant le prix du couple ayant économisé le plus d'argent.

Les résultats ont été incroyablement positifs, au-delà de ce qu'espérait la BCR. 8 711 équipes se sont inscrites au programme, soit 74 % de plus que prévu par les organisateurs et 80 % des participants ont eu le sentiment d'apprendre à gérer leur argent d'une manière plus responsable (alors que l'objectif était d'atteindre les 30 %).

La BCR a fait preuve de générosité. Elle a montré que sa démarche était responsable et offrait à ses clients des résultats tangibles à exploiter pour le restant de leurs jours.

LA PLUS BELLE DES EXCUSES

Norte est la bière numéro 1 dans le nord-ouest de l'Argentine, mais l'entreprise a découvert qu'elle perdait du terrain sur les bières de qualité supérieure servies dans les bars. Elle estimait que se montrer généreuse avec sa région d'origine pouvait améliorer sa réputation auprès de ses clients.

Basé sur le principe que les femmes préféreraient que leur compagnon fasse autre chose que d'aller au bar, Norte a rendu positive la fréquentation de ces établissements. Pour chaque bouteille de Norte achetée, la marque donnait une minute pour faire le bien. Cela offrait aux hommes une excuse toute trouvée pour aller au bar avec leurs amis – il leur suffisait de mettre leurs capsules de bouteille dans des compteurs spéciaux. À la fin de la campagne, plus de 50 000 minutes avaient été données par Norte. Les équipes de l'entreprise ont par exemple rénové des écoles, planté des arbres et amélioré les parcs publics. En outre, l'étude menée après la campagne a révélé que les gens attribuaient à la marque la personnalité d'« un homme qui s'amuse tout en se montrant bon, responsable et doté du sens du partage ».

Les femmes peuvent être fières de leurs compagnons. Et surtout, les hommes peuvent se rendre sans problème au bar avec leurs amis.

DEL CAMPO NAZCA SAATCHI & SAATCHI

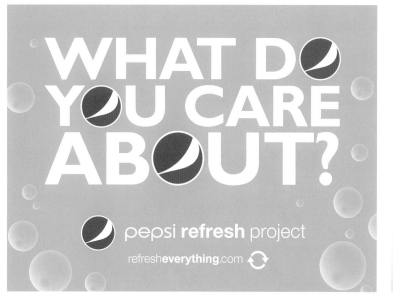

**PANNEAUX D'AFFICHAGE
SOLAIRES**

En Afrique du Sud, Nedbank a opté pour
une démarche courageuse aux résultats
tangibles en posant la question suivante :
« Et si une banque offrait vraiment le
pouvoir au peuple ? » (le slogan jouant sur
le double sens de power en anglais –
électricité et pouvoir). Un panneau
d'affichage doté de panneaux solaires
alimentant les bâtiments publics et
l'école des environs a été installé.

C'est l'exemple classique de la
publicité éthique, à savoir un message
positif d'une marque associé à de réels
résultats qui améliorent la vie des gens.
Cette publicité profite non seulement aux
personnes éclairées gratuitement, mais
également à Nedbank.

Une dose salutaire de générosité et
créativité (le concept derrière ce panneau
d'affichage est génial) a valu au créateur
le Grand Prix de l'Affichage à Cannes
en 2007. Nedbank a ensuite développé
l'idée en créant des panneaux d'affichage
alimentés par l'énergie éolienne, pour un
peuple bien éclairé !

PEPSI
TBWA\Chiat\Day, Los Angeles
PROJET PEPSI REFRESH

En 2010, Pepsi a pris une décision
radicale en se retirant de la liste des
annonceurs du Super Bowl après une
présence de 23 ans. Plutôt que
d'encombrer un peu plus la sphère
publicitaire, ils ont décidé de consacrer
20 millions de dollars pour faire le bien.
Connu sous le nom de « Pepsi Refresh »,
leur projet allouait des bourses sociales
pour d'excellentes idées susceptibles de
changer la vie des gens.

Au départ, Pepsi a essuyé des
critiques virulentes. On disait que la
campagne n'était pas en phase avec
l'offre de produits de l'entreprise et que
la somme consacrée était dangereuse

pour ses comptes. Mais au final, Pepsi
leur a prouvé qu'ils avaient tort.

Plutôt que de faire une campagne de
dons traditionnelle, Pepsi a permis aux
consommateurs de faire ce qui leur
plaisait en votant pour une association
caritative présélectionnée. Les
utilisateurs du site proposaient des idées
et la communauté votait. Chaque mois,
1 300 000 $ étaient distribués.

Les critiques ont très vite dû ravaler
leurs paroles. Le projet « Pepsi Refresh »
a eu un tel succès que lors des trois
premiers mois, le site a enregistré plus
d'un milliard de contacts. Les votes ont
été plus nombreux que pour la dernière

élection présidentielle américaine. Afin
de pousser à voter et accroître ses
ventes, Pepsi a commercialisé
récemment des packs à l'habillage
spécial permettant aux consommateurs
d'obtenir un vote ayant plus de poids que
les votes standard d'utilisateurs et de
contribuer à la matérialisation d'un projet
auquel ils croient.

Cela va au-delà de la campagne de
mécénat de l'entreprise qui se contente
de libeller un chèque à l'ordre d'une
association caritative. C'est, de la part
de Pepsi, un engagement solennel à faire
le bien et à collaborer avec ses clients
pour rendre le monde meilleur. En plaçant

le pouvoir dans les mains du grand public,
Pepsi lui permet de se sentir impliqué
dans le changement. Ce genre de
démarche crée des relations
incroyablement fortes avec les
consommateurs, qui se retrouvent liés à
la marque Pepsi tout en étant les
artisans d'un réel changement.

CHEVROLET
Sancho BBDO, Bogotá
**L'UNIVERSITÉ DES CHAUFFEURS
DE TAXI**

Bogotá, la capitale de la Colombie, compte 100 000 taxis, mais pas d'école officielle de chauffeurs de taxi comme à Londres ou New York, par exemple. Voyant un créneau sur ce marché et un moyen de communiquer sur ses véhicules, Chevrolet a ouvert une université de chauffeurs de taxi, avec des émissions de radio spéciales venant compléter la formation. Cette université est gratuite pour tous les chauffeurs de taxi, quelle que soit la marque de leur véhicule. Fin 2011, Chevrolet espérait compter 4 000 diplômés.

Cette université incite non seulement les chauffeurs à mieux faire leur métier, mais crée également une relation durable entre eux et Chevrolet. La marque espère que cette relation lui permettra de renforcer sa présence au sein de la flotte de taxis. La générosité fonctionne dans les deux sens et il s'agit d'un investissement sur l'avenir pour Chevrolet. Le constructeur améliore la vie des chauffeurs de taxi et pourrait voir ses ventes augmenter.

> *Je me suis inscrit
> à l'université Chevrolet,
> motivé par mes enfants,
> car je veux progresser dans la vie.*

UN CHAUFFEUR DE TAXI PARTICIPANT AU PROJET

VAI-VAI
L'EMBALLAGE RESPONSABLE

Vaï-Vaï est une entreprise qui vend de l'eau tirée des noix de coco, 100 % naturelle, sans additif ni sucre et dont le mode de fonctionnement est coopératif, puisqu'elle réinvestit dans les communautés qui produisent son eau de coco : cette démarche a un impact positif sur 8 000 familles aux Philippines. En outre, cette eau de coco est transportée de manière particulièrement écologique, puisque l'entreprise a décidé d'écarter pour le transport les camions qui consomment beaucoup et d'opter pour le train et le bateau dans la mesure du possible.

Mais ce n'est pas tout. Cette entreprise généreuse a laissé à disposition d'ONG et d'autres causes une face de son emballage (bien évidemment recyclable), qui change tous les mois et est ouvertement qualifiée de « publicité gratuite ».

Avec cette idée d'une grande simplicité, Vaï-Vaï apporte son soutien à des causes tout en militant pour sa marque. Les consommateurs qui constatent ce degré de générosité ne peuvent qu'avoir une opinion positive à son égard.

INNOCENT
LE GRAND TRICOTAGE

Afin d'exploiter le pouvoir de la générosité et permettre aux gens de se sentir parties prenantes de la solution, Innocent a lancé, en 2003, « The Big Knit » (Le grand tricotage). Dans tout le Royaume-Uni, les consommateurs étaient invités à tricoter des bonnets, prenant ensuite place sur le goulot des bouteilles de smoothies Innocent. Pour chaque bouteille vendue avec un chapeau tricoté, 25 pence étaient reversés à Age UK, association caritative s'occupant des personnes âgées. L'opération permettait à ces dernières de se sentir toujours considérées et aimées, via le financement de visites à domicile, d'aides et de divers événements hivernaux.

Près de 80 % des bonnets reçus par « The Big Knit » avaient été tricotés par des personnes profitant directement de l'action d'Age UK, ce qui leur permettait d'être à la fois impliqués et de se retrouver dans les centres de l'association. Voilà un cercle vertueux qui fonctionne en toute autonomie.

Fin 2011, Innocent espérait avoir levé 1,2 million d'euros en huit ans d'existence du projet « The Big Knit ». Grâce à ces bonnets, Innocent a également montré aux clients dans les magasins toute son implication responsable et sa générosité, améliorant ainsi la réputation de la marque. Le bonnet est aussi un petit cadeau fait à chaque client, nouvelle preuve de générosité.

Ensemble, nous pouvons toucher, cet hiver, plus de 350 000 personnes qui ont vraiment besoin de notre aide pour vivre au chaud et rester en contact avec les autres.

INNOCENT

MERCEDES-BENZ
Jung Von Matt, Elbe
DES MURS TRANSPARENTS

Mercedes-Benz souhaitait communiquer sur son système de prévention d'accident PRE-SAFE et a donc projeté sur les murs un film en temps réel montrant ce qui se passait au coin de la rue. Cette initiative a permis de rendre les intersections piégeuses allemandes plus sûres, puisque les conducteurs pouvaient voir concrètement ce qui arrivait des rues adjacentes, comme si les murs étaient transparents.

En sécurisant la conduite et en aidant les automobilistes à détecter à l'avance les situations dangereuses, Mercedes-Benz a présenté une fonction vitale du système PRE-SAFE. Il va sans dire que cette campagne a également fait le buzz.

Cette réalisation a non seulement montré une grande synergie avec le produit promu, mais également respecté l'un des grands commandements de la publicité éthique. Cette campagne a osé poser la question « Et si… ? » et a fourni une excellente réponse. Et si les automobilistes pouvaient voir à travers les murs afin d'éviter l'accident ? Et si votre voiture pouvait le faire à votre place ? Cette volonté de dépasser les limites de la pensée traditionnelle s'est traduite par une réponse créative et généreuse qui fait de Mercedes-Benz une marque de choix en matière de sécurité.

PERSPICACITÉ

9.

PERSPICACITÉ
Quelle est la véritable motivation ?

La campagne « Truth® », American Legacy Foundation,
Crispin Porter + Bogusky et Arnold Worldwide, Miami
(voir pages 212–213)

LE LIBRE ARBITRE EST UNE ILLUSION

« Si vous étudiez toutes les recherches menées en psychologie dernièrement, vous finissez par en déduire que la volonté consciente est une illusion. »
Malcolm Gladwell

Si vous voulez que les gens abandonnent ou limitent une tâche qu'ils aiment, votre mission s'annonce difficile, qu'il s'agisse de passer moins de temps sous la douche, d'adopter un mode de vie plus sain ou d'économiser l'électricité. Si vous avez déjà essayé d'arrêter de fumer, vous conviendrez que, pour y parvenir, vous devez bien vous connaître, ainsi que votre comportement. Pour qu'une marque vous fasse abandonner la cigarette, le défi est encore plus grand. La légende de la publicité Bill Bernbach nous donne un joli point de vue : « Rien n'est plus fort qu'une immersion dans la nature humaine… les compulsions qui régissent le comportement d'un homme, les instincts à l'origine de ses actes… Si vous connaissez ces détails à propos d'un homme, vous pouvez le toucher au cœur de son être. »

Le pouvoir de la perspicacité[1]

Voici un exemple de perspicacité associée à la campagne anti-tabac américaine la plus réussie de l'histoire, baptisée « Truth® ». En 1998, l'agence Crispin Porter + Bogusky (CP+B) a reçu pour instruction de communiquer des messages tels que « Ne fumez pas, c'est seulement pour les adultes » ou « C'est sale et ça vous salit les dents ». CP+B a estimé que ce genre de communication allait aggraver la situation, convaincue que les jeunes considéraient le fait de fumer comme un acte de rébellion. Armée de cette compréhension intime concernant le comportement des jeunes, l'agence a fourni à ces derniers un autre instrument de rébellion, mais contre l'industrie du tabac, celle-là même qui avait empoisonné leurs parents et essayait désormais de leur vendre les clous de leur propre cercueil. Ce message sonnait juste pour les jeunes et la campagne se poursuit plus d'une décennie après son lancement, preuve d'une grande longévité due à sa perspicacité.

Utilisez vos intuitions pour créer un lien fort

Pour changer le comportement ou l'attitude des gens, vous devez aller au-delà de leur intellect et vous adresser à leurs sentiments et à ce qui les motive. Dans une publicité, tout comme dans n'importe quel autre secteur de la communication, c'est une grande perspicacité qui est à

Ci-contre « Ça ne se passe pas ici, mais ça se passe en ce moment », Amnesty International, Walker, Zurich (voir pages 208-209)

---

1 Au sens premier : « qui a la vue perçante, qui est clairvoyant ». Avoir de la perspicacité, c'est donc être doué d'un esprit pénétrant et capable d'apercevoir ce qui échappe à la plupart des gens.

l'origine des meilleures réalisations, car elle permet de parvenir à saisir les vrais besoins et désirs de votre cible. C'est la clé du fondement de ses actes et croyances. Les jeunes ne fumaient pas pour paraître cools, mais pour se rebeller. Cette perspicacité intuitive vous permet d'avoir un aperçu des principaux besoins, souhaits, espoirs, rêves, inquiétudes et peurs de votre cible. Il s'agit des petits secrets qu'ils ne révèlent pas forcément aux autres et dont ils n'ont peut-être même pas conscience. Si vous vous montrez perspicace lors de la conception de votre campagne, votre cible sera touchée, car elle se sentira comprise… et non pas interrompue par un message publicitaire.

Adressez-vous à une personne et non à une cible

De nombreux spécialistes du marketing confondent les observations sociales et la véritable compréhension intime, psychologique, alors qu'il est vital de bien distinguer les deux. La différence, c'est qu'en faisant preuve de psychologie, vous pénétrez au cœur des besoins et désirs de votre groupe cible, alors qu'une simple observation concerne plus une règle sociale, un élément de notoriété publique ou un fait : par exemple, « les hommes ne pleurent pas » ou « les femmes aiment faire les magasins » sont des observations reprenant des stéréotypes. Avec ce type de généralisation, votre public cible risque de penser que vous vous adressez à son groupe et non à la personne. Les observations visent généralement l'intellect et la réaction de votre public cible peut alors être : ça, je le sais déjà. En vous montrant psychologue, vous aurez une autre réaction : je ressens ce que vous dites.

Les messages antitabac tels que « Fumer tue » sont basés sur la stratégie de la peur et tentent de raisonner la cible, alors que la psychologie va plus profond, jusqu'aux raisons pour lesquelles vous fumez – comme dans le cadre de la campagne « Truth® ». Il est parfois nécessaire de comprendre les ressorts psychologiques profonds que le groupe cible a essayé de refouler parce qu'il lui était plus facile de ne pas s'en soucier. C'est ce qu'a fait Amnesty International lors d'une campagne assez récente avec le slogan « Ce qui se passe de l'autre côté du globe, ça m'est égal ». Difficile de gérer cela, mais le fait est que nous autres, être humains, avons tendance à nous identifier aux personnes dont les valeurs et la vie ressemblent aux nôtres. Et il se trouve que ces personnes vivent près de nous. En réponse à ce phénomène, Amnesty International, en compagnie de l'agence de publicité Walker, a lancé une campagne d'affichage sur des panneaux transparents, avec des scènes donnant l'impression que les droits de l'homme étaient violés dans la rue, juste sous les yeux des passants. Le slogan disait, « Ça ne se passe pas ici, mais ça se passe en ce moment ». Cette campagne est parvenue, par exemple, à ramener dans une rue piétonne de Zurich des violences se déroulant à l'autre bout de la planète. Les passants étaient véritablement confrontés à ces événements, révélant ainsi leur insensibilité.

Adressez-vous au centre de contrôle du changement de comportement

Se montrer perspicace peut désarmer, car cela touche l'inconscient. Comme évoqué dans le chapitre « Compassion », la science du cerveau montre que la prise de décision s'effectue dans une structure du système limbique appelée amygdale, qui régit les sentiments tels que la confiance, la loyauté, la peur et le désir. Cette partie du cerveau ne gérant pas le langage, lorsque vous prenez une décision, celle-ci est plus instinctive que rationnelle. Vous sentez et savez que c'est la bonne chose à faire, mais vous ne pouvez pas expliquer pourquoi. Nombre des décisions que nous prenons en tant que consommateurs sont contrôlées par cette intuition et non par la pensée rationnelle. C'est également la raison pour laquelle les actes des consommateurs sont plus facilement influencés par une approche pleine de perspicacité, dans la mesure où vous vous adressez directement au centre de contrôle du changement de comportement.

Exprimez votre perspicacité avec créativité

Malgré la nature insaisissable et non verbale de la perspicacité, de nombreuses personnes utilisent encore les méthodes de recherche traditionnelles telles que les groupes de discussion. La recherche permet souvent de se rassurer quand on a peur de prendre une décision. Comment trouver les réponses à une notion pas forcément connue et que les gens peuvent avoir du mal à exprimer ? La recherche devrait servir de source d'inspiration plutôt que de chercher à donner une réponse. En outre, il est bien beau d'être perspicace, mais encore faut-il savoir l'exploiter de manière créative. L'humaniste américaine Carol Wintermute décrit très bien cela : « La science donne des significations, tandis que l'art les exprime. » Une campagne brésilienne sur les économies d'eau a réussi à se montrer perspicace avec intelligence et créativité. Les jeunes en ont marre des interdictions. Elle a donc choisi un message autorisant certaines choses : fais pipi sous la douche pour économiser l'eau. Une instruction générique sur les économies d'eau s'est soudain transformée en message amusant et décalé parce que l'agence s'est montrée perspicace et a adopté la bonne stratégie. Quand vous êtes perspicace, vous dites : « Je sais ce que vous ressentez. » En tant que consommateur, vous sentez que l'on s'adresse à vous et non que l'on veut vous vendre quelque chose.

Engagez de grands penseurs et stratèges

Si vous êtes capable d'associer votre perspicacité à une stratégie inventive afin de permettre au grand public de se voir différemment, de jeter un regard neuf sur ses actions et motivations, la magie opérera. Il vous faut de grands penseurs, de grands stratèges capables d'allier perspicacité et objectifs marketing d'une manière pertinente et révolutionnaire. Les campagnes réellement perspicaces ont un impact plus fort, car elles s'adressent au cœur du public ciblé, à ce qui le motive réellement. Il incombe aux marques de décoder le comportement irrationnel des individus et de l'exploiter pour créer un message concis et séduisant qui incite à l'action ou au changement d'attitude. Ce n'est qu'ensuite que les gens agiront peut-être en toute logique et s'occuperont de manière appropriée d'eux-mêmes, des autres et de notre planète à l'équilibre fragile.

DE L'ANALYSE À L'INTUITION

Un labo de la perspicacité ? Les employés de Google doivent consacrer 20 % de leur temps de travail à l'innovation et à la créativité. La politique de recrutement de l'entreprise vise à la diversité, chacune des personnes engagées apportant des compétences et qualités personnelles différentes.

Interview
VALÉRIE MARTIN

Elle est la chef du service communication et information des publics de l'ADEME (Agence de l'environnement et de la maîtrise de l'énergie) depuis janvier 2008. Mais elle est entrée dans cet établissement public à caractère industriel et commercial (EPIC) français, créé en 1991… dès avril 1992! C'est dire si elle connaît bien cette institution (sous tutelle conjointe du ministère de l'Écologie, du Développement durable et de l'Énergie et du ministère de l'Éducation nationale, de l'Enseignement supérieur et de la Recherche) qui est l'opérateur de l'État pour accompagner la transition écologique et énergétique. Parmi les nombreuses missions de l'ADEME, le dialogue avec Valérie a bien sûr porté sur sa mission d'information générale vers le grand public. Pour l'assurer, l'ADEME réalise et diffuse des outils pédagogiques pour différents publics (de la brochure d'information à l'outil pratique pour passer à l'acte, comme le dernier-né : «Que faire de mes déchets?») et mène des actions de sensibilisation sur le terrain avec des acteurs locaux (Fête de l'énergie, Défi Familles à énergie positive…) ainsi que dans les médias. Tout le monde connaît, par exemple, ses grandes campagnes récurrentes, comme «Faisons vite, ça chauffe» sur le réchauffement climatique, ou «Réduisons vite nos déchets, ça déborde». C'est d'ailleurs sur ce sujet que nous commençons notre conversation avec Valérie, car si ces campagnes ont eu un grand retentissement médiatique et un fort impact, les comportements ne changent pas très vite : **«Les campagnes de communication sur le développement durable ne peuvent faire changer les comportements à elles seules. Ces changements restent difficiles à mettre en œuvre, que ce soit pour des individus ou pour des organisations, car les obstacles aux changements de comportements sont de trois ordres : matériel, financier et psychologique. En revanche, la communication peut modifier les perceptions, les représentations sociales. Elle peut, par exemple, éviter qu'un constructeur automobile sorte une campagne de pub avec une personne qui prend sa voiture pour sortir son bébé ou aller jeter sa poubelle! En ce sens, la communication peut être un vecteur de changement, en faisant changer les imaginaires.»**

Mais on a aussi souvent reproché aux campagnes de communication sur l'écologie et le développement durable d'être trop catastrophistes, trop culpabilisantes. Certains les accusent même d'être contre-productives! Comment parler de pollution, de risques naturels, de changement climatique tout en étant positif et en donnant l'envie d'agir? Valérie donne le retour d'expérience de l'ADEME sur ce sujet : **«Il y a longtemps que nous avons compris qu'il fallait arrêter la communication culpabilisante sur les tempêtes, les ours blancs… Les gens se sentent complètement paralysés par l'ampleur des actions à mener pour lutter contre ces catastrophes… et du coup ont tendance à se réfugier dans le "c'est pas moi, c'est l'autre". Des campagnes positives et qui surtout donnent des clés pour passer à l'action sont bien plus efficaces. Par ailleurs, pour accompagner les changements de comportement dans le**

> *La communication peut modifier les perceptions, les représentations sociales… En ce sens elle peut être un vecteur de changement, en faisant changer les imaginaires.*

temps, il faut éviter les campagnes du type *"one shot"* : c'est pour cela que nous menons des campagnes triennales, comme celle en cours depuis deux ans sur la rénovation énergétique ou sur la réduction des déchets *via*, par exemple, la lutte contre le gaspillage alimentaire. On peut ainsi répéter les messages pour aider à acquérir de nouveaux réflexes ou pour accompagner la réflexion sur un projet lourd, type rénovation…»

Même avec des campagnes triennales positives, la publicité dans les médias reste un moyen d'interpellation qui ne peut faire passer que des messages simples. La répétition est importante pour ancrer le message dans l'esprit des gens, mais si on ne donne pas des outils concrets, les comportements ne changent pas… Valérie nous explique comment l'ADEME articule la sensibilisation des publics au sujet du développement durable : «C'est vrai, la télévision est là pour interpeller : en 30 secondes, on n'a pas le temps de raconter sa vie! Les publicités doivent donc être créatives pour séduire et rendre l'action désirable. Une fois cette interpellation faite, il faut des outils pour répondre à la question : "Ok, maintenant je sais que ça existe, mais comment je fais?". Ce sont les sites de campagne dédiés comme renovation-info-service.gouv.fr ou www.reduisonsnosdechets.fr, avec de multiples propositions pour passer à l'acte, adaptées à la situation de chacun et répondant à la question du "comment faire?". Enfin, il

faut aussi toucher les publics professionnels (entreprises, collectivités…) afin de montrer que tout le monde prend sa part dans l'action et que c'est l'addition des actions qui fera la différence. Là, il faut des outils de passage à l'action, mais aussi des partages de bonnes pratiques.»

À ce moment de la conversation, vient forcément la question des moyens. Même si l'ADEME est dotée par l'État de budgets pour remplir cette mission de sensibilisation du grand public et des acteurs professionnels, la tâche est gigantesque… Comment démultiplier les moyens mis à disposition? Valérie répond «partenariats» : «Il est évident que l'ADEME ne peut faire seule cette sensibilisation. Nous nous appuyons sur des partenariats pour toucher les gens, les aider à passer à l'acte au moment où ils en ont besoin dans les différents moments de leur vie : dans les transports, dans leur travail, dans leurs achats… Par exemple, nous avons un partenariat avec une grande surface de bricolage qui distribue des guides co-brandés avec l'ADEME. Par ailleurs, nous avons également le souci de créer des dynamiques locales, de fournir des informations pertinentes comme trouver un artisan près de chez soi… Des initiatives comme le "Défi des familles à énergie positive" (www.familles-a-energie-positive.fr) nous permettent d'engager la conversation avec les citoyens sur tout le territoire et de sortir de la communication descendante dans les grands médias. Enfin, nous pilotons des événements comme la Semaine européenne de la réduction des déchets en novembre ou encore la Fête de l'énergie au mois d'octobre. La première représente plus de 2 300 opérations sur le territoire et la deuxième, plus de 800 opérations… Ce type d'événements est un moyen de créer du lien social, des réseaux de proximité, de montrer des actions concrètes qui existent à côté de chez soi : c'est le voisin d'à côté qui s'engage…»

Enfin, il fallait, pour finir, aborder avec Valérie la responsabilité des professionnels de la communication et du marketing dans cette sensibilisation du public… car ce sont eux, parmi d'autres (journalistes, écrivains, cinéastes, artistes…), qui sont les *storytellers* capables d'influer sur l'imaginaire collectif, clé des changements de comportement : «Les publicitaires, les hommes de communication et de marketing ont encore besoin de formation. Dans notre enquête annuelle avec l'ARPP sur publicité et environnement, nous avons constaté un déplacement du problème de *greenwashing*, des campagnes publicitaires vers les outils du marketing et de la promotion, comme le packaging, voire le choix même du nom du produit. L'ADEME s'est déjà mobilisée pour faire évoluer les pratiques des communicants : livre sur l'éco-communication, guide *antigreenwashing*, étude ADEME/ARPP "publicité et environnement", étude humour et développement durable… À l'évidence, nous devons nous mobiliser désormais sur le terrain du marketing…»

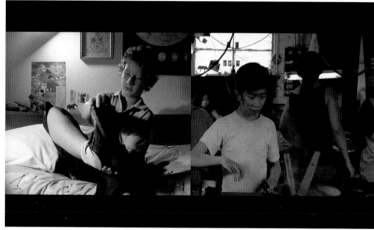

MTV EXIT
Colman Rasic, Sydney
TOUT CE DONT J'AI BESOIN

MTV EXIT et Radiohead se sont associés pour réaliser une vidéo sur le morceau *All I Need*, dont l'objectif est de sensibiliser les gens à l'exploitation d'êtres humains dans le monde entier.

Cette vidéo montre deux histoires parallèles, celle d'un garçon vivant en Occident et celle d'un garçon travaillant en Asie dans un atelier où l'on exploite la main-d'œuvre. Elle met en lumière les différences entre les deux vies.

Cette vidéo est passée sur toutes les chaînes MTV du monde et peut également être vue sur Internet et téléchargée sur un téléphone. Mi-2011, elle avait été vue plus de 3,1 millions de fois. Ajoutez le nombre de vues à la télévision dans le monde entier et vous aurez une idée de la quantité de personnes que cette vidéo a touchée.

À mesure que vous regardez cette vidéo, vous commencez à ressentir un véritable lien entre la vie des deux garçons. Vous pourriez connaître celui qui travaille dans l'atelier : c'est la force du film, car vous pouvez vous imaginer ou voir un proche dans sa situation, qui n'est liée qu'à son lieu de naissance et/ou à sa situation familiale.

BOLTHOUSE FARMS
Crispin Porter + Bogusky, Miami
GRIGNOTEZ-LES

Dans une démarche sans précédent, Bolthouse Farms a commercialisé les carottes comme produit à grignoter, ces dernières cessant d'être des légumes fades pour devenir des produits proposés dans les distributeurs, avec l'emballage et le marketing appropriés. On a observé que les carottes étaient par essence un aliment parfait à grignoter, petit, sucré et légèrement coloré.

Au début de la campagne, les carottes ont été placées dans les supermarchés de deux villes. Des distributeurs dédiés ont été fabriqués puis installés dans les lycées de ces deux villes, à côté des autres distributeurs proposant de la « malbouffe ». Chaque style d'emballage (chic, extrême et futuriste) était accompagné d'une pub télé satirique pour la « malbouffe ». En l'espace d'un mois, les ventes de carottes ont augmenté de 12 %

La conclusion ? Pour que les gens mangent mieux, il nous suffit peut-être d'opter pour un marketing plus sexy —c'est toute la perspicacité de cette campagne. Cela fonctionne depuis des lustres pour les entreprises de restauration rapide et la « malbouffe ». Il est peut-être temps de retourner cette arme secrète contre elles.

ADEME
CAMPAGNE RÉNOVATION ÉNERGÉTIQUE

Lancée en octobre 2014, la campagne signée par le ministère de l'Écologie, du Développement Durable et de l'Énergie et l'ADEME, a été diffusée en TV/ multi-écrans, en radio et en digital. Son mot d'ordre : «La transition énergétique pour la croissance verte».

À l'entrée de l'hiver et pour accompagner l'adoption du projet de loi sur la transition énergétique pour la croissance verte, les ministères de l'Écologie, du Développement Durable et de l'Énergie et l'ADEME se sont associés dans une prise de parole commune pour inviter les Français à rénover leur logement et faire connaître les nouvelles incitations financières mises en place par l'État. Dans ce film, une femme souffre visiblement du froid dans son intérieur, alors que ses dépenses pour se chauffer sont importantes. Le problème est posé de façon triviale : elle ne fait rien pour agir car elle est convaincue de ne pas avoir les moyens de financer l'isolation de sa maison.

La campagne s'adresse directement aux citoyens en représentant une situation à laquelle une grande partie d'entre eux (les propriétaires) peuvent s'identifier.

Cette campagne, à destination des particuliers, est venu en complément d'actions menées auprès des professionnels du bâtiment pour les inciter à améliorer la qualité environnementale de leurs travaux en obtenant le label RGE (Reconnu Grenelle Environnement).

URBAN MINISTRIES OF DURHAM
McKinney, Durham, Caroline du Nord
OÙ DORMENT LES SANS-ABRI ?

L'association à but non lucratif Urban Ministries of Durham (UMD), en Caroline du Nord, a lancé une initiative via l'outil de géolocalisation Foursquare, afin de sensibiliser les gens aux conditions de vie des sans-abri. En ajoutant des lieux servant de logis aux sans-abri, l'idée était de faire prendre conscience des choix qui s'offrent à ces derniers. On a ainsi ajouté des entrepôts abandonnés, des bennes à ordures, des chantiers à l'arrêt et même une tente située sous un pont d'autoroute. Cela permettait de sensibiliser l'opinion aux difficultés de cette catégorie sociale.

Pour faire passer le message sur le site, ces lieux révélaient aux internautes des informations sur les activités d'UMD et la présence de sans-abri dans la région. Cette approche, pleine de perspicacité, reposait sur la connaissance des habitudes en matière d'utilisation des téléphones et l'intégration du message à transmettre, ce qui a rendu cette campagne très efficace. La nature surprenante des lieux a été à l'origine d'un message très fort, susceptible de faire changer les comportements dans le bon sens et sensibiliser le public ciblé.

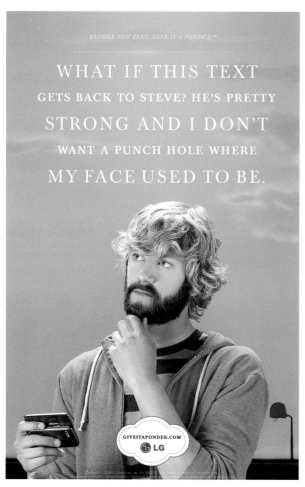

LG
Y&R, New York
RÉFLÉCHIS D'ABORD

Nous savons tous à quel point les adolescents et préadolescents aiment les SMS. Mais quels messages s'envoient-ils et quelles en sont les conséquences ?

LG s'est associé au célèbre acteur américain James Lipton (bien connu avec sa barbe) afin d'encourager les jeunes à réfléchir avant d'adopter un comportement à risque avec leur portable. Lipton les exhorte à réfléchir à deux fois avant d'envoyer une photo de leurs âneries ou de colporter des rumeurs. Il ôte sa barbe, la donne à un adolescent et, pendant qu'il la gratte pensivement, il réfléchit aux conséquences de ses actes. Il existait même une application, première mondiale du genre, permettant aux adolescents de placer une barbe en surimpression sur leur visage pendant leurs chats vidéo.

LG transmet un message positif et responsable d'une manière stimulante, marquante et amusante. Cette campagne était basée sur le principe selon lequel les adolescents réfléchissent plus aux conséquences pour eux-mêmes que pour les autres. Elle a connu un réel succès : 59 % des adolescents se souvenant de la campagne ont pensé que LG était une entreprise socialement responsable. En outre, 62 % disaient que LG avait des « téléphones » faits pour les SMS — pourcentage le plus élevé de tous les fabricants, y compris Apple et son tout-puissant iPhone.

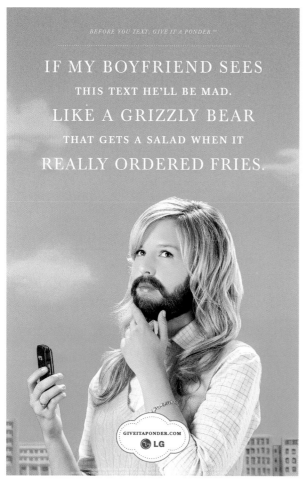

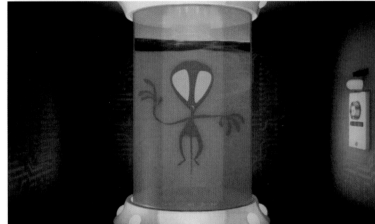

ASSOCIATION CARITATIVE SOS MATA ATLANTICA
F/Nazca Saatchi & Saatchi, São Paulo
FAIRE PIPI SOUS LA DOUCHE

L'association caritative SOS Mata Atlantica, qui œuvre à la protection de la forêt atlantique au Brésil, s'est retrouvée face à un dilemme. Les gens en avaient marre des campagnes environnementales morbides délivrant des messages négatifs, mais SOS avait besoin d'aide. Ils ont donc décidé d'opter pour une note positive en encourageant les gens à faire pipi sous la douche afin d'économiser l'eau. Illustrée par des spots télé enjoués, cette campagne s'est répandue à toute vitesse.

Elle a démarré au Brésil, mais l'idée a été reprise dans le monde entier par de nombreux médias racontant des histoires basées sur ce concept et s'est retrouvée sur les cinq continents et dans 66 pays.

Lorsqu'une idée est amusante à ce point, elle ne demande qu'à être partagée. Cette campagne a prouvé que les messages positifs peuvent donner de bons résultats pour l'environnement. Par le passé, on s'était servi de la culpabilité, de la dimension catastrophique de la situation pour déclencher des changements de comportement, mais un ton positif est peut-être aussi efficace, voire plus. On a plus tendance à partager un message positif qu'une information qui vous plombe la journée.

AMNESTY INTERNATIONAL
Walker, Zurich
**ÇA NE SE PASSE PAS ICI, MAIS
ÇA SE PASSE EN CE MOMENT**

Dans cette campagne ambitieuse mise en œuvre en Suisse, 200 affiches reproduisaient minutieusement l'arrière-plan de leur environnement afin de passer complètement inaperçues. Sur chaque affiche apparaissait en surimpression une image décrivant les problèmes auxquels est confronté Amnesty International dans le monde – torture, violations des droits de l'homme, détentions arbitraires et enfants soldats. Grâce au réalisme de la mise en scène qui replaçait les problèmes dans l'environnement même des personnes regardant ces affiches, Amnesty International a trouvé un moyen très fort de servir sa cause. Le public peut facilement s'identifier aux problèmes abordés, car ces derniers sont plaqués sur un environnement qui leur est

familier. Grâce à cette démarche pleine de perspicacité, les gens ne pouvaient plus ignorer les problèmes existant à l'autre bout de la planète car ils se retrouvaient chez eux.

Grâce à ces affiches, les visites sur le site Web d'Amnesty International ont été multipliées par vingt, prouvant que les grandes idées incitent toujours à passer à l'action.

SCOPE
Leo Burnett, Melbourne
VOYEZ LA PERSONNE

Cette campagne australienne réalisée par Scope, association à but non lucratif s'occupant des enfants et adultes handicapés, est un clip vidéo réalisé et enregistré par le groupe Rudely Interrupted. Sur les six membres du groupe, cinq ont des handicaps physiques et intellectuels. Dans ce clip, les protagonistes passent progressivement de l'ombre à la lumière et nous remarquons alors leur handicap, ce qui a pour effet de bouleverser notre perception initiale.

En permettant au public d'apprécier le morceau avant de voir le groupe, cette vidéo vous met face à vos préjugés (aussi forts soient-ils) et vous force à voir d'un autre œil les personnes handicapées. Le single de Rudely Interrupted était disponible sur iTunes et le groupe a fait une tournée en Australie, les recettes étant reversées à Scope.

Cette campagne a coûté 10 000 $ et a généré une couverture média de plus de 1,7 million de dollars. Le clip a été vu sur la Toile plus de 100 000 fois et, surtout, les dons en faveur de Scope ont augmenté de 70 %, conséquence directe de la campagne.

Quand les gens regardent ce clip vidéo, leur perception change. Ils sont contraints d'écouter le morceau avant de porter tout jugement sur les personnes qui l'exécutent. Lorsqu'ils découvrent qui se cache derrière, ils prennent conscience de tout le talent que peuvent avoir les personnes souffrant d'un handicap.

LEO BURNETT

FONDATION MIMI
Leo Burnett, Paris
NE SERAIT-CE QU'UNE SECONDE

La Fondation Mimi gère 7 centres de mieux-être et d'accompagnement en Belgique, en France et en Suisse. Elle propose aux patients atteints d'un cancer d'oublier, l'espace d'un moment, leur maladie. Plus de 15 000 personnes ont déjà bénéficié de ses actions. Nombre d'entre nous ont un membre de leur famille ou un ami atteint d'un cancer : nous savons tous ce que cela implique. Mais comment raconter une histoire positive sur ce que peuvent apporter quelques minutes loin de la maladie ? Cette sensation, le clip réalisé par la Fondation Mimi réussit à nous la faire éprouver pleinement. « Je crois que c'est l'insouciance qui me manque le plus », déclare au début du film Katy A., atteinte d'un cancer depuis deux ans. À travers cette remarque (qui a d'ailleurs constitué le point de départ de *Ne serait-ce qu'une seconde*), c'est l'*insight* – la vérité de fond – de cette campagne qui se trouve mis en lumière.

Dans cette vidéo documentant le projet, nous suivons 20 patients atteints d'un cancer qui, après avoir été coiffés et maquillés de façon spectaculaire (mais sans se voir), découvrent leur stupéfiante transformation. Chargé de prendre des photos derrière un miroir sans tain, Vincent Dixon immortalise leurs réactions où se mêlent à la fois la surprise et la joie. Ses clichés ont fait l'objet d'une exposition et d'un livre de 60 pages dont tous les bénéfices ont été reversés à la Fondation Mimi. Chaque photo est suivie d'une légende indiquant la date et l'heure de la prise de vue, mais aussi (et c'est l'élément le plus important) la seconde exacte à laquelle Katy et les autres ont retrouvé leur insouciance, ne serait-ce que pour un moment. La vidéo a déjà été visionnée plus de 16 millions de fois ; le livre a, lui, été vendu à plus de 7 000 exemplaires.

Cependant, le véritable résultat de cette campagne consiste à faire de vous le témoin de la transformation qui permet au patient de retrouver son insouciance. Ce qu'ont observé les responsables de la Fondation Mimi lors de l'exposition le résume d'ailleurs parfaitement : « En l'espace d'une seconde, on a vu des visages souriants dans toute la pièce. À cet instant précis, le cancer n'existait plus, ni pour les patients, ni pour leur famille. » Vous avez peut-être vous-même du mal à vous empêcher de sourire… C'est ce qu'on appelle le pouvoir d'un *insight*.

AMERICAN LEGACY FOUNDATION®
Crispin Porter + Bogusky and Arnold
Worldwide, Miami
LA CAMPAGNE TRUTH®

L'une des campagnes antitabac les plus
admirées et réussies au monde, à
l'intention des jeunes, a trouvé des
moyens novateurs pour les encourager à
ne jamais se mettre à fumer. Basée sur
l'idée pertinente que fumer est d'abord
un acte de rébellion et qu'un moyen de
contrer le besoin de fumer est de trouver
une autre raison de se rebeller, la
campagne « Truth® » va crescendo en
matière d'intensité.

Au lieu de bombarder les adolescents
de détails et visuels révoltants, cette
campagne a pris le besoin de révolte des
adolescents et renversé la situation.
Utilisant tous les supports pertinents
– télévision, radio, cinéma, publicités
imprimées, contenus en ligne, tournées
locales et divertissements sponsorisés
par une marque – la campagne « Truth® »
trouve toujours des moyens de demeurer
pertinente par rapport à son public cible.

« Truth® » s'est avérée l'une des
campagnes antitabac les plus efficaces
de l'histoire. Des études ont montré que
lors de ses quatre premières années
d'existence (2000-2004), elle a permis à
environ 450 000 jeunes de ne pas
commencer la cigarette.

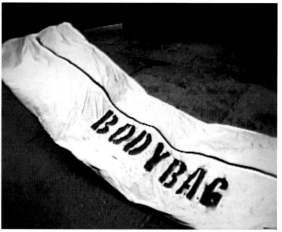

*Nous garderons une longueur d'avance sur eux
[les cigarettiers] en étant plus novateurs et à la pointe
du combat qu'ils ne pourront jamais l'être. Nous
sommes jeunes. Eux sont vieux et fatigués.*

LA CAMPAGNE TRUTH®

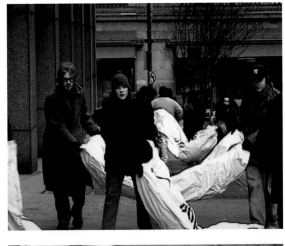

10.

POSITIVITÉ
Quel est le côté positif?

UNE MARQUE POSITIVE

Il existe mille raisons de rendre non seulement vos campagnes, mais également votre marque, plus positives. Il s'agit d'incarner une force positive pour le bien-être des gens et de la planète et de relever les défis le sourire aux lèvres. Chez des marques telles que Coca-Cola et Google, cette attitude positive est inscrite dans leur ADN.

« Pour chaque char construit dans le monde, on fabrique 131 000 animaux en peluche. » C'est l'un des nombreux messages bienfaisants de la publicité « La chorale » de Coca-Cola. Autre slogan qui réchauffe le cœur, « Pour chaque personne corrompue dans le monde, il en existe 8 000 qui donnent leur sang ». Pas étonnant que la nouvelle plateforme du bonheur de Coca-Cola, dont fait également partie « La chorale », ait été lancée en pleine récession mondiale. En période de crise, les gens ont cruellement besoin de compassion et d'une attitude positive, que quelqu'un leur dise que tout va bien se passer. Cette façon de voir peut également servir pour des sujets moroses, comme la crise climatique, les maladies mortelles ou la pauvreté. Pourquoi les gens n'auraient-ils pas besoin de la même dose d'espoir et d'optimisme ? Ce sentiment est également partagé par les consommateurs responsables adeptes des LOHAS (Acronyme de « *Lifestyles of Health and Sustainability* », modes de vie pour la santé et le développement durable), qui constituent la plus grande armée se battant pour la santé des humains et de la planète : ils voient l'avenir avec optimisme et sont persuadés de pouvoir changer les choses dans le bon sens en tant qu'individus. Les marques doivent également faire en sorte que leur communication et leur identité soient empreintes de cette philosophie de vie résolument tournée vers l'optimisme.

Trouvez votre attitude positive, elle pourrait s'avérer contagieuse

Les marques ne manquent pas d'espace pour adopter une attitude positive ou une vision optimiste de la vie. Le détaillant américain Sears a osé aller dans ce sens en lançant son site Web « Good News Now » en partenariat avec Yahoo et ABC News. Don Hamblen, directeur marketing de Sears, explique cette initiative : « Nous nous sommes aperçus que les mauvaises nouvelles étaient très nombreuses et que les gens avaient besoin d'un intermède positif. Nous avons donc conçu un site relayant des histoires sur de bonnes actions qui redonnaient du baume au cœur. » Ce genre d'effort doit cependant s'inscrire à plus grande échelle. Une étude de 2011 d'A. Gruzd, S. Doiron et P. Mai a cherché à savoir si les

Ci-dessus « La chorale » Coca-Cola, Santo, Buenos Aires (voir page 225)
Ci-contre « Tâtez-les », Veritas Spiriti, McCann Erickson, Skopje (voir page 224)

JE ME SENS...

Wefeelfine.org surveille les émotions exprimées en ligne en répertoriant l'utilisation des expressions « Je suis » et « Je me sens ». Voici l'une des émotions ressorties dans mes recherches : « Je suis très heureux, c'est le début de la semaine, on est lundi. » Vous pouvez même trier les émotions en fonction du lieu, du genre, des sentiments, du temps et d'autres paramètres.

Tweets positifs avaient plus de chance d'être retweeter que les messages négatifs. Détail intéressant, il en est ressorti que les Tweets positifs avaient trois fois plus de chances d'être relayés que les messages négatifs. Les messages positifs, comme les sourires, semblent être contagieux.

Exploitez le pouvoir d'un état d'esprit positif

Dans un rapport datant de 2010, des scientifiques de l'université de Californie, à Berkeley, ont indiqué que les gens se montrent plus sceptiques concernant la crise climatique lorsqu'ils lisent ou entendent des messages alarmistes. Au lieu de déclencher un changement de comportement, ces messages négatifs poussent au déni et empêchent tout changement de mode de vie ou de limitation de l'empreinte carbone. Ben Stewart, responsable médias chez Greenpeace Royaume-Uni, soutient cette vision des choses dans un article publié dans Ethical Consumer : « Assommer les gens avec les résultats de la dernière étude alarmiste sur le climat ne sert à rien. Nous ferions mieux de parler des réponses engageantes et positives au changement de climat et qui peuvent offrir de nombreux avantages à la société : par exemple, la sécurité énergétique et les emplois verts. »

D'autres campagnes publiques semblent, elles aussi, opter pour une approche positive – par exemple, le groupe de pression antitabac commence à préférer les messages d'encouragement ou de renforcement positifs au traditionnel « Fumer tue ». Des travaux menés à l'université du Missouri en 2011 ont révélé que, dans les campagnes antitabac, les stratégies trop négatives consistant uniquement à faire peur au public peuvent en fait avoir l'effet inverse et inciter le segment cible à se détourner de la campagne, mais pas de la cigarette. Dans d'autres domaines de recherche, on a découvert que les campagnes négatives portaient plus leurs fruits à court terme en raison d'une réaction plus marquée, mais lorsque vous visez un changement de comportement à long terme, les messages positifs semblent être plus efficaces.

Utilisez (intelligemment) l'humour pour sensibiliser l'opinion

L'humour a toujours été largement plus exploité dans la publicité quand cette dernière vise à sensibiliser l'opinion. Ce n'est pas parce que vous traitez de sujets sérieux, tels que la santé ou la pauvreté, qu'il faut forcément s'abstenir de recourir à l'humour. En fait, comme dans la publicité d'un autre type, un petit rire ou sourire peut attirer l'attention que vous recherchez. En outre, un angle positif peut constituer un rappel enjoué ou une tape rassurante sur l'épaule, en lieu et place du message destiné à faire peur. Pour que l'humour soit efficace, vous devez bien connaître votre public cible. Voilà pourquoi les campagnes humoristiques reposent souvent sur une idée pleine de perspicacité, comme les publicités pour l'utilisation du préservatif de MTV dont le slogan dit : « Un rapport sexuel n'est jamais accidentel, mettez toujours un préservatif. » L'une de ces publicités montre une fille qui glisse sur une peau de banane, atterrit sur un chariot qui va ensuite s'écraser dans des toilettes. La fille se retrouve jambes écartées sur un homme nu, assis sur les toilettes. Cette publicité ridiculise de manière amusante toute excuse potentielle de la part des jeunes visés par la campagne, qui réfléchiront à deux fois avant d'adopter des conduites à risque – et avec une étincelle dans le regard. C'est un excellent exemple de méthode pour que le segment cible concerné réfléchisse différemment à ses habitudes, en faisant preuve d'autodérision.

Optez pour des supports marrants

Il arrive que le support lui-même serve le message destiné à faire réfléchir. En Macédoine, une campagne de sensibilisation au cancer des testicules, baptisée « Tâtez-les », était empreinte d'un humour adapté au choix du support. Il n'est pas facile de pousser les hommes à s'examiner. Par conséquent, au lieu d'employer la tactique de la peur, les créateurs ont décidé d'utiliser des supports à bascule et des autocollants montrant

« Sex is No Accident », MTV, Grey, Düsseldorf
(voir page 230).

une main sur le point de saisir une paire de testicules avec le message
suivant : « Tâtez-les ». Les supports à bascule étaient placés sur les sièges
au cinéma et dans d'autres lieux. Impossible de passer à côté de ce
visuel marrant.

Faites preuve d'un humour pertinent

« Un clown ne fait pas vendre », a dit l'icône de la publicité, David Ogilvy,
afin de mettre en garde contre l'humour déplacé. Tant que l'angle positif
ou l'humour est adapté à la cible, au degré de sérieux du message et à
votre marque, vous ne risquez pas d'être taxé de stupidité. De même, ne
pas faire preuve d'humour peut être risqué et vous faire passer pour un
entrepreneur des pompes funèbres ou encore déboucher sur le fait que
votre cible ignore votre campagne et n'ait aucune réaction à votre
message qui vend de la peur. La marque Axe a réussi à toucher la corde
sensible avec sa campagne « Shower pooling » (douche collective) ciblant
les jeunes Canadiens (de la tranche 19-24 ans) et les incitait à économiser
l'eau. Sur un ton amusant, fidèle à la personnalité de la marque, Axe
encourageait « des groupes de personnes de même sensibilité à prendre
la douche ensemble afin d'économiser sensiblement une ressource
naturelle ». MTV est également parvenu à faire coller sa marque avec son
message et sa cause. Encore une fois, la publicité « Un rapport sexuel
n'est jamais accidentel » est un excellent exemple de message sérieux,
magnifiquement transmis au public jeune et avide de divertissement de
MTV.

Qui sont les plus forts, les ours en peluche ou les chars ?

Réfléchissez bien avant d'ajouter votre voix au concert de messages
négatifs. Optez plutôt pour un encouragement positif, car il est plus
susceptible d'être contagieux, ne l'oubliez pas ! Demandez-vous s'il est
possible de transmettre votre message d'une manière plus positive, voire
joyeuse. Revoyez peut-être le choix du support afin d'être plus positif
dans les situations qui l'exigent le plus : par exemple, une piqûre de
rappel sur l'utilisation du préservatif pour les jeunes qui viennent tout
juste de se rencontrer et rentrent de soirée. Comme dans le dilemme
soulevé par la publicité « La chorale » de Coca-Cola, vous pouvez
employer les « chars » ou les « ours en peluche », la « peur » ou l'« espoir »
pour que votre cible change d'attitude ou de comportement. Il n'existe
pas une bonne réponse pour chaque campagne, mais avant d'opter pour
la pub ultra-sérieuse avec une voix off qui sort des ténèbres,
demandez-vous s'il n'y aurait pas plutôt un angle positif à exploiter.

Interview
NIALL DUNNE

Niall Dunne est directeur du développement durable chez British Telecom, après avoir été directeur général de Saatchi & Saatchi S (la branche développement durable de Saatchi & Saatchi) à Londres, avec en charge l'Europe, le Moyen-Orient et l'Afrique. Il a commencé sa carrière chez Accenture, où il aidait les entreprises à optimiser leur fonctionnement pour devenir plus rentables, puis il s'est aperçu que l'on pouvait faire plus, que les entreprises et les marques pouvaient (et devaient) être plus responsables. Je ne peux qu'être enthousiasmé par l'optimisme contagieux de Niall Dunne, qui transparait lorsqu'il parle.

En évoquant son parcours, Niall Dunne a dit que c'est chez Accenture qu'il a perçu les risques à long terme pour l'humanité : il savait qu'il fallait faire plus d'efforts. « Il m'est apparu, en voyant les risques matériels auxquels s'exposaient ces entreprises à horizon de cinq à dix ans, que ces risques étaient encore plus élevés pour l'humanité… Par exemple, le changement climatique, la pénurie d'eau, l'instabilité démographique, toutes ces sortes de choses m'ont éclairé sur le fait que l'être humain n'est pas taillé pour réussir! Personne n'avait une vision à long terme sur les systèmes dont nous allions avoir besoin, non pas pour atténuer mais pour gérer certains de ces risques bien plus matériels, et transformer radicalement les systèmes dont nous nous servions au quotidien. Je me suis penché sur les acteurs qui les géraient : les organisations non gouvernementales, par exemple, Greenpeace et World Wildlife Funds (WWF). Et oui, elles faisaient un travail considérable et remarquable, du mieux qu'elles pouvaient, mais elles attendaient en fin de compte que le monde des affaires prenne très sérieusement le taureau par les cornes. »

Niall Dunne savait que travailler avec le monde des affaires, en exploitant sa perspicacité et ses capacités, lui permettrait de véritablement changer les choses. « Je les voyais [les entreprises] bien plus à même de considérer sur le plan stratégique la nature de bon nombre de ces problèmes et d'investir sur l'avenir… Vous savez, les gens vous disent que c'est très compliqué, mais ça ne l'est pas vraiment. Les deux systèmes les plus complexes de la planète – l'humanité et l'environnement – ne sont pas sur la même longueur d'ondes, ni en phase avec le capitalisme, la démocratie et la tolérance religieuse… qui ne sont eux-mêmes pas capables de faire travailler de concert ces deux systèmes. »

Niall Dunne a développé sa théorie, le rôle à jouer par les marques et le besoin vital de transparence. Dans le même temps, cela offre aux entreprises intelligentes d'immenses opportunités de prospérer sur le marché tout en faisant le bien. « Vous et moi sommes passés du statut de chasseur-cueilleur à ce que nous sommes aujourd'hui en 100 000 ans. Nous avons très longtemps entretenu une relation vraiment transparente avec notre environnement, en sachant comprendre les relations de cause à effet. Mais ce qui s'est passé, c'est que les marques se sont mises entre nous et notre environnement et comprennent, seulement en ce moment, l'importance de ces liens de causalité qui existaient autrefois. Nous avons atteint les limites de ce modèle. Et l'un des changements de paradigme essentiel qui s'impose consiste à se débarrasser de cette opacité dans les relations et de remettre la transparence au goût du jour. Les relations doivent porter sur le prix, la qualité et la transparence. Mais il faut aussi que le monde des affaires incarne ce changement et s'investisse. »

Niall Dunne ne considère pas que tout est perdu. Nous pouvons relever ce défi avec l'aide du monde des affaires. Le marketing et la publicité doivent aussi changer pour surmonter les difficultés, en devenant non seulement plus transparents, mais également plus responsables et plus sincères. « Les entreprises et les marques sont, à mes yeux, les acteurs du changement dont nous avons besoin pour faire face aux défis cataclysmiques que nous devons affronter. Ce sont paradoxalement aussi ces entreprises et marques qui sont à l'origine du problème… Maintenant, quand vous songez aux possibilités qui s'offrent à elles pour favoriser une consommation plus responsable, axée sur la collaboration, c'est une opportunité exceptionnelle. Parce que vous savez, une marque n'est pas seulement une jolie vitrine connue seulement de trois "pékins" et à laquelle personne d'autre ne s'identifie : c'est un langage, une manière d'être, une façon de s'engager et même, aujourd'hui, plus que jamais, un moyen de provoquer le mouvement, d'inspirer, de passer à un marketing qui collabore avec les gens au lieu de seulement les viser… Des études assez récentes ont montré qu'un consommateur est plus enclin à faire confiance à l'opinion d'un inconnu rencontré en ligne qu'à une agence de marketing. Le consommateur n'a jamais été autant connecté et socialement actif, et tous ces réseaux convergent vers les marques qui essaient d'anticiper les messages qui leur sont envoyés. Le pouvoir est donc de nouveau aux mains du consommateur et le seul moyen de revenir dans le jeu est de s'engager en toute transparence, d'entamer la conversation et de se servir des réseaux comme d'un atout. »

Concernant la crise climatique proprement dite, Niall Dunne a fait une remarque très pertinente : le consommateur lambda a besoin d'arguments présentés différemment pour agir, et les outils que les spécialistes du marketing ont aujourd'hui à leur disposition n'ont jamais été aussi puissants. Je pense qu'il va sans dire que les campagnes marketing sur ces thèmes ne portent pas autant qu'elles le devraient. « C'est quoi ce fichu CO_2 ? C'est un gaz incolore, inodore et sans goût. Comment l'incarner et convaincre avec ? C'est ça qui ne va pas. Nous devons remodeler complètement notre argumentaire – parler des emplois, de la sécurité de l'offre, de l'achat local, etc. Mais c'est là que le marketing entre en scène – parce que ça, nous savons faire. Et nous disposons maintenant de tout un éventail de jouets : les médias sociaux, les communications décentralisées, la pensée décentralisée et ce consommateur plus connecté. Je crois que je vous ai parlé de l'augmentation du nombre de consommateurs SoLoMo (social, local, mobile), plus que jamais connecté et au courant du contexte mondial,

> *Une marque n'est pas seulement une jolie vitrine connue de trois pékins et à laquelle personne d'autre ne s'identifie, c'est un langage, une manière d'être, une manière de s'engager, et même, aujourd'hui plus que jamais, un moyen de provoquer le mouvement, d'inspirer…*

mais qui prend des décisions en privilégiant son environnement de vie, à savoir : qui m'entoure ? qu'est-ce qui m'entoure ? est-ce que c'est adapté à mon univers et est-ce que ça me fait sentir bien ? »

Malgré tous les problèmes que connaît notre planète – de la crise climatique à l'explosion démographique – Niall Dunne reste positif, tout en tempérant son optimisme en parlant de la responsabilité que nous devons tous assumer afin de rendre l'avenir plus radieux. « Comme je suis optimiste, je crois dur comme fer au pouvoir de l'humanité, à la volonté collective, à la mobilisation des foules afin d'opérer un changement de comportement massif… Je crois que c'est Clinton qui a dit que nous pouvons toujours choisir de ne rien faire, mais que nous ne pouvons plus choisir de ne pas savoir. J'estime que la mission du secteur de la communication est de s'assurer que les gens sont bien au courant des problèmes. Et s'ils choisissent de ne rien faire à ce stade, pas de souci… Mais il faudra bien admettre que l'humanité n'a tant progressé que parce que nous avons collectivement pris plus de bonnes décisions que de mauvaises décisions. On doit donc être confiant dans la capacité de l'humanité à s'en sortir, mais le temps presse. »

Avec des gens comme Niall Dunne à la tête de la révolution du monde des affaires, je ne peux qu'espérer une mobilisation avant qu'il ne soit trop tard et que le secteur de la communication puisse apporter sa contribution. Car il me semble que les enjeux sont plutôt énormes.

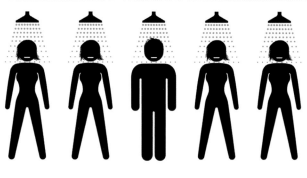

1500 LITRES OF WATER

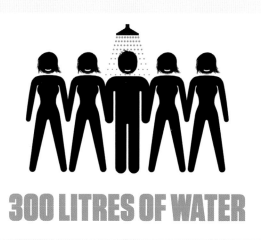

300 LITRES OF WATER

AXE
Crispin Porter + Bogusky, Canada
DOUCHE COLLECTIVE

La marque Axe est connue pour ses campagnes de publicité impertinentes, aux scénarios sexy mettant en scène des femmes en tenue légère. Cette campagne incitant les gens à prendre leur douche entre amis lors de la Journée internationale de la Terre n'a donc pas été une surprise. L'idée était d'économiser l'eau en prenant la douche à plusieurs.

Difficile de dire combien de personnes se sont exécutées, mais cette campagne s'adressait à un segment de marché plus attiré par le sexe opposé qu'intéressé par l'environnement et avait formulé son message de façon à le séduire. Le pouvoir de communication et de persuasion doit permettre de s'exprimer d'une manière favorisant une réaction positive de la part de la cible.

Avec ce ton positif, Axe a créé une campagne virale, qui se partage facilement sans enfermer le consommateur dans des messages négatifs. Là, elle fait plutôt appel à leur sens de l'humour et de l'amusement, ce qui est toujours une bonne idée.

RED CROSS
Leo Burnett, Lisbonne
LA BOUTIQUE QUI VEND DE L'ESPOIR

Pour accroître les dons et attirer l'attention sur sa cause, la Croix-Rouge a ouvert, au Portugal, une boutique qui ne vend absolument rien, sauf de l'espoir. Dans l'un des centres commerciaux les plus fréquentés de Lisbonne, le lieu était agencé comme une vraie boutique. On incitait les gens à entrer pour acheter de l'espoir, sous la forme d'un don au bénéfice de la Croix-Rouge. Cette opération étant organisée pendant les fêtes, le public était dans l'état d'esprit qu'il fallait pour se montrer charitable et mettre la main au portefeuille.

Transformer l'espoir en produit tangible rend le don quantifiable. Les clients ne paient pas pour que l'on plante un arbre à 5 000 kilomètres de là, mais entrent dans un magasin classique pour vivre une expérience de consommation habituelle, tout en ayant le sentiment d'accomplir quelque chose pour le bien des autres. L'idée était ingénieuse et, dans la mesure où le produit vendu était de l'espoir, elle en appelait aux rêves des gens. Elle déclenchait chez eux un « pincement au cœur » en faisant appel à un certain idéalisme et les incitait à donner.

Le concept s'est avéré si efficace que le jour de l'ouverture, la boutique s'est classée parmi les 10 premières boutiques du centre commercial en termes de ventes. Il a même fallu revoir les heures d'ouverture à la hausse afin de satisfaire la demande. Une autre boutique a ouvert ses portes à Lisbonne l'année suivante, ainsi qu'à Madrid. Cette campagne a très bien fonctionné parce qu'elle a été lancée au bon endroit et au bon moment et qu'elle vendait le produit idéal. La compassion est plus élevée en période de Noël et, avec une idée révolutionnaire de ce genre, le bouche-à-oreille fait son œuvre.

VERITAS SPIRITI
McCann Erickson, Skopje
TÂTEZ-LES
▓▓▓▓▓▓▓▓▓▓▓

Veritas Spiriti a apporté une excellente réponse à une question délicate : comment sensibiliser l'opinion au cancer des testicules ? Plutôt que de recourir à une stratégie de la peur, ils ont décidé d'utiliser l'humour, pour un résultat vraiment probant. Dans tous les lieux qu'ils fréquentent – salles de sport, stades, clubs de fitness, coiffeurs ou cabines d'essayage – les hommes recevaient une main, qui les faisait non seulement rire, mais les incitait également à tâter leurs testicules pour dépister un éventuel cancer et les orienter vers un site Web dédié. Et au supermarché, des informations sur le cancer des testicules figuraient sur la coquille des œufs – en Macédoine, le mot d'argot pour testicule signifie également œuf.

Ce regard léger sur un problème grave a permis d'obtenir des résultats incroyablement positifs. La connaissance du cancer des testicules est passée de 1 % à 74 % au sein du public cible. Des données émanant du ministère de la Santé ont montré que le nombre de consultations médicales pour un dépistage de cette maladie a augmenté de 11 % après la campagne. On a, en outre, enregistré dix fois plus de clics sur les bannières mises en ligne pour défendre cette cause que sur les bannières classiques en Macédoine. Cette façon, pleine d'imagination, d'aborder un problème potentiellement mortel prouve que les thèmes sérieux ne doivent pas obligatoirement être traités sérieusement.

For every tank being built in the world...

131.000 stuffed dolls are made

Après avoir observé l'état du monde en 2010 et l'utilisation des statistiques dans un contexte souvent négatif, Coca-Cola Argentine a pensé que la planète avait besoin d'une injection d'optimisme. L'entreprise a donc pris de simples statistiques et, sur la base du principe selon lequel « Il existe des raisons de croire en un monde meilleur », a réalisé une campagne de publicité stimulante et réconfortante. Avec des slogans tels que « Pour chaque roquette conçue par un scientifique, 1 000 000 de mamans font un gâteau » et « Pour chaque personne corrompue... il en existe 8 000 qui donnent leur sang », on ne pouvait que ressentir l'énergie positive dégagée.

Tout cela sur la bande-son d'une chorale d'enfants. La publicité se terminait par la statistique selon laquelle pour chaque arme achetée dans le monde, 20 000 personnes partagent un Coca : le message en filigrane était qu'ensemble, nous pouvons rendre le monde meilleur.

For every corrupt person...

there are 8.000 giving blood.

For every fence someone puts up...

200.000 "Welcome" mats are placed.

While a scientist designs a new weapon...

1.000.000 moms are baking chocolate cakes.

While 1 weapon is sold in the world...

20.000 people share a Coke.

VOLKSWAGEN
DDB, Stockholm
JAZZ ET CO$_2$

Pour mieux faire connaître la Passat
EcoFuel de Volkswagen, qui émet
seulement 20 grammes de CO$_2$ au
kilomètre, Volkswagen a lancé le « Jazz
Calculator ». Le principe reposait sur le
fait qu'à chaque respiration, un être
humain émet environ 0,05 grammes de
CO$_2$. Les visiteurs du site Web
choisissaient un itinéraire entre deux
villes suédoises et on leur indiquait
ensuite combien de temps un groupe de
jazz devrait jouer pour émettre la même
quantité de CO$_2$.

   Les internautes recevaient ensuite
une liste de morceaux correspondant au
trajet choisi et d'une durée équivalente à
celle nécessaire pour émettre cette
quantité de CO$_2$. La liste était accessible
via Spotify et les utilisateurs ne
disposant pas de compte recevaient une
invitation.

   Grâce à cette note positive sur un
sujet sérieux, Volkswagen a facilité la
participation des consommateurs au
débat sur les émissions de CO$_2$. L'aspect
ludique de la campagne simplifie la
compréhension et l'adhésion au message,
tout en renforçant l'idée que Volkswagen
est une entreprise pleine d'ambitions
écologiques.

KIMBERLY-CLARK
JWT+H+F, Zurich
À BIENTÔT

Cette publicité imprimée, réalisée par
Kimberly-Clark, était destinée à informer
le grand public de la commercialisation
du nouveau papier toilette Hackle
Naturals fabriqué à 100 % à base de
papier recyclé. Simple et fort, le slogan
dit, « *See you later* ». Cela signifie que
même la publicité que vous avez entre les
mains pourrait devenir un jour du papier
toilette. Un message simple et amusant
de la sorte ne peut que frapper les
esprits.

See you later.

Made from 100% recycled paper.

OK GASOLINE
Uncle Grey, Aarhus
BESOIN DE SPONSORS

Fournisseur de combustibles pétroliers, la société OK avait le choix entre concevoir une publicité comme n'importe quel autre vendeur de carburant au Danemark et faire quelque chose de différent. Déjà impliquée dans le sport comme sponsor en distribuant de l'argent lorsque ses clients se servent de leur carte de fidélité, l'entreprise a décidé de communiquer sur cette démarche dans ses annonces publicitaires.

Une série de publicités montrait des gens très investis dans la pratique de leur sport, mais qui ne disposaient pas d'installations adaptées. Ces publicités se terminaient par des moments inattendus et hilarants, comme cette équipe de football devant partager un terrain avec des lanceurs de javelot ou cette équipe de trampoline devant s'entraîner dans une cave au plafond très bas.

En associant l'humour à la volonté de faire le bien, OK informait le public qu'à chaque fois qu'ils faisaient le plein chez eux, ils soutenaient des programmes sportifs locaux.

> *OK vend de l'essence. Mais comment rendre ça intéressant ? Nous avons décidé de nous concentrer sur autre chose que ce produit (terne). Pourquoi ne pas attirer l'attention sur un détail plus agréable, comme le soutien financier apporté par OK aux clubs de sport locaux ?*

UNCLE GREY

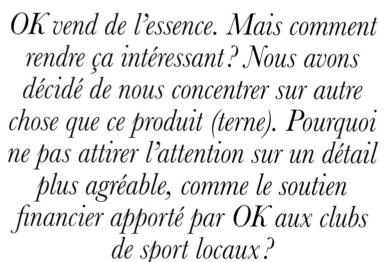

MTV
Grey, Düsseldorf
**UN RAPPORT SEXUEL N'EST
JAMAIS ACCIDENTEL**

Dans cette campagne osée et
humoristique, MTV nous rappelle de
manière sarcastique qu'il n'existe aucune
excuse à ne pas mettre de préservatif.
On nous montre des scènes ridicules
décrivant un rapport sexuel «accidentel»,
incitant à toujours agir de manière
responsable.

MTV cerne très bien son public et sait
produire des communications
controversées. Cette campagne montre
une grande perspicacité en termes de
connaissance de la cible, laquelle est
encline à avancer l'excuse «mais c'était
un accident».

SALAT OLIVE OIL
Tribu DDB, San José
PRÉPAREZ VOTRE CŒUR

Prenant le parti d'abandonner le concept publicitaire traditionnel utilisé pour l'huile d'olive et l'assaisonnement des salades, Salat se positionne comme le condiment incontournable pour protéger le cœur des consommateurs. La campagne montre des personnes dans des situations potentiellement délicates, puisqu'elles sont sur le point d'avoir très peur. Salat communique sur un bienfait de son produit : l'huile d'olive prend soin de votre cœur.

En vantant les qualités de l'huile d'olive grâce à des réalisations artistiques remarquables, ces publicités se penchent de manière amusante sur les maladies et crises cardiaques. Plutôt que de faire fuir le consommateur, elles les invitent à rire tout en leur rappelant qu'il est crucial de prendre soin de son cœur. Pourquoi pousser les gens à se responsabiliser en adoptant un ton négatif quand il est possible d'être positif ?

YOU HAVE MORE BLOOD THAN YOU NEED. GIVE A BIT.

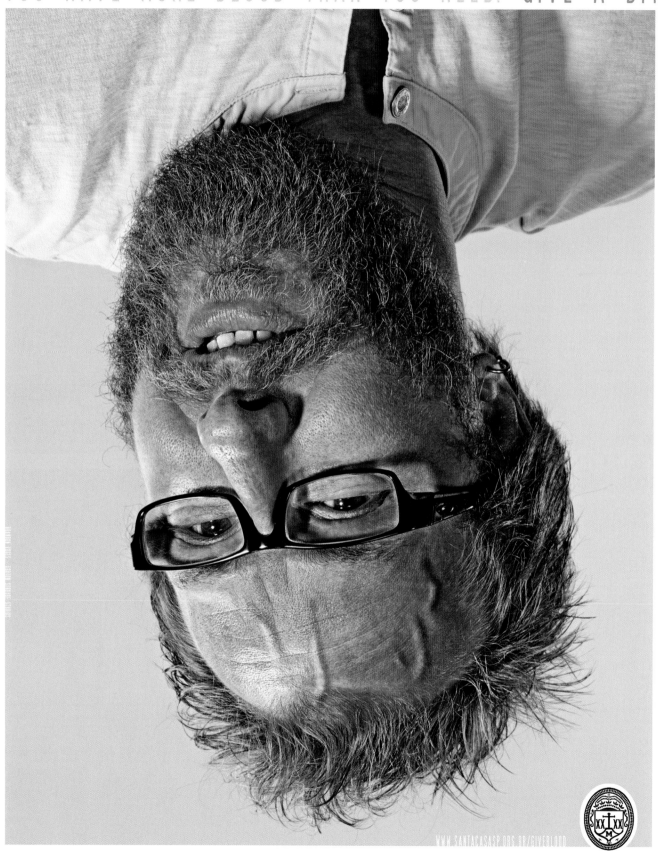

Santa Casa de São Paulo

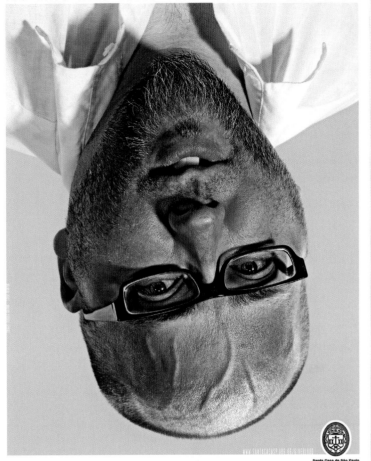

SANTA CASA DE MISERICORDIA
DE SAO PAULO
Y&R, São Paulo
**VOUS AVEZ PLUS DE SANG
QUE NÉCESSAIRE**

Ces trois publicités, imprimées pour la
Santa Casa de Misericórdia de São
Paulo, ont choisi un angle positif pour
encourager à donner son sang. Nous
voyons trois personnes la tête en bas
avec des veines saillantes au niveau du
front : nous connaissons tous cette
sensation quand le sang nous monte à la
tête.

Ces photos font rire et s'associent
positivement au don de sang. Cette
campagne était positive, simple et
incitait à passer à l'action.

All Day Full Of Naaka Mukkaaa...

Madras Action Hero

TIMES OF INDIA
JWT, Bombay
UN JOUR À CHENNAI

Pour fêter le 369ᵉ anniversaire de la naissance de la ville de Chennai, le *Times of India* a commandé un film décrivant la vie dans cette ville et *reposant sur l'expression tamoule « Naaka Mukka »*, qui signifie « langue maternelle, nez paternel » et illustre la dualité de la vie.

À Chennai, de nombreux acteurs abandonnent le cinéma et se lancent en politique, passant souvent d'un parti à l'autre. Cette publicité raconte une histoire en utilisant une figurine de carton qui est d'abord un acteur de films d'action, avant de devenir homme politique, puis de terminer en épouvantail. Cette débauche de couleurs en chanson montre au grand public que, s'il y a bien un titre capable de comprendre et d'interpréter le paysage politique, social et culturel indien, c'est le *Times of India*.

Cette publicité s'adresse à sa cible dans un langage qu'il comprend, avec les thèmes, la musique et les traditions indiennes. Elle a eu tellement de succès que le morceau est vite devenu N° 1 sur bon nombre de chaînes musicales indiennes. Malgré son côté satirique, elle met l'accent sur la culture indienne avec une dimension de bonté à laquelle peuvent s'associer les Indiens.

Cut to Emotional Rock n Roll

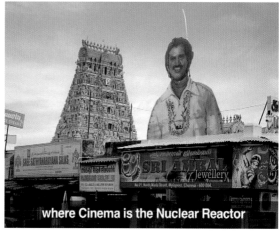

where Cinema is the Nuclear Reactor

And Actor is Reborn as the Director

Garlands of Raw Silk

Bubble Bath with Cows Milk

Starting "The Rice Party" with caste mix

MIN A-KASSE
Goodvertising Agency, Copenhague
PROJECT TRUST

Par le passé, la caisse d'assurance chômage danoise Min A-Kasse s'est battue lors de différentes campagnes pour la défense des droits des chômeurs et contre la bureaucratie gouvernementale. À travers cette campagne-ci, il s'agissait de protester contre la méfiance affichée par le gouvernement à l'encontre des chômeurs et la tentative de contrôle de cette catégorie de citoyens par le biais de différents moyens, dont la surveillance. Min A-Kasse souhaitait prouver que cette méfiance était déplacée et a donc lancé une expérience sociale. La caisse d'assurance chômage était convaincue que la confiance engendre la confiance et parvient ainsi à se perpétuer. Qu'en pensez-vous?

Pour participer à l'expérience, vous deviez parier 100 dkk (soit environ 14 €) sur un arbre de la confiance et inviter vos amis à vous rejoindre, lesquels pouvaient prendre cet argent ou le transmettre à leurs amis : la confiance grossissait en passant de mains en mains, comme une chaîne de lettres. Ces arbres de confiance sont vite devenus une forêt et si personne ne récupérait les 100 dkk au bout de quatre semaines, vous récupériez votre mise et la confiance l'emportait.

Cette campagne pose la question suivante : pouvez-vous faire confiance à quelqu'un qui détient votre argent, s'il n'est pas puni lorsqu'il s'en empare? Le déroulement de l'expérience était suivi à travers divers paramètres tels que la tranche d'âge, la ville, le pays et le genre, et la démarche s'est avérée très prometteuse. Au bout de deux mois seulement, plus de 14 000 personnes s'étaient inscrites et seules trois avaient choisi de prendre l'argent et donc rompu le pacte de confiance.

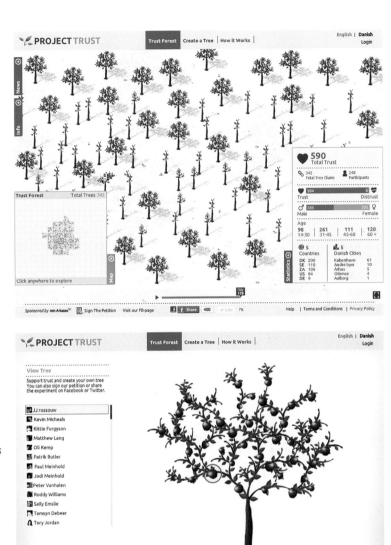

ENGAGEMENT

ENGAGEMENT

Pour quelle cause votre marque
est-elle prête à se battre ?

Pendant de nombreuses années, faire le bien n'était qu'un geste philanthropique : les membres du conseil d'administration signaient un chèque ou le propriétaire âgé d'une entreprise donnait de l'argent au bénéfice d'une cause proche de ses intérêts. Souvent, aucune stratégie ne se cachait derrière ces dons, la plupart du temps effectués de manière impromptue. L'effet à long terme de ces dons était difficile à percevoir derrière une plaque de cuivre qui s'érodait sur un bâtiment ou le banc d'un parc.

Passez de la promotion à un plan d'engagement

Aujourd'hui, les marques qui passent du partenariat à court terme à une démarche sociale à long terme, bénéfique à tout le monde, sont plus nombreuses. The Body Shop a été l'une des premières à s'engager pour une cause et à récolter des résultats à long terme. Depuis sa naissance en 1976, la marque The Body Shop est connue pour ses produits cosmétiques fabriqués de manière équitable et ses efforts considérables sur l'éthique et la protection de l'environnement. Son fer de lance, la charismatique Anita Roddick, proche de la nature, a mené campagne pour mettre fin aux expérimentations animales en coopérant avec PETA, association pour un traitement éthique des animaux, et d'autres organisations. La première campagne a été lancée à la fin des années 80 et, en 1996, l'une des campagnes de The Body Shop a permis de récolter, dans ses boutiques du Royaume-Uni, 4 millions de signatures. L'entreprise n'a pas dépensé des fortunes en communication ou en publicité – ses messages étant principalement transmis dans les boutiques, à travers l'étiquetage des produits, des stratégies de terrain, le bouche-à-oreille, ainsi que la formation et l'implication du personnel de vente. Cette stratégie modeste, sans investissement média coûteux, est peut-être le secret de l'activisme qui plaît. Pour les milieux environnementaux, le «politiquement correct» consiste à agir pour la préservation de l'environnement, pas à faire des discours.

Restez concentré

L'engagement de longue date de The Body Shop a porté ses fruits. Ainsi, l'Union européenne a interdit l'expérimentation animale pour les produits cosmétiques en 2004 et pour les ingrédients en 2009. En 2006, The Body Shop était le deuxième plus gros détaillant de produits cosmétiques du monde, avec plus de 2 000 boutiques dans 60 pays et un chiffre d'affaires de près de 860 millions d'euros. La même année, L'Oréal a racheté The Body Shop pour près de 145 millions d'euros. Selon certaines critiques, The Body Shop a bradé ses principes, mais le succès du N° 2 des détaillants de cosmétiques est indéniablement dû aux valeurs et prises de position d'Anita Roddick, qui a mis le bien-être des animaux sur le devant de la scène.

Apprenez à marcher avant de vouloir courir

Toutes les entreprises n'ont pas une Anita Roddick aux commandes. Pour un autre détaillant britannique de renom, Marks and Spencer, parvenir à ce stade d'engagement a été un long périple. Au début du XXIe siècle, l'entreprise a été critiquée par des ONG telles que Friends of the Earth et Greenpeace, pour des erreurs comme le licenciement de son personnel britannique, la présence de résidus de pesticides sur ses fruits et légumes, l'abattage illégal d'arbres dans des forêts tropicales ou l'utilisation de film PVC dans ses emballages. Dans le même temps, le détaillant devait affronter la baisse de ses parts de marché et ses bénéfices étaient menacés. Marks and Spencer a choisi de fixer progressivement des objectifs de développement durable à toutes ses enseignes et a invité ONG et consommateurs autour de la table. Ces premières étapes modestes lui ont permis d'être certain de ne pas choisir des objectifs inatteignables, tout en aspirant à mettre en place un comportement responsable et durable.

NESTLÉ CONTRAINT DE CHANGER DE POLITIQUE

S'engager à atteindre des objectifs n'est pas toujours une démarche volontaire. La campagne agressive de Greenpeace, baptisée «Give us a break» et destinée à protéger la forêt tropicale et les orangs-outans qui vivent en son sein, a forcé Nestlé à changer son fusil d'épaule. Le numéro 1 mondial de l'agroalimentaire s'est engagé à conclure un partenariat avec le Forest Trust afin de mettre en œuvre des directives pour un approvisionnement responsable concernant son huile de palme. Il est même allé plus loin en promettant d'utiliser uniquement de l'huile de palme fabriquée de manière durable à partir de 2015.

Ci-contre « Un jour à Chennai »,
Times of India, JWT, Bombay
(voir page 234)

BIG MOTHER IS WATCHING YOU[1]

ClimateCounts.org est une organisation à but non lucratif qui évalue les engagements contre le réchauffement climatique des entreprises sur une échelle comprenant trois catégories, qui sont, par ordre croissant : « Enlisé », « Débutant » et « En progrès ». ClimateCounts espère guider les consommateurs afin qu'ils puissent utiliser leurs choix et voix pour faire prendre conscience du problème aux entreprises.

1   La Grande Mère vous regarde… Jeu de mots avec le fameux « Big Brother is watching you… » du roman d'anticipation *1984*, de George Orwell.

Communiquez sur vos progrès

En 2007, les engagements de Marks and Spencer se sont transformés en campagne ambitieuse baptisée « Plan A » (avec un slogan puissant, « Il n'existe pas de Plan B »), forte de plus de 100 objectifs visant les problèmes sanitaires, sociaux et environnementaux. Elle a également été considérée comme une occasion de récolter les fruits des investissements réalisés en termes de durabilité et de se démarquer sur un marché de plus en plus concurrentiel. Comme le dit Mike Barry, chargé de la responsabilité sociale chez Marks and Spencer : « Nous nous sommes rendu compte que nous tenions quelque chose. Ce n'est pas sur les tarifs que nous allions battre nos concurrents, mais si nous parvenions à les attirer sur le champ de bataille de la confiance et de la responsabilité, nous avions une chance de l'emporter. » La campagne « Plan A » a non seulement contribué à propulser Marks and Spencer vers les sommets du marché très concurrentiel de la distribution britannique, tout en créant une marque solide aux valeurs affirmées, mais elle a également réussi à rendre ses affaires florissantes. En 2011, « Plan A » a permis à l'entreprise d'afficher un résultat net de plus de 83 millions d'euros, contre un peu moins de 60 millions d'euros l'année précédente. L'investissement dans le développement durable est donc remboursé depuis longtemps. Marks and Spencer a montré qu'avoir son franc-parler est efficace, le marché remarquant et appréciant vos efforts sincères en matière d'engagement. C'est ce que je disais dans l'introduction : l'immense majorité des consommateurs souhaitent et attendent que vous changiez leur vie.

Engagez-vous avec un but en tête

Marks and Spencer est passé de la simple recherche de bénéfices à la poursuite d'une mission en suivant trois principes : la transparence, la coopération et la communication. Pour résumer, on les a critiqués pour leurs pratiques, mais ils se sont vraiment *mis à nu* et ont décidé, avec détermination, de trouver des solutions en *s'alliant* à toutes leurs parties prenantes, des fournisseurs aux ONG, en passant par les clients. Ils ont non seulement proposé des objectifs tangibles et engageants, mais également mis en avant une vision courageuse afin de devenir le distributeur le plus responsable en 2015. Ils ont exploité leur Plan A et sont magnifiquement parvenus à informer leurs parties prenantes de l'avancement de leurs engagements. Le plus beau symbole ? À l'entrée de leur siège, il y a des compteurs digitaux qui n'affichent pas leurs performances financières, mais bien leurs résultats vis-à-vis de leurs engagements RSE : du nombre de cintres recyclés à leur bilan carbone satisfaisant.

Concrétisez vos engagements

The Body Shop et Marks and Spencer réussissent parce que leurs valeurs sont au cœur de leur business. Si vous traduisez concrètement, chaque jour, vos valeurs dans des actions tangibles, votre entreprise sera fondamentalement engagée. Ayez des objectifs clairs et, si vous travaillez avec des ONG ou d'autres partenaires, veillez à ce que ces objectifs soient tous en phase avec les leurs. N'ayez pas peur de communiquer. Être une marque responsable n'est plus un choix, c'est une nécessité. Dans le monde entier, des entreprises se fixent des objectifs concrets, assumant ainsi leur rôle pour faire tourner la « Roue du Bien » et jouant la carte du développement durable dans leurs marchés. On le constate à travers des programmes tels qu'Ecomagination et Healthymagination de GE, Better World de Nike, Sustainable Living Plan d'Unilever et Future Friendly de Procter & Gamble. Cette liste s'allonge chaque jour. 90 % des entités figurant au classement Fortune 500 ont mis en œuvre une stratégie de responsabilité sociale de l'entreprise ou une démarche similaire (avec différentes motivations). Voici un exemple : l'un des objectifs d'Unilever est de doubler ses ventes tout en diminuant de moitié l'impact sur l'environnement de ses produits sur les dix prochaines années. En outre, Unilever limite également le sel, les graisses saturées, le sucre et les calories dans ses produits alimentaires, tout en intégrant à sa chaîne d'approvisionnement plus de 500 000 petits agriculteurs de pays en voie de développement. Le concurrent N° 1 d'Unilever, Procter & Gamble, accroît également ses efforts sur les plans environnemental et social : les objectifs qu'il espère atteindre d'ici 2020 sont notamment d'utiliser à 100 % de l'énergie renouvelable pour alimenter ses usines, d'utiliser 100 % de matériaux renouvelables ou recyclés dans ses produits et emballages, de n'envoyer aucun déchet dans les sites d'enfouissement et d'optimiser la protection des ressources. Pour Unilever et Procter & Gamble, la concurrence ne se mesure plus seulement en termes de bénéfices, mais également à travers des initiatives destinées à rendre le monde meilleur, tout en faisant entendre leur nouveau refrain : tout ce que vous pouvez faire, je peux le faire aussi, en plus écologique.

Agissez concrètement, soyez responsable

S'engager, c'est agir concrètement afin que les consommateurs constatent que vos efforts ne se résument pas à un truc marketing sans vision ou à du greenwashing pour les tromper. Lorsque vous vous engagez à remplir un objectif et que vous montrez les efforts consentis, vous prouvez que la cause défendue vous tient à cœur. Et quand vous promettez à vos clients de progresser, ils vous récompensent ou vous sanctionnent si vos engagements ne sont au final que de la communication non suivie d'effets.

Un engagement à 360 degrés

Ces efforts ne sont pas l'apanage du département marketing ou responsabilité sociale de l'entreprise. L'engagement doit concerner toutes les strates de votre structure, car il s'agit de changer pour le meilleur votre cœur de métier. Vos efforts doivent être durables afin que votre entreprise en profite sur le long terme. Si la campagne menée pour faire le bien n'est pas liée à vos résultats, vos efforts risquent de tourner court en cas de crise ou si vos actionnaires épluchent les décisions prises. Cela vaut également pour les ONG. Trop souvent, les programmes dépendent des financements et ne font pas naître la volonté d'entreprendre, à l'origine d'une véritable croissance. Les initiatives capables de changer les choses sur le long terme sont liées à des objectifs tangibles comme ceux d'Ecomagination et Healthymagination de GE, complètement intégrées dans la mission de l'entreprise, afin d'atteindre un objectif de durabilité, source de plus de 13 milliards d'euros de bénéfices. Les gens ne voient pas d'un mauvais œil qu'une entreprise fasse d'énormes bénéfices, à partir du moment où elle fait le bien d'une manière responsable. Sinon, votre initiative repose sur un schéma coûteux qui risque de faire péricliter le projet.

Les marques doivent vraiment adopter un autre état d'esprit en passant de l'égocentrisme à l'intérêt collectif : une marque doit entamer le dialogue sur ce qui intéresse le consommateur au lieu de délivrer des messages commerciaux centrés sur elle-même. Les personnes qui ont des valeurs communes trouvent souvent un terrain d'entente. Cela vaut également pour la relation entre marques et consommateurs. Ce ne sont pas les terrains d'entente qui manquent dans la sphère de la responsabilité, de la mère soucieuse de donner à ses enfants un produit lui inspirant confiance, au dirigeant très occupé en quête de produits verts, simples d'emploi. Étudiez les intérêts communs de votre marque et des consommateurs. En tant que marque, cela vous permettra non seulement de tisser des liens plus forts avec vos clients, mais également de résoudre des problèmes importants pour lesquels les deux parties ont intérêt à trouver des solutions.

Les consommateurs sont avides de leaders capables de les aider à s'orienter et à comprendre un monde fait d'incertitudes et de risques. Un engagement est un contrat : une relation de confiance entre vous, vos clients et d'autres parties prenantes, qui peut être forte si votre engagement se traduit concrètement par une attention sincère et des résultats, comme le « Plan A » de Marks and Spencer. La lutte permanente de The Body Shop pour mettre fin aux expérimentations animales est la preuve que l'on peut changer les choses. L'entreprise a fait plus que laisser son nom sur une plaque de cuivre, elle a écrit un chapitre des livres d'histoire et définitivement changé les pratiques cruelles de l'industrie cosmétique, tout en faisant fortune. Les consommateurs souhaitent que vous jouiez un rôle : pour quelle cause votre marque est-elle prête à se battre ?

VRAIE BEAUTÉ

Un panneau d'affichage de la « Campagne pour la vraie beauté » montrant une femme au physique normal demandait au public de dire sur leur mobile si elle était « grosse » ou « bien faite ». Les résultats s'affichaient en temps réel sur le panneau et, avec le temps, c'est le choix peu flatteur de « grosse » qui l'a emporté. Les préjugés ont la vie dure.

Interview
AUDREY GAUGHRAN

Audrey Gaughran est, depuis quelque temps déjà, à l'avant-garde de la bataille pour la responsabilité des entreprises. Elle est actuellement directrice du programme Thématiques mondiales d'Amnesty International, après s'être occupée pendant trois ans de la responsabilité des entreprises en matière de droits de l'homme dans cette même ONG. J'ai eu la chance d'être en contact avec elle et elle a accepté de me faire part d'idées très pertinentes sur la façon dont les entreprises peuvent se montrer plus responsables et les mesures à prendre par les gouvernements pour qu'elles le deviennent vraiment. Ce qui ressort de notre conversation, c'est l'occasion unique qui s'offre aux marques désireuses de faire ce qu'il faut, tout en améliorant leur image.

Le travail d'Audrey Gaughran chez Amnesty International a porté notamment sur la législation, la réglementation sur les flux d'informations et la mondialisation. À chacun de ces thèmes sont associés des problèmes en termes de responsabilité des entreprises et de droits de l'homme, mais Amnesty International a multiplié les recherches pour trouver des moyens de les traiter.

Audrey Gaughran a commencé par dire : «Les entreprises possèdent beaucoup plus de pouvoir politique et économique que les personnes et les communautés sur lesquelles elles influent : elles sont également bien mieux protégées juridiquement. Mais les entreprises s'élèvent, souvent avec virulence, contre des évolutions législatives susceptibles de contribuer à protéger les droits et intérêts des communautés. En ce qui concerne leurs propres intérêts, notamment économiques, elles mettent en avant et exploitent le droit, mais quand il s'agit des intérêts des communautés, elles encouragent les approches volontaires et la responsabilité sociale.»

Pour exposer les thèmes juridiques de cette bataille, Audrey Gaughran a indiqué : «Sur les vingt dernières années, nous avons également assisté à l'expansion des lois nationales et internationales afin de protéger les intérêts économiques mondiaux par le biais de tout un éventail d'accords internationaux sur l'investissement, le commerce et les droits de propriété intellectuelle… La déréglementation, le besoin d'attirer des investisseurs étrangers et les dispositions des accords commerciaux et contrats d'investissement, tout cela a diminué la protection juridique des citoyens, touchés par le fonctionnement des entreprises, surtout dans les pays en voie de développement.» Elle a poursuivi en disant qu'il n'y a pas si longtemps, le grand public n'avait même pas conscience de nombre de ces problèmes : «L'impact des entreprises sur les droits de l'homme est une préoccupation mondiale seulement depuis peu… Les articles et campagnes sur des problèmes tels que le travail des enfants, les déchets toxiques et la collusion des entreprises avec les régimes répressifs ont déclenché la colère de l'opinion. ONG et syndicats ont fait le lien entre les personnes qui achètent et celles qui fabriquent les vêtements Gap et Nike.»

Cela indique que c'est le moment idéal d'améliorer les pratiques de votre entreprise. Si les marques deviennent de plus en plus responsables de leurs actes (et il le faut), ce sont celles qui font preuve d'initiatives et assument leurs responsabilités qui prendront une longueur d'avance sur leurs concurrents.

Audrey Gaughran a ensuite mis l'accent sur les résultats de tels efforts. «Cette exposition a débouché sur une série de réactions de la société civile : activisme des consommateurs, développement du commerce équitable et campagnes de dénonciation. Cela a également fait réagir les entreprises : mise en place de l'investissement socialement responsable, implication dans le commerce éthique, mais aussi écoblanchiment et initiatives de relations publiques des marques. Quand ces réponses *ad hoc* ont pris de l'ampleur – avec plus ou moins de succès – une frontière s'est clairement dessinée entre, d'une part, les approches volontaires, caractérisées par la responsabilité sociale des entreprises et, d'autre part, le recours au droit pour pointer du doigt les failles des entreprises. Cette frontière reflète des enjeux de pouvoir sous-jacents importants. Dans les approches volontaires, l'acteur clé est très souvent l'entreprise qui sauvegarde son pouvoir. Les approches imposées par la loi reposent sur les États et – quand elles sont efficaces – offrent aux citoyens et communautés la possibilité d'exiger mesures et changements.» En même temps, je ne peux m'empêcher de penser à Internet et à son pouvoir pour ouvrir les portes des entreprises. À ces dernières de voir si elles considèrent cela comme une occasion ou une menace. Certes, personne n'est parfait, mais s'ouvrir et afficher des intentions et objectifs sincères en vue de s'améliorer vaut mieux que se renfermer sur soi-même ou faire des promesses qui ne seront pas tenues.

Malheureusement, Amnesty International a découvert que les violations graves semblent plus courantes dans les pays en voie de développement, où la législation est souvent plus laxiste que dans les pays industrialisés. Le plus gros problème, c'est que les lois et règlements ne sont pas souvent respectés et le pouvoir relatif des

Les violations des droits de l'homme ne se « compensent » pas.

multinationales est supérieur dans un pays pauvre. Comme de plus en plus de produits sont fabriqués par les économies en voie de développement et consommés dans les économies parvenues à maturité, le problème risque de devenir plus saillant encore dans le futur. Mais, comme le dit Audrey Gaughran, en associant la législation et la volonté des entreprises de diffuser leurs informations, l'espoir demeure. Là encore, nous voyons l'importance de la transparence quand nous essayons de bien faire ou de faire le bien.

En matière de régulation du flux d'informations : «Des affaires soulevées par Amnesty International, il ressort un immense déséquilibre en termes de pouvoir, directement lié à la possession de l'information. Le contrôle de l'entreprise sur l'information, si vital à la protection et à la défense des droits de l'homme, est une caractéristique de tous les dossiers que nous avons étudiés. À chaque fois, les personnes et communautés touchées ont énormément de difficultés à accéder à l'information nécessaire pour protéger leurs droits.»

Il existe un autre problème. Les entreprises qui cachent des informations peuvent facilement être considérées comme indignes de confiance. «Le fait que les populations n'aient pas accès aux informations qui leur sont nécessaires n'incite pas l'entreprise à respecter leurs droits (si les gens ne savent pas ce qu'il se passe, ils ne peuvent dire en quoi cela leur nuit) et empêche les communautés d'agir pour protéger leurs droits. Il s'installe alors un climat de suspicion et de méfiance entre les communautés et les entreprises, qui peut s'avérer extrêmement difficile à dissiper.» Encore une fois, la sincérité, la franchise et la transparence sont vitales pour disposer d'une marque solide en laquelle croient vraiment les consommateurs.

Audrey Gaughran m'a dit qu'en matière de législation, Amnesty International se heurte à un problème de taille, la mondialisation. Dans la mesure où les entreprises implantent divers secteurs de leur activité dans différents pays, il devient de plus en plus difficile de les tenir pour

responsables, car le droit varie d'un pays à l'autre. De plus, la mondialisation leur complique la vie. Il n'est pas facile de surveiller toute la chaîne de valeur, de l'extraction à l'utilisateur final, en passant par le stade de la production. Il incombe aux entreprises de s'assurer que leurs pratiques et leurs fournisseurs respectent bien les règles en vigueur. En outre, les entreprises exercent une pression juridique sur le système dans la direction inverse : «Bien que les entreprises puissent exercer une influence directe non négligeable sur les cadres juridiques et réglementaires, les modifications des lois en faveur des entreprises ont souvent été encouragées par les institutions financières internationales dans le contexte de l'investissement étranger. Si les institutions financières internationales renforcent le pouvoir économique des entreprises, il n'existe aucune institution internationale au pouvoir équivalent en mesure d'exiger la protection des droits humains et de l'environnement… Une autre dimension de la relation État-entreprises, et du risque que cette dimension induit en termes de droits de l'homme, est le niveau de complicité qui existe entre les États et les entreprises, nuisant fondamentalement à la protection des droits de l'homme. L'État a l'obligation de réglementer les activités commerciales, mais œuvre souvent de concert avec les entreprises et dépend très largement de la sphère des affaires pour obtenir un soutien politique.» Si l'État et le monde des affaires parviennent à se servir de ces partenariats pour apporter une réelle valeur ajoutée et trouver des solutions durables aux problèmes sociétaux, une certaine mutation se produira. La transparence est une nouvelle fois la clé.

Les entreprises tentent de mener des campagnes de responsabilité sociale et Audrey Gaughran et Amnesty International donneraient plutôt le conseil suivant : «La responsabilité sociale de l'entreprise n'est pas clairement définie. Elle couvre un large éventail d'activités : des projets philanthropiques aux déclarations de principes sur tout un tas de problèmes sociaux, en passant par la participation à des initiatives volontaires… En termes de RSE, les entreprises ont tendance à se focaliser – et à promouvoir – sur leurs pratiques d'excellence et à ignorer les impacts négatifs de leurs activités.» De plus en plus d'entreprises commencent à assumer leurs erreurs et cette démarche semble suffire pour mettre les consommateurs de votre côté. Plus besoin d'être de mauvaise foi : si une marque est sincère, admet ses erreurs et communique sur sa volonté de changer, les consommateurs sont généralement très contents d'être impliqués.

Si votre entreprise n'est pas irréprochable, les campagnes de responsabilité sociale qu'elle mène peuvent paraître manquer de sincérité. Faire le bien doit être au cœur de votre activité. Audrey Gaughran fait une sérieuse mise en garde : «Trop de campagnes d'ONG sont encore considérées par les entreprises comme des thèmes de relations publiques : c'est-à-dire des problèmes à traiter *via* des actions de relations publiques et des solutions marketing et non *via* une action systématique… Mais les violations des droits de l'homme ne se "compensent" pas.»

Juste pour clarifier les choses

Les termes « développement durable », « responsabilité » et « vert » sont souvent interchangeables. À mes yeux, il est important d'insister sur le fait que ce livre ne porte pas seulement sur les problèmes environnementaux, mais également sur la manière dont vous pouvez changer les choses pour le grand public, sa santé et la société en général.

En outre, j'ai volontairement mis l'accent sur les marques traitant directement avec les consommateurs (B to C), mais la révolution responsable vaut également pour les marques B to B, car les impacts environnementaux et sociétaux se mesurent sur toute la chaîne d'approvisionnement. Cela signifie que les fournisseurs que vous sélectionnez sont aussi importants que votre propre activité. Je ne me suis pas attardé sur les nombreux avantages pour votre marque d'avoir un engagement sociétal et pas seulement de maximiser ses bénéfices, parce que nombre de ces aspects ont déjà été traités en détail dans d'autres ouvrages, mais que cela ne vous empêche pas de changer les choses dans ces domaines. Le changement doit se produire partout et commence souvent à l'intérieur même de l'entreprise.

La plupart des gens ne sont pas des blancs riches

Cet ouvrage représente la réalité perçue par une minorité et non la majorité des consommateurs. Je fais bien entendu référence aux milliards de personnes des régions en voie de développement. Dans son documentaire référence *The Corporation*, Michael Moore transmet son message avec son style provocateur habituel : « Le fait que la plupart de ces entreprises soient dirigées par des hommes blancs, des hommes blancs riches, signifie qu'elles sont coupées de ce qu'est le monde d'une manière générale. »

Nous sommes un village mondial et, bien que le pouvoir d'achat des pays industrialisés reste le plus élevé (pour l'heure), l'immense majorité des gens vivent dans les pays en voie de développement. Nous évoluons tous les uns à côté des autres et les régions en voie de développement sont un gigantesque marché potentiel où faire le bien. Les aspirations à une vie plus responsable existent d'ores et déjà, avec bon nombre de pays en voie de développement dont la partie de la population adepte des LOHAS (mode de vie favorable à la santé et au développement durable) est aussi importante que dans les pays industrialisés. Ils sont en quête d'un monde meilleur et crient à l'aide pour que l'on trouve des solutions. Les marques peuvent apporter ces solutions. Si les marques n'y parviennent pas, ces LOHAS pourraient suivre le même chemin que nous et mettre le cap sur la surconsommation et sa myriade de conséquences indésirables.

RESSOURCES

Crédits photos

141 Agence : Dentsu Razorfish, Tokyo
142 Agence : Beacon Communications,Tokyo
143 Agence : Cake Group, Londres ; Photographe : Andy Fallon
144 Agence : Crispin Porter + Bogusky, Boulder
145 Agence : Nordpol+, Hambourg
146 Agence : TBWA\Chiat\Day, Los Angeles ; Directeur de la création : Rob Schwartz ; Photographe : Steve Boyle
147 Agence : Jung Von Matt, Hambourg
148-149 Agence : Ogilvy, Johannesburg
150 Agence : Marcel, Paris
151 Agence : Publicis, Bruxelles ; Annonceur : Reporters sans frontières/ Reporters Zonder Grenzen ; Directeurs de la création : Paul Servaes, Alain Janssens ; Directeur artistique : Daniel Vandenbroucke ; Texte : Kwint de Meyer ; Directeur de compte numérique : Nadia Dafir ; Directeurs de compte : Michael Ogor, Nathalie Tavernier ; Réalisateur d'agence : Dominique Ruys ; Stratégie : Tom Theys, Vincent D'Halluin ; Conception web : Denis Evlard par www. reed.be ; Studio : Think 'n Talk ; Traduction : Fabrice Storti, Richard Weiss
152 Agence : Drill, Tokyo ; Annonceur : NTT DOCOMO, Inc. ; Directeur de la création : Morihiro Marano ; Rédacteur : Noriko Yamada ; Directeur artistique : Jun Nishida ; Conception sonore : Kenijiro Matsuo (Invisible Designs Lab. Company, Ltd) ; Directeur : Seiichi Hishikawa (Drawing and Manual) ; Directeur de la photographie : Eitaro Yamamoto (Sahdow-dan) ; Producteurs : Toshifumi Oiso, Hideyuki Chihara (Engine PLUS) ; Réalisateur d'agence : Ayako Yoshinoyu (Dentsu Inc.) ; Rédacteur : Hitoshi Kimura
153 Agence : Saatchi & Saatchi, Stockholm
156 Agence : TBWA\Chiat\Day, New York ; Créatifs : Mark Figliulo, Lisa Topol, Jonathon Marshall, Eric Stevens, Josh DiMarcantonio, Ani Munoz, Isabella Castano ; Production : Josh Morse, Howie Howell, Katherine d'Addario, Rayana Lucier, Chris Reardon, Michael Bester, Peter Kuang, Chris Kief ; Gestion des comptes : Nikki Maizel, Keiko Kurokawa, Greg Masiakos ; Photographie : Markus Klinko & Indrani, G. K. Rei ; Artistes : Alicia Keys, Bronson Pelletier, The Buried Life Cast, Daphne Guinness, David LaChapelle, Elijah Wood, Jaden Smith, Willow Smith, Janelle Monae, Jay Sean, Jennifer Hudson, Katie Holmes, Khloe Kardashian, Kim Kardashian, Kimberly Cole, Pink, Ryan Seacrest, Serena Williams, Swizz Beatz, Usher

158 gauche Agence : Wieden + Kennedy and AKQA, Londres
158 droite Agence : StrawberryFrog, New York
162 Agence : StrawberryFrog, New York
163 Agence : Abbott Mead Vickers BBDO, Londres ; Annonceur : The Metropolitan Police
164 Agence : Ogilvy, Toronto ; Photographe : Gabor Jurina ; Directeurs : Yael Staav, Tim Piper ; Modèle : Stephanie Betts
165 Agence : Garbergs, Stockholm
166 Agence : Akestam Holst, Stockholm
167 Agence : Leo Burnett, Beyrouth
168 Agence : Wieden + Kennedy et AKQA, Londres
169 Agence : TBWA\Chiat\Day, New York ; Créatifs : Mark Figliulo, Lisa Topol, Jonathon Marshall, Eric Stevens, Josh DiMarcantonio, Ani Munoz, Isabella Castano ; Production : Josh Morse, Howie Howell, Katherine d'Addario, Rayana Lucier, Chris Reardon, Michael Bester, Peter Kuang, Chris Kief ; Gestion des comptes : Nikki Maizel, Keiko Kurokawa, Greg Masiakos ; Photographie : Markus Klinko & Indrani, G. K. Rei ; Artistes : Alicia Keys, Bronson Pelletier, The Buried Life Cast, Daphne Guinness, David LaChapelle, Elijah Wood, Jaden Smith, Willow Smith, Janelle Monae, Jay Sean, Jennifer Hudson, Katie Holmes, Khloe Kardashian, Kim Kardashian, Kimberly Cole, Pink, Ryan Seacrest, Serena Williams, Swizz Beatz, Usher
170 Agence : Publicis e-dologic, Tel Aviv
171 Agence : Albert Gamotte, Paris
174 Agence : Euro RSCG, Londres
177 gauche Agence : Droga5, New York ; Annonceur : New York City Department of Education,
177 droite Agence : TBWA\Chiat\Day, Los Angeles
180 Agence : Sidièse, Paris
181 Agence : Ogilvy, Le Cap ; Directeur artistique : Prabashan Pather ; Rédacteur : Sanjiv Mistry ; Chef de publicité : Jason Yankelowitz ; Directeur de compte : Lauran Baker
182 Agence : Euro RSCG, Londres
183 Agence : Net#work BBDO, Johannesburg
184 Agence : Hubble Innovations, Berlin ;

Directeur de la communication : Amir Kassaei ; Directeur de la création : Dennis May ; Directeur artistique : Gabriel Mattar ; Texte : Ricardo Wolf
185 Agence : Droga5, New York
186 Agence : Rogalski Grigoriu PR, Bucarest
187 Agence : Del Campo Nazca Saatchi & Saachi, Buenos Aires ; Annonceur : Norte Beer ; Titre : The Best Ever Excuse ; Directeurs executives de la création : Maxi Itzkoff, Mariano Serkin ; Directeur de la création : Fernando Militerno ; Équipe responsable du compte : Jaime Vidal, Patricia Abelenda ; Réalisateurs d'agence : Adrian Aspani, Camilo Rojas, Lucas Delenikas ; Superviseurs des publicitaires : Ricardo Fernandez, Eduardo Palacios, Lucas Adur
188 Agence : TBWA\Chiat\Day, Los Angeles
189 Agence : Net#Work BBDO, Johannesburg
190 Agence : Sancho BBDO, Bogotá
191 Annonceur : Vai-Vai
192 Annonceur : Innocent
193 Agence : Jung Von Matt, Elbe
196 Agence : Walker Werbeagentur, Zurich
197 Agence : Crispin Porter + Bogusky et Arnold Worldwide, Miami
199 Agence : F/Nazca Saatchi & Saatchi, São Paulo
202 Agence : Colman Rasic, Sydney
203 Agence : Crispin Porter + Bogusky, Miami
205 Agence : McKinney, Durham, Caroline du Nord
206 Agence : Y&R, New York
207 Agence : F/Nazca Saatchi & Saatchi, São Paulo
208-209 Agence : Walker, Zurich
210 Agence : Leo Burnett, Melbourne ; Annonceur : Scope ; Directeur : Tov Belling ; Société de production : The Pound ; Musique : Rudely Interrupted
211 Agence: Leo Burnett, Paris
212-213 Agence : Crispin Porter + Bogusky et Arnold Worldwide, Miami
216 Agence : Crispin Porter + Bogusky, Canada
217 Agence : Santo, Buenos Aires
219 Agence : Grey, Düsseldorf
222 Agence : Crispin Porter + Bogusky, Canada
223 Agence : Leo Burnett, Lisbonne ; Directeur de la création : Renato Lopes
224 Agence : McCann Erickson, Skopje ; Annonceur : Veritas Spiriti ; Directeur de

la création : Ivica Spasovski ; Directeur artistique : Vladimir Manev ; Photographie : Tomislav Maric ; Directeur : Ilija Karov ; DOP : Alesandar Krstevski ; Post-production : Aleksandar Spasoski, Vertigo ; Directeur général : Vladimir Dimovski ; Chef de projet : Biljana Petrova ; Président : Srdjan Saper
225 Agence : Santo, Buenos Aires
226 Agence : DDB, Stockholm
227 Agence : JWT+H+F, Zurich
228-229 Agence : Uncle Grey, Aarhus
230 Agence : Grey, Düsseldorf
231 Agence : Tribu DDB, San José ; Annonceur : DIPO SA, Aceite Salat ; Partenaire pour les illustrations : Morpho Studio ; Directeurs de la création : Pablo Chaves, Javier Mora, Paula Guevara ; Directeurs artistiques : Joaquín Brenes, Frank Fernandez ; Rédacteurs : Frank Fernandez, Paula Guevara, Esteban Jiménez
232-233 Agence : Y&R, São Paulo ; Annonceur : Santa Casa de Misericórdia de São Paulo ; Campagne : Blood Donation ; Directeurs de la création : Rui Branquinho, Flávio Casarotti, Sergio Fonseca ; Rédacteur : Lucas Casão ; Directeur artistique : Guilherme Rácz ; Photographe : Brandon Voges, Bruton Stroube Studios
234 Agence : JWT, bombay ; Rédacteur et directeur de la création : Senthil Kumar
235 Agence : Inkognito Cph, Copenhague

247

Bibliographie

Brains on Fire : Igniting Powerful, Sustainable, Word of Mouth Movements

Robbin Phillips, Greg Cordell, Geno Church, Spike Jones
John Wiley & Sons, Hoboken, NJ, 2010

Brand Spirit : How Cause Related Marketing Builds Brands

Hamish Pringle, Marjorie Thompson
Wiley, Chichester, Royaume-Uni et New York, 2001

Branded! How the Certification Revolution is Transforming Global Corporations

Michael E. Conroy
New Society Publishers, Gabriola, BC, 2007

The Business of Changing the World : Twenty Great Leaders on Strategic Corporate Philanthropy

Marc Benioff, Carlye Adler
McGraw-Hill, New York, 2007

Cause Related Marketing : Who Cares Wins

Sue Adkins
Butterworth-Heinemann, Oxford et Boston, 1999

Changer le monde : un guide pour le citoyen du XXIe siècle

Alex Steffen
La Martinière, Paris, 2007

Communication et environnement, le pacte impossible

Thierry Libaert
PUF, Paris, 2010

La communication responsable

Alice Audouin, Anne Courtois, Agnès Rambaud-Paquin
Eyrolles, Paris, 2010

Cradle to Cradle : créer et recycler à l'infini

Michael Braungart, William McDonough, traduit par Alexandra Maillard
Éditions Alternatives, Paris, 2001

Datavision : mille et une informations essentielles et dérisoires à comprendre en un clin d'œil

David McCandless, traduit par Dorothée Cunéo
Robert Laffont, Paris 2011

Do Good : How Designers Can Change the World

David B. Berman
New Riders, Berkeley, 2009

Ecological Intelligence : The Hidden Impacts of What We Buy

Daniel Goleman
Broadway Books, New York, 2010

L'Entreprise verte

Elisabeth Laville
Pearson, Paris, 2009

The Great Disruption : Why the Climate Crisis will Bring on the End of Shopping and the Birth of a New World

Paul Gilding
Bloomsbury Press, New York, 2011

Just Good Business : The Strategic Guide to Aligning Corporate Responsibility and Brand

Kellie A. McElhaney
Berrett-Koehler Publishers, San Francisco, 2008

Le manifeste du marketing vert

John Grant, traduit par Jean-Pascal Bernard
AFNOR édition, La Plaine-Saint-Denis, 2009

Naked Conversations : How Blogs are Changing the Way Businesses Talk with Customers

Robert Scoble, Shel Israel
John Wiley & Sons, Hoboken, NJ, 2006

Nudge : la méthode douce pour inspirer la bonne décision

Richard H. Thaler, Cass R. Sunstein, traduit par Marie-France Pavillet
Vuibert, Paris, 2010

The Oxford Handbook of Corporate Social Responsibility

Edited by Andrew Crane, Abagail McWilliams, Dirk Matten, Jeremy Moon, Donald Siegel
Oxford University Press, Oxford et New York, 2009

Pour Your Heart into It : How Starbucks Built a Company One Cup at a Time

Howard Schultz, Dori Jones Yang
Hyperion, New York, 1997

The Responsibility Revolution : How the Next Generation of Businesses Will Win

Jeffrey Hollender, Bill Breen
Jossey-Bass, San Francisco, 2010

Social Innovation, Inc. : 5 Strategies for Driving Business Growth through Social Change

Jason Saul
Jossey-Bass, San Francisco, 2011

Social Marketing : Influencing Behaviors for Good

Philip Kotler, Nancy R. Lee
Sage Publications, Los Angeles, 2008

Sustainable Value : How the World's Leading Companies are Doing Well by Doing Good

Christopher Laszlo
Stanford Business Books, Stanford, 2008

We First : How Brands and Consumers Use Social Media to Build a Better World

Simon Mainwaring
Palgrave Macmillan, New York, 2011

What's Mine is Yours : The Rise of Collaborative Consumption

Rachel Botsman, Roo Rogers
Harper Business, New York, 2010

Les 7 clés du marketing durable

Elizabeth Pastore-Reiss
Eyrolles, Paris, 2012

Liste des annonceurs

Remerciements

Je n'aurai jamais pu y parvenir seul

Cet ouvrage n'aurait pas vu le jour sans l'aide de nombreuses personnes merveilleuses et sources d'inspiration. Tout d'abord, un grand merci à mes parents, pour m'avoir élevé avec amour et dans un climat démocratique et socialement engagé. Ma reconnaissance et tout mon amour vont également à ma compagne Rebecca : tu t'es montrée très patiente lors de la grossesse de ce bébé de livre.

Je tiens particulièrement à remercier Paul White, acteur précieux et infatigable de la rédaction de ce livre, qui a fait des recherches et commenté le contenu. Mille mercis également au restant de mon équipe, pour tous les efforts consentis et les longues soirées passées à réaliser cet ouvrage, ce qui aurait été impossible sans vous. Merci à Saba Nejat, Tamlyn McPherson, Cris Robertson et Tara Smith. Je remercie également Bernita Lewin pour son calme, même lorsque le projet ne semblait jamais devoir se terminer. Je tiens également à remercier Andrew Sanigar, Hannah Consterdine et Ilona de Nemethy Sanigar et tout le personnel de Thames & Hudson pour avoir cru en mon livre.

Un merci tout particulier à toutes les personnes que j'ai consultées et qui ont trouvé le temps dans leur agenda surchargé de me faire part de leurs opinions sur la situation difficile qui nous attend : Connie Hedegaard, Alex Bogusky, Morten Albaek, Hannah Jones, David Droga et Rob Schwartz, Niall Dunne et Audrey Gaughran. Vos perceptions et idées m'ont persuadé de l'existence d'un avenir durable.

Ce projet n'aurait pu être mené à bien sans les contributions de toutes les personnes suivantes : Paul et Jono, ainsi que tous les autres de Leftfield, Gwynne Rogers, Martin Gjerløff, les gens de FoxP2, le couple adorable de chez PixelProjects, le personnel de Robert/ Boisen & Like-minded, Andrew Donaldson et Bernice Lizamore, Simon Bauer, Ivan Colic, Shaun McCormack, Melissa Baird, Porky, Kristian Merenda, Kristian Ruby, Sophie Hamon et Cannes Lions, Julia Emmerich, Mary Remuzzi, Jason Zada, Dyana Daulby, Isobel Barnes, Kronk, Ulrik Ahlefeldt, les gens d'Ironflag, Jeremy Miller, Meagan Phillips, Ivica Spasovski, Julia Albu, Daniel Mikkelsen, Tobias Lau, Viv Gordon, Joakim Lundstöm, Sandra Lehnst et Luerzers Archive. J'espère n'avoir oublié personne. Si c'était le cas, je vous prie de m'en excuser, vous avez toute ma reconnaissance.

THOMAS KOLSTER

Merci à Thomas Kolster, bien sûr, pour sa confiance et son amitié. À Bruno Lechevin, président et Valérie Martin, chef du service communication et information de l'ADEME pour leur soutien. Merci également à Alain Chauveau pour la réécriture des traductions et la conduite des entretiens. À Selene Osorio, enfin, pour son implication et sa vigilance tout au long de ce projet.

GILDAS BONNEL